What a Jasmine Flower

好一朵茉莉花

徐贵祥 领创

人民东方出版传媒
东方出版社

好一朵茉莉花　　　*What A Jasmine Flower*

创意策划　解放军艺术学院文学系　东方出版社

创作指导　张志强　简以宁

徐贵祥

徐贵祥

安徽霍邱县人，1959年12月出生，中国作协全委会委员，全国政协委员，享受政府特殊津贴。现为解放军军事文学研究中心主任、解放军艺术学院文学系主任，大校军衔。著有长篇小说《仰角》《历史的天空》《高地》《八月桂花遍地开》《明天战争》《特务连》《马上天下》《四面八方》等。获第7、9、11届全军文艺奖；第4、9、11届五个一工程奖；第6届茅盾文学奖。

目录

目录

观 察

好一朵茉莉花

徐贵祥 著

一

日本人是半夜进来的，动静不大，连狗都没叫几声。

居民们跑了大半，剩下的既然没跑，也就听天由命了。二天早起，趴在门缝向十字街的街角看，先是看见北边刘三家的油条锅支起来了，西边张家恒的豆腐坊开了半扇门。屠夫许甲先去北边买了两根油条，又到西边买了几张豆腐皮，从豆腐坊出来，脚上的木拖鞋在青石板街心上敲出橐橐的响声。许甲的步子迈得不大不小，目不斜视，可是门缝里的眼睛分明看见从许甲的眼角里向外流淌的余光，"哼，日本人有什么可怕的，老子就不跑，大不了抡起杀猪刀跟他拼了。"

这话是前几日在桂山饭店里，许甲当着大伙的面说的。那些天疯传日本人很快就要拿下陆安州，很快就要打到蛾眉地界了，镇长袁芦轩召集镇上头面人物商议，许甲当时就拍着胸脯表示，不离开蛾眉镇。许甲的屠宰坊有些年头了，他还雇了三个伙计，家大业大，自然不能轻易拍屁股走人。许甲这么一说，其他人也主张不走。豆腐坊老板张家恒说，蛾眉这地界，无险可守，自古就不是个打仗的地方。凤翔布庄的老板吕上清见多识广，讲话就比较有分量，他从三国讲起，讲到太平天国和八国联军，说蛾眉地界从来没有发生过战事，想当年蒋、冯、阎大战，各路兵马也都是过路，顶不济出点粮草也就打发了。想那日本鬼子，不过是南下西进，咱这地界，只要不去招惹他，想必他也不会自找麻烦。

既然大家都觉得可以不走，袁芦轩就做了不走的打算，镇公所发出布告，按人头每户抽取大洋三块，作为"保护费"。蛾眉地界，往年每遇兵燹，都是破财消灾。好在此地是鱼米之乡，加上汲河直通淮河，水上交通便利，贸易发达，甚为富饶，为保一方平安，捐钱纳粮已经习以为常。很快，镇公所就征集了一千二百六十三块洋钱。袁芦轩买通日军先遣部队的翻译官贾宜昌，把钱送去了，换来一面太阳旗，居民们就待在家里等着，虽然忐忑，倒也不耽搁吃饭睡觉。

果然，一个早晨平安无事，一个上午平安无事。到了中午，日军安营扎寨完毕，就把袁芦轩和镇上的几个头面人物叫到南街的妆台上，不仅没有动枪动炮，反而瓜子点心伺候，还把一千多块大洋还给了袁芦轩。

日军驻屯蛾眉的最大长官叫河岸，是个中佐，四十来岁，戴着一副金丝边眼镜，文质彬彬的模样。河岸中佐对袁芦轩等人说的第一句话是，鄙人河岸，是个读书人，诸位可以喊我河岸先生。

大家一下子就踏实了，因为来的路上还拿不准，是称呼长官呢还是称呼太君。这下好了，叫先生。于是一起作揖拱手，河岸先生好！

河岸中佐说，诸位不必拘礼，皇军到中国来，是来建设大东亚共荣圈的，不是来刮地皮的。蛾眉是个礼仪之邦，文明乡镇，知书达理者甚多。今后，皇军要和蛾眉居民和睦相处，共建模范王道乐土，请多关照。

河岸中佐的一番话让袁芦轩等人惊喜交集，喜的是日军果然没有开杀戒的意思，惊的是，听河岸的口气，好像来了就不打算走了，至于"王道乐土"是个什么东西，袁芦轩不甚了了，可是这个并不重要，鬼子说不走，枪炮在他手里，走不走都是他说了算，往后，小心就是。

还有一点让蛾眉镇头面人物稍感安慰的是，日军把驻地定在妆台上，同主街隔着一条小河，从外观上看，也有"井水不犯河水"的意思。

回来的路上，袁芦轩对大伙说，兴许不会有啥大麻烦。大家也都说，看河岸中佐的样了，是个有学问的人，走一步算一步吧。

往后的日子，蛾眉小镇很快就恢复了平静。妆台上有几栋青砖青瓦的房子，是蛾眉首富裴世豪的家产，裴家在日军进入江淮之前，举家迁到江南了，空出的房子就成了日军的队部。河岸向蛾眉居民宣布，皇军住在裴氏庄园，是借住，要付房租，由镇公所代收，以后可以转交给裴氏。

日军的所作所为口口相传，原先背井离乡的一半人家，多数回到了街上，渐渐地，店铺开张，集市恢复了往日的热闹，日子回到了先前，街上的猫和狗又多了起来。

河岸说到做到，不仅日军秋毫无犯，"皇协军"也不敢扰民，所需给养按价购买，一手交钱一手拿货，让蛾眉居民且惊且喜，凭空多出许多生意。尤其是许甲，每天都要杀一头猪，三天就要宰一头牛，日军买肉比寻常价格还要高出一两成，简直就是神仙买卖。当然，受益的还不仅是许甲，春去夏来，日军要换单衣，向凤翔布庄预定了一百匹士林布，交付了一千块大洋。吕上清喜出望外，就这一笔生意，够他三年的赢利。另外一些小商小贩，种菜的，捕鱼的，开饭馆的，卖茶叶的，篾匠、铁匠、木匠，无不受益，不一而足。

蛾眉的居民渐渐地就知道"王道乐土"是怎么回事了，原来是让大家过上好日子，虽然还有些嘀咕，这天上掉馅饼的日子，寻思起来总有一些不对劲，可是，转过了头想，大家都是一样，好事坏事不是哪一家的事，况且天塌下来还有高个子顶着，大家也就心安理得了。

蛾眉的日子一天胜似一天，蛾眉的居民高兴，河岸中佐也高兴。从妆台到主街，中间隔着一条小河，二十来丈宽，原先有一个毛竹吊桥，河岸中佐住到妆台后，到河边勘察了一个时辰不到，就画了一张图纸，然后派人把袁芦轩请过去，又是拿钱说话，由袁芦轩征集民工，日本人出钱，只用了两天就架起了一条两丈宽的石墩木板桥，这在峨眉居民看来，又是一件功德之举，架桥修路，不是功德是什么？

从进驻的第五天开始，吃罢早饭之后，河岸中佐就会到街上转转，头一次，前呼后拥，过了几天，带的人就少了，常常只带着两三个人，当然，还有那条名叫瀑布的狗。

河岸中佐转街的时候，能够从居民的脸上读出许多内容，他们对太君的谦恭是自然的，隔着老远就闪到一边让路。这种感觉让河岸心里很受用，更让河岸受用的，还有峨眉居民的狗。那些狗当然不认识他，但是那些狗认识他身边的瀑布——那是他从本土带来的神犬，个头接近他的一半，器宇轩昂，威风凛凛。

进入峨眉之前，河岸就研究过地方志，知道峨眉人爱养狗，街面三百多户人家，就有七八十条狗，有些人家养了两条或者三条，最多的有五条六条，这个小镇，还有狗镇的诨号。河岸临来时向松冈大佐要了一条军犬，他是想看看，峨眉狗在日本狗的面前是个什么模样。走在街上，瀑布的神态和步伐几乎就是他的翻版，也是那样从容不迫，高视阔步，宛如正在散步的骏马。恰好这副仪表，让峨眉居民的狗类相形见绌。

在河岸看来，那些中国狗形象促狭，目光闪烁，尾巴通常都是耷拉着的，老远见到瀑布的身影，要么夹起尾巴一溜烟小跑，要么就躲在街面两侧的屋子里，和它们的主人一样，从门缝向外偷看，大气也不敢出，更不要说叫两声了。这种感觉让河岸中佐愉快极了，人对人的征服可能有许多难以捉摸的因素，可是，狗对狗的征服，绝对只有一个因素，那就是战无不胜的精气神和战无不胜的力量，还有体格。

正是这种愉快的感觉滋润着河岸的心田，他才增加了视察峨眉街面的次数，每次转街回来，他都像喝了美酒一样亢奋。在给联队长松冈大佐的报告里，他描述的前景是乐观的，在皇军的引导下，民心思定，安居乐业。他还特意提到了狗，"从蛾眉狗的表情和行为可以推断，蛾眉人对皇军只有惧怕，没有或者说不敢仇恨。"

好像是为了证实河岸中佐的话，蛾眉狗类确实越来越乖了，日军来到蛾眉不到十天，蛾眉狗们不仅望风而逃，而且渐渐地做出了一些奇怪的举动，比如远远地眺望妆台，眼神里荡漾着仰慕和向往之情，隔着几十步的距离，看见瀑布之后，还互相打架斗殴，好像在表演取悦瀑布似的。但是高贵的瀑布对此不屑一顾，连正眼也不看它们一眼。这种情况让河岸中佐益发自信，益发踌躇满志，也就越来越喜欢转街了。

直到有一天，在东头的世豪中学门口，情况发生了变化。

二

蛾眉镇是蓼蓝县的第二大镇。清末民初，在上海经营跑马场的蛾眉人裴世豪发了大财，受"教育兴国"思想的影响，衣锦还乡，除了给自己建了一所占地三十亩的庄园，还捐资建了世豪中学，并规定为工科学校，传授西学，设有数学、物理、化工等科，文科只有国语和俄语两门。学校建成后，已是民国，裴世豪同政府签订协议，蓼蓝县南部三镇四乡的中学生源均划归世豪中学，也就是说，世豪中学承担全县一半的中学教育任务。当时的县长庄临川讥讽裴世豪想把蛾眉建成半个县城。当然，讥讽归讥讽，事情还得按裴世豪的意思办，因为那时候的政府，既要办教育，又穷得叮当响，有裴世豪这个阔佬充大头，没有什么不好。世豪中学办了二十多年，桃李遍布江淮，蛾眉的名气因此更大，成为江淮沃野上的一颗文化明珠，这也是日军江淮驻屯司令部特意把河岸中佐派遣到蛾眉的主要原因。

日军进驻蛾眉的前十天，河岸一直没有打扰世豪中学，只是让人给校长庄临川写了一封信，表示，无论战争进行到何种地步，本部都将恪守尊重教育之原则，推动亲善怀柔之政策。也希望贵校与本部精诚团结，早日建成"王道乐土"，云云。按照河岸中佐的想法，庄临川接到这封信后，应该顺着杆子往上爬，应该亲自登门拜谢。但是，这个曾经的县太爷并没有到日军队部，而是派人送来一封回信，说中日两国，同出孔孟师门，尊重教育，乃世界同心。教育圣地，理应避免刀光剑影，河岸先生明此道理，世豪中学师生甚为欣慰，云云。

这封酸溜溜的回信让河岸中佐很不高兴，但是，他必须忍耐，他要选择在一个恰到好处的日子，亲自勘察世豪中学。对于他的秘密使命而言，如果不能征服世豪中学，即使把蛾眉镇所有的人都征服了，也等于零。然而，征服世豪中学不是攻打高地，那是需要时间的。

同蛾眉街面的情况相似，十天前，世豪中学的师生也转移了一多半，留在学校的除了校长庄临川，还有物理教员周介于，化工教员蔡捷丰，这两个人是年轻人，乡村师范的毕业生，都还没有成家，精力旺盛得很。

陆安州沦陷之前，庄临川决定提前放假，让学生回家帮助春耕。老师去留凭自愿，有些老师就跟着学生一起走了，留在学校里的都是自愿护校的，当然，也是各有各的想法，比如蔡捷丰。

这段时间，蔡捷丰一直琢磨一件事情，要尽快让自己的试验有个结果。几年前在报上看到一则消息，日本白川大将在上海虹口公园被炸，但是没有炸死，因为炸药体积太大，携带中暴露了，而且引爆的装置也有问题。自从看到这个报道，他就觉得，这件事情他有责任，因为他是搞化工的。后来听说日军要在妆台长期驻扎下去，别人都很惶恐，唯有蔡捷丰兴高采烈，他觉得机会来了，上海的斧头党没有做成的事情，他可以做成。尽管河岸中佐比白川大将廉价得多，但好歹是鬼子官，炸一个少一个。

但是蔡捷丰遇到了麻烦。他想造的炸药，体积小他可以做到，但是如何定时，他做不到，这要用物理知识。他听说国外已经有了定时炸弹，所以就请周介于和他一起研究。周介于这段时间也在琢磨，从哪里搞一支枪来，找个机会埋伏在街南的小树林里，等鬼子官儿过桥的时候，干掉一个两个。当然，这也只是想想，庄临川是绝对不会同意他这么干的，鬼子就在身边，学校能够偏安一隅就谢天谢地了，哪敢让他去捅娄漏啊！

有一天蔡捷丰把周介于拉到化工教学实验室，跟他谈了造定时炸弹的想法，周介于一听就激动了，连声说，这个好，比我那个想法好，杀掉一个两个不行，要是连窝端，那就不怕了，弹簧的原理我懂，韧性钢材我也有，可以试试。

这是上午说的话，到了下午，周介于就给蔡捷丰回话，说他再三想了，弹簧他造不好，那东西需要特殊钢材。蔡捷丰见他说话含含糊糊，还很紧张，就问他是不是害怕了。周介于说，他也想炸鬼子，可是秀才造反三年不成，弄得不好，还要连累学校和学生。他劝蔡捷丰也不要搞了。

蔡捷丰这就明白了，周介于确实害怕了。可是蔡捷丰还是不甘心，慷慨激昂地说，前汉亡了有后汉，你们不干我来干。你等着瞧！

想来想去，还有一个人可以帮忙，就是镇上最好的铁匠谢奉承。跟周介于分手之后，蔡捷丰就去找谢铁匠，谢铁匠一听蔡捷丰要造定时炸弹炸鬼子，脸色立马就白了，二话不说就把他轰了出来。谢奉承说，鬼子没有杀人放火就烧高香了，躲都来不及，你们还去惹他，简直就是耗子舔猫屁股，找死啊。你赶紧滚蛋，就算我没听见这回事。

从铁匠铺出来，蔡捷丰的眼泪都快流出来了，他寻思自己真是脑子进水了，他还以为蛾眉镇上的人全都对鬼子恨之入骨，登高振臂一呼，就能八方响应，岂料全都噤若寒蝉，长此以往，还有中国吗？

就在蔡捷丰为了弹簧四处奔波的时候，又一个人回到了学校，是庄校长的表弟姚志远。此人早年在孙殿英的队伍里吃过军粮，被打瞎了一只眼，平时戴着一只黑色的眼罩，样子很是古怪。年前庄临川把他安插在学校打钟，还兼着做饭，每月三块大洋工钱。

蔡捷丰接受了教训，没有跟姚独眼说找弹簧是为了造炸弹炸鬼子，只是说为了试验用。姚独眼也没有多说，给他开了一个价，要四块大洋，换一个汉阳造步枪上的弹簧。蔡捷丰一听就喊了起来，说狗日的姚独眼心太黑了，老子造炸弹是为了炸鬼子，你居然趁火打劫，一点爱国之心都没有。

姚独眼一听说要弹簧是干这个用，二话不说，就把弹簧收了起来，并且说，别说四块大洋，一百块大洋，老子也不卖。蔡捷丰气不打一处来，也只能干瞪眼。

三

姚独眼回来了，姚独眼的狗自然也回来了。这狗也有个名字，叫"茉莉花"，是校长庄临川给起的，不算太俗，但是没有人知道为什么叫它茉莉花。就像姚独眼的样子古怪一样，茉莉花的样子也很古怪，它不像其他狗类喜欢到处乱跑，而是长时间打坐，泥菩萨一般。打坐的时候，不仅身体不动，尾巴不动，就连脑袋也不动，深陷在眼窝里的眼睛只盯着前方很远很远的地方，好像那里有条发情的母狗。

这天是个赶集天，方圆十里的乡下人推着独轮车，挑着担子到蛾眉镇上买卖。早晨饭毕，河岸中佐换了一身长袍马褂，命令负责管理瀑布的中野中尉给瀑布也穿了条绸布裤子，然后带着翻译官贾宜昌和"皇协军"团长张贵，一路谈笑风生，过了汲河桥，先是到西头，再到北头，最后就到了东头。

这一路上，河岸中佐自然又是心旷神怡，他敏感地发现了，蛾眉居民不仅比以往更谦恭了，而且眼神里多了一些东西？是什么呢？是感激，是真诚的感激。当然，蛾眉的狗类也似乎有了变化，眼神里多了些复杂的感情，有敬畏，也有羡慕，还有爱戴，至少有三只蛾眉狗向瀑布摇了尾巴，那尾巴摇得太有意思了，在河岸中佐看来，那就是狗的舞蹈，狗的情感的艺术表达。

河岸中佐停下步子，交代副手加藤，在给松冈大佐的第二份报告里，要特别提到蛾眉狗："因为皇军的到来，使它们多吃了很多肉骨头，洋溢在它们脸上的表情，展示了它们的内心的感激，也一定程度地反映了蛾眉人的内心。"

加藤当即掏出纸笔，刷刷记了下来，一行人才继续前行。

镇长袁芦轩早就接到了指令，带领镇公所的官员和头面人物，等候在十字街中心，见到河岸中佐，袁芦轩带头迎了上来，照例鞠躬作揖。河岸中佐笑容可掬，一一同上述人员握手，眼睛却观察着几个穿长衫的人物。那几个人物若即若离，虽然脸上也挂着微笑，但是河岸中佐看出来了，那笑容的成分很复杂，有些无奈，有些讥讽，还有一些说不清道不明的东西。

袁芦轩向河岸中佐介绍说，这位是世豪中学的校长庄临川，这位是物理老师周介于，这位是化工老师蔡捷丰，这位是数学老师袁莞睿，这位是俄文老师蒋余干，这位是……

袁芦轩一边介绍，河岸一边给各位老师鞠躬，不断地说，怀柔亲善事业神圣，请各位先生多多关照。介绍到蔡捷丰的时候，突然一片柳絮飞到河岸的眼睛里，河岸中佐掏出雪白的手绢擦擦眼睛，很注意地看了蔡捷丰一眼。半秒钟后，河岸说，我和蔡君是同行，六年前我也是化工老师，以后还要向蔡君请教，请多关照。

蔡捷丰本来不想在这个场合说话，没想到河岸单独同他说了几句话，见河岸态度诚恳和蔼，一时竟找不到话说，好大一会儿才拱拱手说，如此说来，如此说来……

河岸中佐看出了蔡捷丰的迟疑，是因为不知道该怎么称呼他，笑笑说，都是教书匠，你可以称呼我河岸先生。

蔡捷丰一愣，尴尬一笑说，如此说来，河岸先生是科学教育的前辈了，晚辈才疏学浅，还望先生赐教。

河岸中佐拉起蔡捷丰的手摇摇说，很好，很好，中国科技起步较晚，而大日本在明治维新时期，就开始向西方发达国家学习，比中国先进了不少。作为学界同行，本人愿意为世豪中学的教育做出贡献，进行模范试验，这也是本部推进怀柔政策、建立大东亚共荣圈的核心内容。

河岸中佐说这番话不要紧，蔡捷丰心里却犯开了嘀咕，听这老鬼子的话，居然还把世豪中学当作汉奸模范了，他妈的，如此以来，老子不也成汉奸帮凶了吗？

当然，这话只是想想，嘴里并不便说。

寒暄完毕，袁镇长带头向东头学校走去，河岸和庄临川并肩行走，问庄临川，为何不见贵校艺术老师露面？

庄临川说，本校是重点工科中学，当年资助人裴世豪老先生定的校旨。

河岸奇怪地问，中学乃学子发育最佳阶段，应该全面发展，尤其应该注重心理建设，为什么有这样奇怪的校旨？

庄临川说，裴先生在十里洋场受到欧洲人的欺负，要发展科技，教育救国，所以就选择实用学科。

河岸中佐听了半晌不语，往前走了几步才说，恕鄙人不恭，中国的问题的根本，不在于科技落后与发达，而在于世道人心。如果没有信仰，没有健全的心智，人心涣散，即使有很先进的科技，能造出坚船利炮，也是枉然。

庄临川阴郁地说，没有办法，病急乱投医啊，积弱积贫……一声轻微的叹息之后，庄临川说不下去了。

河岸中佐扭头看了庄临川一眼，安慰地说，是啊，现在的中国确实一团乱麻，被欧洲帝国主义蹂躏践踏，所以我们大日本皇军才要帮助中国从欧洲殖民主义者的手里解放出来，亚洲是亚洲人的亚洲，中国是亚洲的重要部分，我们绝不允许西方殖民主义把它变成他们的殖民地，这就是天皇陛下赋予我们的神圣使命……河岸中佐讲得有些激动，戴着雪白手套的手在空中飞舞，可是讲着讲着，河岸中佐的声音低了下去，河岸中佐的步子也停了下来，最后，河岸中佐不走了，就站在薛家裁缝铺前，眼睛直视前方。

前方，就是世豪中学的大门口了，大槐树上挂着一个硕大的铁钟，铁钟下面，纹丝不动地坐着一条黑狗。尽管对面人群熙熙攘攘，然而黑狗却似乎对身边发生的一切熟视无睹，耳朵依然耷拉着，连眼皮都不抬一下，像是一个睿智的老者，正在思考重要的哲学问题，样子十分清高。

更离奇的是，一向昂首挺胸的瀑布好像中了魔一样，突然发出一声惊叫，掉头就往回跑。河岸中佐心中咯噔一声，暗叫不好。中野中尉使劲地往回拽瀑布，却被瀑布拖着跟跟跄跄往回走了几步。河岸中佐顿时勃然大怒，喝令身后的士兵，上前将瀑布缚住，按头的按头，推屁股的推屁股，好不容易才向前推了几步。那瀑布被几个日本兵绑架着前行，眼看就要接近大门口了，叫声一声比一声凄厉，挣扎越来越顽强，抵死不往前走，甚至动嘴咬人了，

好一朵茉莉花

一个士兵被撕得衣衫褴褛，胳膊上转眼就有横竖十几道伤痕。

河岸中佐站在青石板街面中央，向那几个士兵挥挥手，让他们放了瀑布。那畜生如获大赦，落地后就转头箭一样地狂奔起来，直到跑出一里多地，也没敢回过头来看一眼。

河岸中佐那天终于没有进入世豪中学，他在离学校大门还有二十几步的地方站了很久，久久地看着学校大门，看着那条正襟危坐的黑狗，似乎要从那条狗的身上看到他看不到的东西。

三分钟后，河岸中佐转过身来，他的眼睛已经变得血红了，血红的眼睛里，又映入了一片柳絮。他看见了另外的几只狗，站在街面的一角，它们的尾巴在快乐地摇摆着，耳鬓厮磨，好像还窃窃私语。

四

世豪中学大门前的那一幕，河岸中佐身边的中国人和日本人都看见了，没有谁往心里去，但是，对于河岸来说，这却是一道不可逾越的坎儿。河岸当场宣布，今天天气不好，不去学校了。

这个决定让大家都感到很意外。袁芦轩说，何必……何必为一点小事把心情破坏了？

庄临川也说，刚才听河岸先生一席话，很受启发，先生作为曾经的老师，既然到了门口，可以就办学给敝校一些指点，何必半途而废？

河岸中佐说，关于办学，本人确实很有心得，将来可以深入探讨，可是今天就算了，今天不是个探讨办学的日子。

河岸中佐说着，就往回去的路上走了。几个中国人跟在后面，挤眉弄眼，许甲还趴在张家恒的耳边说了一句粗话，说河岸中佐被世豪中学的狗给日了。

张贵见河岸中佐心情大坏，跟在后面安慰他说，学校的那条狗一定是条瘟狗，瀑布的鼻子灵敏，一定是它嗅到了不好的气味，这才落荒而逃。其实不能怪瀑布，没准瀑布还救了大家，要不是瀑布，没准太君会染上瘟疫。

这话说得很不高明，可是河岸中佐却没在意，河岸心事重重，自言自语地说，是瘟疫吗，是瘟狗吗，但愿如此，可是，我看不像……

跟在身后的蛾眉头面人物，还有世豪中学的老师，见河岸中佐的眼神里寒光嗖嗖，都有些发毛。看来这顿饭是吃不成了，走到十字街，河岸中佐站住，对袁芦轩说，诸位也都累了，各自回家安歇吧。

几个头面人物巴不得这句话，袁芦轩略一思忖说，也好，今天确实天气不好，河岸先生军务在身，咱们就不叨唠了。

河岸中佐挥挥手，一言不发，率先向南街走去。

袁芦轩等人一直目送，等日本人的身影消失在街巷之后，许甲突然笑了起来，哈哈，哈哈，哈哈哈哈……太他妈的过瘾了。

蔡捷丰也跟着笑，哈哈，人不争气，畜生争气，兵不血刃，就把鬼子吓跑了。

袁芦轩不满地说，你们不要高兴得太早，我看这件事情不是好事。

蔡捷丰说，我看就是好事，人不敢做的事情，狗做了，做得那么解气。

许甲说，我今天要多杀一只羊，把骨头送到学校去，给姚独眼喂狗。

袁芦轩说，庄校长我跟你讲，我看河岸这架势，恐怕今后你们中学的麻烦少不了。那条狗要管好，不能让它吓唬日本人的狗。

庄临川笑笑说，那我没办法，我管天管地，不能管狗放屁。

吕上清说，大伙别在这儿杵着了，干脆到桂山饭店去，我请客，管他好事坏事，酒还是要喝的。

袁芦轩想想说，也好，大伙正好议议，往后怎么跟日本人打交道。

这就定下来了。庄临川看看几个老师，老师们不说话，看得出他们不想和这些粗人一起吃饭。庄临川说，老姚本来准备了招待鬼子的饭，我们几个，还是回学校吃吧。你们说呢？

蔡捷丰说，我急着要回学校，我要看看老姚的狗。

其他几个老师也都表示，回学校吃饭，反正已经做好了，不吃可惜了。再说老姚还等着呢。

吕上清说，算了镇长，他们都是圣贤门生，不愿意同我们这些贩夫走卒为伍，不勉强了。

庄临川连忙辩解说，不是这个意思，确实因为情况变化，得回学校稳定人心。

蔡捷丰这天心情十分好，也帮腔说，四海之内皆兄弟，鬼子都打到家门口了，哪里还有圣贤门生和贩夫走卒啊，都是中国人。今天确实有事，哪天高兴了，我请各位大哥，一醉方休。

蔡捷丰这话说得豪迈，头面人物听得很高兴，许甲拍着蔡捷丰的肩膀说，好，蔡老师请客那天，我让人送二斤猪肉。

两股人就在十字街分手，庄临川和几个老师回头向东，袁芦轩一行径奔桂山饭店。

回到学校，庄临川让人把姚独眼叫到校长室，嘀嘀咕咕不知道说了些什么。其他老师到伙房吃饭，蔡捷丰没去，趁这会儿姚独眼不在，他要单独看看茉莉花。他是第一次同茉莉花这么面对面。他感到蹊跷的是，这条让日本狼狗失魂落魄的中国狗，其实什么都没做，就在他蹲在它面前的时候，它还是什么都不做，看样子也不打算做。蔡捷丰把他的手掌在它眼前晃了好几次，它也只是耸耸鼻了，连屁股都没挪一下。

日本人没来之前，他怎么看怎么讨厌这条狗，明明是个其貌不扬的丑狗，偏偏庄校长给它起了个名字叫茉莉花，那时候，学校的老师皆不以为然，都觉得把茉莉花这么个诗情画意的名字安在这条丑狗的身上，不仅是对茉莉花的亵渎，也是对学校的亵渎，更是对文化的亵渎。可是，自从有了中午的一幕，蔡捷丰突然发现，这个茉莉花太像茉莉花了，不，简直比茉莉花还茉莉花。他觉得没有比茉莉花这个名字更适合这条丑狗了。

蔡捷丰回到寝室找了两块点心，放在茉莉花的面前，可是茉莉花连动都没动。后来蔡捷丰就怀疑起来了，怀疑这条狗是不是眼睛瞎了，是不是耳朵聋了，是不是连舌头都不管用了，干脆，是不是就是一条半死不活的病狗？

正当他想进一步研究茉莉花的时候，身后传来一声咳嗽，回头一看，是姚独眼，远远地一只眼珠子聚着寒光，像锥子一样射来。蔡捷丰赶紧起身，讪讪地离开了茉莉花。

五

这顿饭说好了是吕上清请客，可是到了桂山饭店，桂山却说，这顿饭我请，谁结账我跟谁急。袁芦轩有些奇怪，说桂山你那么抠门儿，怎么就想起来请客了呢？桂山说，我该抠的时候抠，不该抠的时候自然不抠。袁芦轩又问，什么叫不该抠的时候，莫非你捡到元宝了？桂山说，元宝倒是没捡到，可是我家的那条病狗它好了，又叫了，狗一叫，我的宝贝儿子也笑了，会叫爹了。

大伙都知道，桂山老年得子，宝贝得不得了，可是两岁多了，还不会讲话，这天会叫爹了，确实是天大的喜事。大伙都说，该老桂请客，好兆头，好兆头啊！

这真是天上掉下来的便宜，几件事凑在一起了，搞得大家心里痒痒的，都觉得有一肚子话要说，都觉得应该好好喝顿酒。

上菜的当口，袁芦轩说，这些天我一直纳闷儿，日本人到蛾眉十天了，不打，不杀，不抢，也不要女人，他葫芦里到底装的是什么药？大伙一起合计合计。

大家就喝酒，喝着议着。许甲说，是啊，真他妈奇怪，不杀，不抢，不奸，这还叫日本人吗，莫不是搞错了，莫非这压根儿就不是日本人？

吕上清说，怎么错了？不是交过一千三百多块大洋保护费吗，这日本人也不是吃素的。

张家恒说，可是保护费又退回来了，况且日本人买布买肉买豆腐都是多给钱的，听说还要给世豪中学捐钱，还要建教堂办医院，天下哪有这样的好事啊？难道太阳从西边出来了？难道狗不吃屎了？

茶庄老板金瑞说，没听河岸说吗，是建立"王道乐土"，什么叫"王道乐土"？就是极乐世界，要啥有啥，想吃啥就吃啥……

金瑞的话还没有说完，就听"啪"的一声响，许甲突然把酒碗向桌子一掼，抹抹嘴说，晓得了，晓得了，这日本人，这日本人，太狠了，太他妈的狠了……

许甲连说几个"太狠了"，可是到底怎么个"狠"了，他却说不出来，因为过于激动，还呛住了，咳嗽了好一阵子，搞得大家很着急，还以为许甲卖关子。袁芦轩说，老许你不要着急，喝口水，慢慢说。

许甲咳嗽了一阵，没有喝水，又端起酒碗喝了一大口酒，再把酒碗往桌上一掼说，他妈的，我总算晓得了！刚才家恒兄说，日本人要帮咱蛾眉建教堂办医院，我就觉得哪里不对劲，想了半天我想明白了。晓得了晓得了！

吕上清说，你倒是把话说完啊，光你晓得有什么用？

许甲说，这你还不明白？明摆着的事啊？日本人帮咱建教堂办医院干什么？想想当年，在山东，在天津，外国人也是帮咱中国建教堂办医院，可那是干什么？把咱中国的孩子弄进去挖心挖眼珠子，当药引子啊！

吕上清一拍脑门说，啊，是啊，是有这回事啊，当年义和拳就是因为这件事情引起的。

张家恒说，可不是嘛，我就寻思，日本人黄鼠狼给鸡拜年，不会安什么好心，这回真相大白了！

金瑞说，原来打的是这个主意啊，怪不得河岸这狗日的对世豪中学那么上心，去看药引子啊！

转眼之间，这顿酒就喝出了别样滋味，群情激昂，义愤填膺，喝着喝着就热血沸腾了，骂政府，骂国军。许甲说，这熊政府真不是玩意儿，抗日捐税收了不少，可是那么不经打，三个师还打不过日本人一个大队，半夜都没顶住，陆安州就被拿下了，三个师跑得没影了。

吕上清说，兄弟你不知情，日本人不光是一个大队，还有三个师的"皇协军"啊，日本人有钢炮洋枪，隔着一座山都能杀人，咱们国军的家伙都是破枪破炮，用起来不顺手。

金瑞说，再说，人心也不齐，中国人怕死，一打就跑，能有个好吗？

许甲说，你这话我不爱听，什么叫中国人怕死啊，咱们祖上有关羽、张飞、赵子龙，近的有岳飞、秦琼、穆桂英，怎么就怕死了。他妈的，惹恼了老子，杀猪刀一拎，砍他个龟孙。

张家恒说，就是，兔子急了还咬人呢，他日本人到咱蛾眉的，不过百十号人，那些"皇协军"都是中国人，给他好吃好喝，不信他胳膊肘朝外。

吕上清说，晌午鬼子河岸那话说得对，如果没有信仰，人心涣散，那就啥事也做不成，有枪有炮也是枉然。关键是要有领头人，要有政府。袁镇长你要是伸头，咱们出钱买枪买炮。

袁芦轩不高兴地说，光我伸头有什么用啊？再说，就算能买到枪炮，能打过日本人吗，国民党三个师都没有守住陆安州。

吕上清说，可是，总不能坐以待毙吧，也许……就不信鬼子他是铁皮脑袋，关键是咱们不能自己就这么耗着。

许甲说，说得好，什么铁皮脑袋，鬼子也是爹妈生的，也是肉长的。中午在世豪中学，那条狗，真他奶奶的提气，真他奶奶的壮胆，那条狗，那条狗……许甲说着说着，又激动起来，咳嗽不止，黑脸憋得紫红。

金瑞说，是啊，那条狗多厉害啊，我们难道还不如一条狗？

袁芦轩说，那条狗怎么厉害了，它啥事也没有做啊，它只是在那里坐着，像个泥菩萨一样，不，像个傻子一样。我一直奇怪，兴许日本人的狗不是被它吓跑的，兴许日本人的狗是撞见鬼了。

吕上清说，袁镇长这话不对，依我看，日本人的狗就是被那条狗吓跑的。那条狗啥事也没做是不错，可啥事都不做，就能把日本人的狗吓跑，那就更厉害。再说，什么叫啥事没做，不做就是做，日本人连人带狗都吓得屁滚尿流，这叫无为而为。不惊不乍，大将风度啊！

吕上清的一番话，又把话题引到狗的身上。七嘴八舌，一顿饭吃了一个多时辰，人话加酒话，主要的意思就是要到别茨山找队伍，找不到国军就找新四军的四支队，找不到队伍，就自己拉队伍。

还是袁芦轩清醒，对大伙说，拉队伍的事情我不是没想过，可是事情不是那么简单的。就算有钱有枪，从哪里出人呢？大伙不要只顾讲狠话，图个嘴皮子快活容易，真的拉起队伍，在座的诸位，有人打头阵吗，谁愿意打头阵，举手，咱们选他当司令！

袁芦轩说着，目光向四周扫了一圈，大家都不说话了，没有一个人举手。

袁芦轩接着说，这不就得了吗，没有人愿意打头阵，什么都是白搭。要是能拉队伍，老子早就拉了，还用给日本人送保护费？

一席话有理有据，说得大家都很恓惶。

袁芦轩说，你们也不要怪政府，政府有政府的难处。我这个小镇长，其实就是个贩盐的。今天讲的这些话，就不要对外讲了，让日本人知道了，那就大祸临头了。日本人在南京杀人放火，大家都是知道的。当下还是走一步算一步，大伙同意我的意见不？

这个时候，大家的酒就醒了一半，你看看我，我看看你。最后吕上清说，袁镇长讲得对，从眼下局势看，只要咱们不惹事，日本人暂时不会开杀戒，我也同意走一步算一步。

袁芦轩说，今天就到这里，散了吧。

这就散了，一伙头面人物一半清醒一半醉，离开桂山饭店，走到街面上，突然发现，街上的狗多了起来，打架的打架，撒欢的撒欢，调情的调情，好像赶集似的。

六

那天中午，吃不下饭的只有河岸中佐。回到妆台的队部，河岸下令把瀑布捆起来绑在树上，由中野中尉亲自鞭打，可怜瀑布一声一声哀嚎，声声如泣如诉，中野中尉一边打狗，一边打自己，打得嘴角鲜血淋漓，半边脸都肿了。受命观看的日军士兵都看不下去了，推举加藤中佐来向河岸求情。加藤中佐说，那条中国狗实在太可恶，伤害了太君的自尊，我一定要报仇，一定要让那条中国狗碎尸万段。只是，请太君放过瀑布吧，念它跟随皇军南征北战的情面上，念在它对太君忠心耿耿赤胆忠心的情面上，念在它把蛾眉街上的狗吓得不敢露面的情面上，念在……它都快渴死了！

河岸丝毫不动恻隐之心，背着手，围着瀑布一圈一圈地转圈。那天河岸中佐说了很多话，斥责瀑布临阵脱逃，完全丧失了皇军的风度，颜面尽失，斯文扫地，给大日本国丢人，给大日本皇军丢人，给光荣的河岸大队丢人，简直该上军事法庭！

瀑布起先还叫，后来渐渐地就不叫了，只是哼哼，眼泪汪汪，神情悲凉。河岸没有训斥中野，因为这件事情不怪中野，倒是中野自己识相，一直用无声的行动自罚，直到昏倒在地，河岸中佐才挥挥手，让士兵们把一人一狗抬回室内。

关于姚独眼和他的狗，在蛾眉镇很快就成了一个热门话题，有人说姚独眼早年曾经参加过赤色暴动，是红军的营长，后来是新四军的连长，因为高敬亭犯了错误，受到牵连，差点被枪毙了，才拖枪回到江淮，此人武功十分了得，可以飞檐走壁，百步穿杨。至于那条狗，说得更是神乎其神，说那压根儿就不是狗，它的爷爷是狮子，它的奶奶是狼，所以它的身上有狮子和狼的气味，人是嗅不出来的，而洋狗瀑布能在三十丈外嗅到它的气味，所以就吓跑了。

流言蜚语很快就传到河岸中佐的耳朵里，河岸做了几件事：第一件是让贾宜昌想办法在蛾眉镇买通几个二流子，作为内线，严密监视蛾眉头面人物和世豪中学的内部情况；第二件是让张贵调查姚独眼和他的狗；第三件是吩咐加藤，去向松冈大佐述职的时候，申请一条绝对纯正、绝对神勇、搏杀型的帝国军犬，同时带一些日本帝国的小人书。

对于申请军犬，加藤表示理解，但是对于带小人书，加藤却不以为然，认为太小儿科。加藤的态度激怒了河岸中佐，当即拍着桌子把加藤训了一顿。河岸说，加藤君简直鼠目寸光，根本不懂得怀柔亲善的战略意义和实施的战术。峨眉粗通文墨者多，而小人书，通俗易懂，进入千家万户，很快就能让峨眉人了解大日本，了解大日本皇军，这比给钱都管用。给钱给完了，他们会过河拆桥。但是，把大日本的美好生活展示给他们，那是装在心里的希望，那是不可磨灭的。要让他们爱上日本，他们就会痛恨他们自己的国家。加藤被训得一头冷汗，脚跟一碰说，明白了，一定完成阁下交给的任务。

两天之后，加藤回来了，向河岸中佐禀报，军犬和小人书都在紧急调运途中。加藤还带回了松冈大佐的亲笔信，要在这年农历七夕之前完成"樱花计划"的一切筹备工作，这项工作关系到皇军的国际声望，也关系到国内民众对"大东亚圣战"的支持，比军事行动更加重要，希望河岸中佐加速推进。

河岸中佐掰着指头算算，离七夕也不过一个半月的时间了。前十天里，河岸中佐交代翻译官贾宜昌和"皇协军"团长张贵，安排了几个会说中国话的朝鲜和蒙古士兵，以买菜购物为名，在峨眉的集市上同峨眉居民们亲切攀谈，问寒问暖，拍了不少照片。最能说明问题的还有那些狗，在街上自由自在地溜达，表情安详满足。这些工作都在暗中稳步进行。按说已经达到了目的，前景十分乐观。

但是，自从那天到世豪中学门口转了一圈，河岸中佐就有些不好的感觉。问题出在哪里呢？

是那条狗，那条像和尚一样打坐、对一切都熟视无睹的黑狗。那条狗让河岸中佐产生了很多的联想，事后他越想越觉得那狗很奇怪，好像有点面熟，好像打过交道，在此后好几天，夜里做梦常常梦见那条狗，有时候嘿嘿冷笑，有时候龇牙咧嘴，有时候摇头摆尾。梦里醒来，常常是一身冷汗。

七

按照河岸中佐的指令，中野化装成卖菜的农民，还是个哑巴，这天一大早就混到世豪中学附近，好在中野老相，确实像个庄稼汉，更好在学生都还没有返校，老师不上课，睡觉起得晚，学校大门口行人稀少，倒是不担心暴露。可是中野还是一直下不了手，因为没有开学，老师们吃两顿饭，姚独眼早晨无事可做，一直在学校大门口溜达，好像专门跟中野过不去似的。

远远望去，那个姚独眼个头不高，不胖，不瘦，常常仰起脸，看看远处，看看狗，有一阵子，竟然盯着中野藏身的槐树，十几分钟没有移开目光，弄得中野心里直发毛，幸好姚独眼看了一阵，又转身走了。中野判断，姚独眼只有一只眼珠子，因为用得多，恐怕也不灵光。中野的胆子渐渐大了起来，隔着三十米的距离，把姚独眼也给偷拍了。

直到太阳一竿子高了，姚独眼才摸摸黑狗的脸，转身走进学校大门。中野抓住良机，迅速抵近黑狗，上下左右拍了一圈子，就在胶卷快要用完的时候，突然从大门口出来一个人，中野躲避不及，索性不躲，对准来人拍照。来人开始没有注意，蹲在黑狗身边，好像在商量什么事情，说一句笑一阵。中野用草帽遮挡，又抵近拍了两张。等来人有所察觉，站起来向这边张望的时候，中野已经转身离开了，同巷口接应的士兵会合一处，飞快地返回妆台。

照片冲洗出来之后，中野又惊又喜，不仅拍到了黑狗的正面，还拍到了黑狗的侧面，不仅拍到了姚独眼，还拍到了另外一个人。最让中野惊喜的是，在最后一张照片上，大门口又出现一个人，半张脸。

一个上午加一个中午，中野两顿饭都没有吃，但是丝毫不觉得饿，他拿着直尺，把黑狗的脸部、头部、上体、爪子等各个部位的尺寸、比例量了又量，算了又算，最后得出结论，这是阿尔泰尔猎犬的品种，这种狗在中国隋朝就有了文字记载，其血统有蒙古箭囊、青海藏獒、西南槌雄、华北猕豹等基因，其反应敏捷，骨骼如铁，牙齿锋利，肌肉坚韧，善于以静制动。最重要的是，这种狗特别适应江淮气候土壤，不乏死而复生的例子。一句话说到底，这种狗可以刀枪不入。

河岸中佐看了中野中尉的报告，半晌无语，后来把翻译官贾宜昌叫来，问他是不是了解这种狗。

贾宜昌把中野的报告从头至尾看完，嘿嘿一笑说，太君，这个报告分析的数据我不懂，讲的这些来龙去脉我也不懂。至于它是不是阿尔泰尔猎犬的后裔我不敢确定，但是可以确定的是，那只狗，就是一条普通的狗，一条神经病狗。

贾宜昌这么一说，中野中尉不干了，中野中尉三十七岁的人了，只比河岸中佐小一岁，之所以军衔低，是因为他参军晚，而且只是个兽医，不像河岸中佐是化学博士。但是，他好歹也是兽医大学的优等生，特别重要的是，他管理的瀑布出现问题，他必须找出强有力的理由。照贾宜昌的说法，瀑布是被一条病狗吓跑的，岂不是他这个兽医的严重失职？

中野中尉说，翻译官阁下，你说他是病狗，有什么根据？

贾宜昌说，我当然有根据。奉河岸太君之命，这几天我也在调查，那条狗的病名叫神经病，就是神经出了问题的意思。这种病有两种表现，一种是呆，一种是疯，在呆的时候呆，在疯的时候疯，有时候它呆，有时候它疯……贾宜昌一边讲，一边察言观色，见河岸中佐饶有兴趣，就更加来劲了，进入状态，滔滔不绝。

正说着，猛听到一声断喝，够了，翻译官不要在这卖弄了，你倒是要说清楚，如果它只是一条病狗，我的瀑布为何会退缩不前？

贾宜昌正在兴头上，被中野呵斥，很不痛快，心想你狗日的一个老中尉，就敢这么放肆地训老子，真是狗仗人势，不，你就是人仗狗势。当然，这话只敢在心里讲，毕竟，这个老中尉是日本人，他妈的日本人就连狗都敢耀武扬威。贾宜昌咽了一口唾沫，放低声调说，关于贵狗被吓退，我是这么看的，因为那条黑狗它是瞎子，又是聋子，据我调查，它还是半个哑巴，所以它既看不见，又听不见。而贵狗，这些天见到的都是哈巴狗和癞皮狗，它在蛾眉地界还没有见过像这样不把它放在眼里的中国狗。说白了，就像诸葛亮的空城计，这是一个道理，中野阁下你明白了吧？

中野面红耳赤，耐着性子听完，看看河岸中佐，中佐面无表情。中野胆子大了，又是一声断喝，一派胡言，我的瀑布久经沙场，阅狗无数，断无尚未交手就不战自退的道理。翻译官侮辱了我和我的瀑布，请求中佐阁下批准，下属要以武士的方式同翻译官阁下决斗。

在两个人争吵的过程中，河岸中佐一直静静地聆听，当然，从感情上讲，他还是倾向中野中佐的分析，他甚至希望世豪中学的那条狗，就是一个隐含杀机的凶恶的敌人，而不是什么神经病或者是误会。如果一条神经病狗就能把皇军的军犬吓得转身就跑，那也太有损皇军的尊严了。

河岸中佐摆摆手说，两位不要着急，此时暂无定论，待有了更权威的专家之后，再来讨论不迟。现在的当务之急是，要把松冈大佐调配的军犬接到蛾眉。这个任务，还是由中野君来担任。

听河岸中佐这么一说，中野才安静下来，立正回答，下属一定尽快完成任务！

中野离开之后，河岸中佐拿起中野洗印的一摞照片，同贾宜昌一起辨认，很快就搞清楚了，第一个人是姚独眼，第二个是庄临川，最后一张胶卷拍的照片上出现的，因为距离较远，聚焦模糊，看得不甚清楚，依稀可以看出半张脸和分头发型，两个人研究了半天，最后确定是世豪中学化工教师蔡捷丰。

河岸交代贾宜昌，尽快弄到这三个人的资料，最好把他们祖宗八代的情况都弄准。贾宜昌表示，祖宗八代的情况摸起来有难度，但是往上三代的情况摸清楚，还是有可能的。

八

在军犬和小人书没有到达之前，河岸中佐决定暂时不去世豪中学，虽然有时候他也觉得自己疑神疑鬼，觉得自己心胸狭窄，可是，他就是迈不开他的腿。

世豪中学可以不去，但是"王道乐土"的工作不能不做。河岸中佐把蛾眉的头面人物分别请过来，召开"恳谈会"，一方面摸摸这些人的底，一方面继续向他们灌输"王道乐土"的思想精髓。

第一批参加"恳谈会"的自然是镇长袁芦轩和头面人物，这些人见风使舵，你站着他蹲着，你讲话他听着，你给钱他拿着，你倒酒他喝着。

河岸中佐讲了半天，要大家表态，那个杀猪的屠夫胆子大些，说了一句话，河岸先生，说一千道一万，你们日本人到底要咱们蛾眉人做什么，咱们什么也帮不了你啊！

河岸中佐哈哈大笑说，许先生免虑，皇军进入中国，乃是实现天皇陛下五族共和的伟大恩旨，只贡献，不索取。

吕上清察言观色，字斟句酌地说，以一个生意人的眼光，没有人愿意做赔本买卖。河岸先生，你就把话挑明，咱们到底能做什么，就好比你要什么，咱们这些生意人也好早点备货。

河岸中佐说，皇军需要的，你们这些生意人是给不起的，皇军要的是"亚细亚共荣共存"，普天之下沐浴天皇陛下之恩，八纮一宇共享幸福安乐。大日本帝国是精神和物质发达国家，是大哥，大哥不能眼看弟弟继续受苦，所以就要伸出手来拉弟弟一把，我说的意思诸位明白了吗？

大家你看看我，我看看你，又看看河岸中佐，都不吭气。

袁芦轩说，河岸先生的意思大家还不清楚？天皇就是如来佛，就是观世音菩萨，就是财神。天皇陛下帮咱们做事是不赚钱的。

大家就说，那敢情好，替咱们谢谢天皇！

第一场"恳谈会"这就算结束了。

走在汲河桥上，几个人就犯嘀咕，张家恒说，我听人家说，日本是个弹丸小国，怎么就成大哥了？

吕上清说，这有什么奇怪的，成则为王败者寇。你能打过他吗？既然打不过他，他叫你小弟弟那是客气的。

许甲说，这他妈的什么世道，打仗打不过他，辈分都倒个儿了，看来还是要……要……磨刀啊！

袁芦轩脸色一变说，老许你瞎说什么，还没过桥，当心日本人听到。

许甲眼皮一耷拉，不吭气了。

世豪中学返校的六名教师跟着庄临川，来到妆台日军司令部，已是下午了。河岸中佐刚刚睡了一个午觉，容光焕发，显示了格外的热情，并且吩咐上茶上点心。茶是当地清明新采的绿茶，浸泡在日式玻璃杯里，绿叶浮动，暗香沁人肺腑。

话题就从喝茶开始。河岸中佐说，日本茶道，是从中国引进的。事实上，日本有很多好的东西都是从中国引进的，中国有太多的好东西。

庄临川说，先生说的没错，中国地大物博。

河岸中佐说，是啊，地大物博，人杰地灵，这都是中国的优势。可是，为什么中国变得这样贫穷，这样软弱，积贫积弱，积弱积贫。诸位知道这是为什么吗？

蔡捷丰忍不住说，为什么？因为跟强盗当邻居，能不穷吗？

河岸中佐倒是好脾气，嘿嘿一笑说，蔡先生爽快，有侠肝义胆，好。可是我问蔡先生一句，跟强盗当邻居，就必须受穷吗？我们为什么不可以强大起来，让强盗滚出去？比如，战胜八国联军。

蔡捷丰又是一愣，几次交锋，他觉得河岸中佐不仅是个学问家，还是个雄辩家。但是蔡捷丰也不示弱，刚想说一句抗日的话，不料被庄临川抢过了话头，庄临川说，中国积弱积贫，始自宋末元初，崖山战后，中国文化受到严重冲击。前几天河岸先生说的百姓无信仰，国家一盘沙，有一定的道理。研究人类历史脉络，总是几百年后有一个转折。中国现在已经处在历史的最低限了，也可以理解为正在转折前夕，也许几十年，也许一百年，中国就会有一个大的转折。河岸先生同意我的看法吗？

河岸惊异地看着庄临川说，庄先生真有士大夫的风骨，忧国忧民啊！

庄临川说，穷则独善其身，达则兼济天下，这是中国读书人不能忘怀的理想。如此而已。

河岸又问，庄先生是历史学家？

庄临川说，历史学家不敢当，我是学历史的。

河岸看着庄临川，突然击掌道，多么好啊，多么可惜！既然庄先生是学历史的，又是一校之长，而贵校名为中学，校旨却局限于工科，殊为可惜，痛哉惜哉！

庄临川冷冷地说，河岸先生把我们召来，不是为了讨论办学问题吧？

河岸有些不自然，沉吟道，庄先生，我们打开天窗说亮话，此次请诸位来，还真是为了贵校办学的问题。我提议贵校改弦更张，变单独工科为综合学校，至少增设两个专业。一是音乐课，音乐这东西，神奇得很，是人类一切艺术的第一颗萌芽，体现了人类最早的艺术觉醒。看一个民族的音乐涵养，就能看出这个民族的文明程度。

河岸的一番高论，让老师们暗暗吃惊，看来这个日本人确实有学问。蔡捷丰在心里冷笑，老子对你们日本的学问也不以为然。当然，这话不便说出来，且看这个老鬼子如何卖弄。

见无人附和，河岸笑笑，说出了他的第二个建议，要增设历史学科，这也是庄校长的看家本事，要让学生了解历史，以史为鉴，不仅要了解中国历史，还要了解日本历史，要把日本明治维新的进步告诉中国学生，学而习之，中国要像日本那样，勇于向世界先进文明学习。

蔡捷丰终于忍不住了，站起来说，我们中国人也有自己的说法，师夷之长技以制夷。我们不能像你们日本那样数典忘祖，脱亚入欧。怎么办校，我们有我们的规矩，我们不会被别人牵着鼻子走。

蔡捷丰讲这话的时候，已经想到后果了，当然也做出承担这后果的准备了。他本来的计划是借这次所谓的"恳谈会"机会，来察看妆台日军的布局，他还在暗中试验定时炸弹。可是听河岸中佐一席话，确实欺人太甚，忍不住就针锋相对了。

没想到，河岸中佐一点儿也不生气，哈哈一笑说，蔡先生说得好，中国和日本虽然文化同宗，但是道路不同。不过，既然皇军进驻峨眉，又是为着实现"共荣共存"而来，作为驻军最高长官，我当然要对贵校进行干预，这不是日本皇军对中国的干预，而是文明对野蛮、先进对落后的干预。中国是亚洲国家，八纮一宇，日本要对亚洲所有的国家负责，要清除亚洲的一切陈腐积弊。这个问题，请蔡先生配合！

蔡捷丰霍地站起来，昂然道，你们可以用枪炮进入峨眉，也可以用枪炮进入世豪中学，但是，要我配合你们，休想！杀我吧，杀我吧！

蔡捷丰这么一喊，空气顿时紧张起来，让世豪中学其他老师面面相觑，胆子小点的，脸都变绿了。庄临川厉声喝道，蔡先生，我们是和河岸先生谈事，何必激动如此！

蔡捷丰咆哮道，他妈的，我早就受够了，我们读书人，中国人，居然可怜到如此地步，鬼子打到家门口了，还谈什么事？什么兼济天下，什么独善其身，我们连一条狗都不如，有何颜面为人师表啊！

庄临川劝不住蔡捷丰，尴尬地对河岸说，河岸先生，你看，中国的年轻人，他经不住事，不过，请你谅解一个中国读书人的爱国自尊。

河岸中佐好像真的生气了，站起来，看着庄临川说，我要是不谅解呢？

庄临川迎着河岸中佐的咄咄逼人的目光，也站了起来，高声说，不谅解，那就随便吧，读书人并不都是软骨头！

河岸中佐顿时傻眼了，他没想到，看起来温文尔雅的庄临川也给他来这一手，这可不是他想看到的。这件事情如果弄糟了，那就鸡飞蛋打了。与其这样，当初还搞什么怀柔政策啊，还花那么多精力花那么多钱干什么啊，皇军的时间和人力财力都是宝贵的啊！

只在瞬间，河岸中佐就镇定下来，大笑起来，下午的阳光在河岸的笑声中照亮了飞翔的灰尘。河岸笑了一阵，刷地给庄临川鞠了一个躬，站起身来说，众里寻他千百度，蓦然回首，那人却在，在中国蛾眉，在我的身边，这才是我所希望见到的中国人。为了真正的中国人，我决定，放弃对世豪中学的一切干预，并为世豪中学提供无偿支持。你们愿意做的，我来帮助你们做，你们不愿意做的，由我来反对。

九

那一次的"恳谈会"，经历的时间最长，也是河岸中佐最痛苦的一次。痛苦在于，他的心里已经把庄临川和蔡捷丰枪毙一百次了，可是他在嘴上却要不停地表示对他们的尊重和友好。他以日本民族特有的对于英雄的敬重来换取他们的信任，他认为他的表演是成功的，至少部分地驱除了他们的敌意。可是，他们离开的时候，表情依然是不冷不热的。

这天夜里，河岸中佐翻来覆去睡不着，直到天快亮的时候，才迷迷糊糊地闭上眼睛。闭上眼睛，最先看到的就是一条狗，一条黑石雕像一般的狗，那狗最初坐着，一动不动，等他走近了，那狗像发酵的面团一样，快速膨胀，直到变成一座山，铺天盖地向他压来。他于是在梦中惊醒，醒来时打开电筒一看，蚊帐被他踢开了，浑身奇痒，都是蚊子叮的。中国蚊子！

坐在床上，河岸中佐愣了好半天。他在回忆来到蛾眉之后的所见所闻，开端良好啊，在蛾眉街面见到的景象曾经让他暗喜不已，无论是人还是狗，都显示出对于"王道乐土"的向往，眼看……他的心情为何突然间变得如此抑郁呢，为何不那么自信了呢，这一切都是从什么时候开始的呢？

他又想到了那条黑狗。那是一条狗吗？狗的背后是什么？狗仗人势啊！不，看看蛾眉镇头面人物笑里藏刀的表情，看看世豪中学校长和老师不卑不亢的态度，再看看街面上那些诡异的指指点点，不是狗仗人势，简直就是人仗狗势。甚至，连蚊子都改变了对皇军的态度，肆无忌惮地吸吮皇军的鲜血，是可忍孰不可忍！

河岸中佐把勤务兵叫进来，也不说话，只是拿着电筒照在蚊子的身上。一共有六只。勤务兵吓坏了，赶紧找来一把扇子，要把蚊子赶出蚊帐，河岸中佐挥挥手说，不要赶，统统击毙！

勤务兵只好爬到床上，一只一只地把蚊子抓到，送到河岸中佐的眼前，又一只一只地碾死，两只手上都是黑乎乎的血。河岸中佐看着勤务兵沾满血迹的手，长时间一言不发。

第二天河岸中佐破例没有按时起床，没有到后院巡视士兵操练，而是躺在铺上苦思冥想。中野在门外徘徊了一个多小时，焦灼地扔了一地烟头，没敢进屋。

早晨饭后，勤务兵告诉中野，中佐阁下好像醒了，咳嗽了。中野中尉小心翼翼地走进屋子，看见中佐还是没有睁开眼睛。过了一会儿，河岸闭着眼睛问，是中野君吗，什么情况？中野回答，五郎建二大尉亲自护卫帝国军犬川芎中尉到了，川芎中尉有栗原家族的高贵血统，在德国受过特种训练，这个月刚满三岁，正是壮年。进入中国以来，已经消灭了六十七条中国军犬了。

河岸中佐睁开眼睛问，啊，六十七条？中国军队有这么多军犬吗？中野说，有些可能不是军犬，但据五郎建二说，那里面有很多来自西藏和内蒙的猎犬，比军犬的战斗力还要强。连续一个多月，川芎每天都要击碎一只中国猛犬。

河岸中佐睁开眼睛，看着蚊帐的顶端，那上面还残留着几片血渍，河岸盯着那血渍看了一阵子，又闭上眼睛，问道，有什么特点？中野说，川芎就像皇军的士兵一样，坚决执行命令，无论前面是刀山还是火海，一声令下，勇往直前，可以以最快的速度冲向目标，直到将目标撕碎。

河岸的腮帮抖动了几下，睁开眼睛，喃喃地念叨，哦，川芎，川芎，帝国的勇士……突然一跃而起，对中野说，去，把川芎带到格斗场。

格斗场设在裴氏庄园南部，原先是菜地，有十多亩，四周是密密匝匝的板栗树林。河岸中佐住进裴氏庄园之后，下令在周边架起铁丝网，平整菜园，安上障碍和训练器械，就成了格斗场。

这天上午，除了警戒的分队，驻屯蛾眉的日军和"皇协军"都集中在格斗场上。东边还搭了一个遮阳棚，河岸中佐立在遮阳棚下，目睹前方的士兵忙碌，对身边的加藤和贾宜昌、张贵等人说，诸位，一会儿让你们看一出好戏。

大约过了十多分钟，大家都看清楚了，几个日军士兵在格斗场中央堆了三堆木柴，直径都在一丈以上。木柴堆好之后，士兵们又往柴堆上泼汽油。

一切准备就绪之后，只听一声呼号，从遮阳棚一侧慢吞吞地走出一个英俊的日本军官，身后跟着一条骏马一般健壮的洋狗，浑身的肌腱和金色的皮毛在上午的阳光下熠熠生辉。军官下了一声口令，那狗和人一道齐步向河岸中佐走来，在五步的距离上，人和狗同时立定，军官敬礼报告——中佐阁下，五郎大尉率川芎中尉按指定要求，在指定时间到达指定位置，请下命令！

在场的日本人和中国人暗暗吃惊，目光一致地投向五郎建二旁边那条狗的身上，那狗像士兵一样，四条腿笔直地站立，下巴微收，向河岸中佐行注目礼。莫非这就是川芎中尉，一条日本狗？

河岸中佐纹丝不动，注视着对面军容严整的狗，缓缓举起右臂，在额头处闪电般地收回小臂，回礼，下令：按计划进行！

霎时，三堆木柴燃起熊熊烈焰。人和狗同时转身，五郎建二一声口哨，只见川芎的两条后腿微微悸动，屁股往下一沉，抓牢大地，同时也抓住了在场中国人和日本人的心，心跳随着大地一起颤抖。说时迟那时快，人心还在颤抖之际，只见眼前闪过一道金光，川芎已经射出人们的视野。大伙的目光追上去，刚刚触到川芎的屁股，这畜生已经扑进第一堆木柴，在火焰中纵横跳跃，连续划出几道弧线，等大伙的目光再次追上川芎的屁股，川芎的身体已经成了一条向上的直线，斜斜地向空中仰射而去，又斜斜地俯冲下来，越过了第二个火堆，然后是第三个……

表演结束了，前后不到五分钟。转眼之间，五郎建二大尉和川芎中尉又回到了河岸中佐的身边，在一侧立正待命。

格斗场上一片静寂。

河岸中佐离开遮阳棚，向人和狗走去，快到跟前的时候，又停下步子，转过身对中野说，去，把瀑布给我请来。

中野中尉吃惊地看着河岸中佐，突然脸上的肌肉痉挛起来，不，不，太君，你杀了我吧，你不能杀瀑布啊，它哪里是川芎的对手啊，不，不……

河岸阴沉着脸说，中野君，在战场上，只有第一，没有第二。执行命令吧！

十

蛾眉镇又恢复了往日的平静。

世豪中学接到河岸中佐送来的大批礼物，除了教学器材，还有一些食物，罐头居多，饼干次之，糖果复次。让人喜出望外的是，还有三百多本图书。

贾宜昌转达了河岸的口信，希望学校尽快把返乡的学生召集回来，作为一名老师，他非常希望能给中国的孩子上一堂课，至于上什么课，完全尊重校方的意见。

河岸送来的书，蔡捷丰也分到了几本。书籍印制精美，图文并茂，特别是那些漫画，情趣盎然，寓意深刻，真是难得的读物。蔡捷丰当时就想，中国的孩子怎么就没有这个福气，就没有这么好的读物呢？

就是从这些图书里，蔡捷丰才知道，原来在这个世界上，还有这么好的地方，高高的楼房，整洁的街道，天使般美丽的女工，仙境一样漂亮的幼稚园……

自从收到河岸中佐的礼物，世豪中学的空气就在不知不觉中发生了一些变化。两个屠夫谈猪，两个秀才谈书。吃饭间隙，大家就交换读书的心得，日本图书里讲的故事，很多是中国读书人闻所未闻的。周介于说，真没想到，日本一个弹丸小国，能有那么开放的思想，还穿西服，那西服确实比长袍马褂精神。还有那楼房，想必住在里面比住在土墙草房里舒坦，他妈的，世界变化那么大，咱这里老百姓还住草房。袁莞睿说，咱们中国也有有志之士，当年林则徐就说过，要睁开眼睛看世界。可惜啊，清朝政府昏聩无能，他们锦衣玉食，吃香的喝辣的，就不顾国家。什么时候能到日本看看就好了。

蔡捷丰说，不用去，日本人不是来了吗，送到咱们眼前给咱们看。可是诸位不要忘记了，日本人可是带着刀带着枪炮来的。

袁莞睿说，那又怎么样，日本人到峨眉，可是一枪都没有放，还给老百姓发糖发衣服。我看那河岸中佐，一肚子学问，风度儒雅，我就不相信他一个读书人能杀人。

蒋余干说，日本人跟八国联军确实不一样，八国联军进入中国，烧杀抢掠，特别是喜欢奸淫，把中国女人不当人，把中国狗也不当狗，还吃狗肉。可是日本人呢，你不惹他，他不惹你，相安无事。这年头，兵荒马乱的，活着就是福，我劝大伙好自为之，好好过日子，好好读书，过一天算一天。

一顿饭，大家七嘴八舌，总体来说是庆幸，庆幸日本人在别的地方杀人放火，到蛾眉却是彬彬有礼。

蔡捷丰的心里有不少疑问，琢磨日本人的表现，确实令人费解。他很想知道庄临川是怎么想的。庄临川这个人，过去他不熟悉，倒是"恳谈会"上的那一幕，让蔡捷丰对庄临川刮目相看，没想到这个军阀的遗老遗少竟然不乏读书人的铮铮铁骨，居然敢跟日本人叫板，居然在河岸胁迫的时候挺身而出，虽然只讲了一句话，可是那句话掷地有声，太过瘾了。蔡捷丰平生最钦佩的是谭嗣同，那天在妆台他说那话的时候，心里就装着谭嗣同，他希望他就是谭嗣同。他真的希望河岸中佐动怒，希望看到他抽出指挥刀，看到在场的几个蛾眉人同日本人展开一场混战，血洒妆台，哪怕仍旧是"有心杀贼，无力回天"，顶不济也当一回荆轲，哪怕"风萧萧兮易水寒，壮士一去兮不复返"，那也快哉！有幸和不幸的是，就在那个时候，庄临川校长站出来了。

后来蔡捷丰分析，所谓的"恳谈会"，实际上是河岸的试探会，试试中国读书人到底有没有独立人格。从河岸中佐见风使舵的表现上，蔡捷丰看出来了，日本人并不是那么自信，日本人也是欺软怕硬。虽然蔡捷丰同样不知道日本人葫芦里面到底卖的是什么药，但是他坚信，日本人绝不会像他们自诩的那样，为了解救中国，为了建立"王道乐土"。那个蕞尔小国，他愿意看到中国强大吗，不可能！

也就是那一次，他发现了一个人，过去老师们一直敬而远之的校长庄临川，前军阀政府的县长，一个古板的、不苟言笑的小老头儿，关键时刻，他简直就是谭嗣同。从妆台回来，走在路上，他对庄临川说，谢谢你啊庄校长！庄临川头也不回冷冷地说，谢我什么，我又没有救你的命。他说，谢谢你那句话，读书人并不都是软骨头！没想到，我们没想到，鬼子也没想到。庄临川不理他，还是埋头往前走，心事重重的样子。他觉得可能是因为他当时太冲动了，让庄校长心里多了一层负担，于是又跟在后面说，庄校长，都怪我意气用事，说话口无遮拦，差点儿招致大祸。庄临川说，既然你知道了，以后就少说话。光靠嘴皮子是做不成事的。

回到学校，他反复琢磨庄校长的话，越琢磨越觉得意味深长，这个人过去能在军阀的手下当县长，毫无疑问，老谋深算。"光靠嘴皮子是做不成事的"，这句话是有弦外之音的，那是什么，那就是行动，还不是明火执仗的行动，就像狗，咬人的狗是不叫的。

思路到了这一层，蔡捷丰的脑子里突然闪了一道亮光，庄临川是半年前来到学校的，而姚独眼是他来到学校三个月之后才来到学校的，他们到来之前，正是日本人大举南下西进，风声正紧的时候。那时候，陆安州的国军一边挖工事、垒城墙，一边做着善后的准备，刚刚成立不久的新四军四支队也派人到各县和各乡镇发动抗战，建立民众抗战组织，庄临川会不会就是在那个时候由国军或者新四军派到蛾眉的地下抗战组织的头头？

蔡捷丰反复回忆庄临川和姚独眼以及那条黑狗来到蛾眉后的种种奇异的事情，越琢磨越像，琢磨到最后，热血沸腾，却又满腔委屈，心里想，庄校长啊，你要是地下抗战的头头，你干吗瞒着我呢，在世豪中学，在蛾眉镇，我就是你最好的帮手啊！

十一

时间越来越紧了，随着川芎中尉的到来，河岸又渐渐地恢复了自信，吃了早饭，带着五郎建二大尉和川芎中尉，一干人等，前呼后拥地踏上了汲河桥。

这一次，河岸中佐改变了路线，到了十字街，先往西走，走到西头，再折转过来向北走，走到北头，再折转过来向东走。蛾眉镇是个十字街，纵不过一里半，横不过二里，两条街加起来，个把小时也就够了。

这天不是赶集日，但是上午街面上还是有很多人，因为这段日子，乡下人和街上的居民多了许多生意。更多的人认识了河岸中佐，所到之处，蛾眉人会侧身让路，或者就近拐进巷子，目送河岸一行。

河岸特别留心那些狗，从南街到西街，再到北街，几乎看不到狗了，偶尔见到，也在远处。身边的川芎中尉似乎比瀑布温和，不像瀑布那样虚张声势，川芎对这个陌生的地方多了很多好奇，一路上东张西望，看见远处的狗，川芎往往表现出期待，期待那狗过来亲近，可是，那些蛾眉狗们并不体会川芎的心情，全然没有"有朋自远方来，不亦乐乎"的好客姿态，反而躲得更远。更多的时候，街面上是见不到狗的。

河岸中佐在十字街中心停住步子，环顾四周，刚才出现在街巷的人转眼就没了踪影。河岸笑笑，举起戴着雪白手套的手，对着空无一人的街面，转动着挥手致意，向那些躲在门缝的人和狗。

这种感觉委实好极了。看来，是川芎中尉让那些中国狗又回到了先前，大日本的狗和大日本皇军一样，威慑力是不容置疑的。

过了十字街，就看见街道两边排着十几个人，打头的是镇长袁芦轩和世豪中学的校长庄临川，他们身边分别是蛾眉镇的头面人物和学校的老师，河岸照例寒暄一番。

一行人簇拥着河岸进入学校，绕过正中的壁照，河岸中佐左顾右盼，突然神色凝重起来，大步走向劝学堂，面对门庭上方匾额上的"勸學堂"三个大字，咔嚓一个立正，弯腰深深地鞠了一躬。

跟在身后的日本人和中国人措手不及，于是跟着效仿，一时间鞠躬的鞠躬，作揖的作揖，读书人和生意人一起斯文起来。

等大家安静下来，河岸中佐仍然神态虔诚，注视着劝学堂的上方，念念有词——积土成山，风雨兴焉；积水成渊，蛟龙生焉；积善成德，而神明自得，圣心备焉。故不积跬步，无以至千里；不积小流，无以成江海……多么简洁的文字，多么精辟的思想，就像诗一样美好，美好的道理加上美好的文字，就是艺术化的真理。

袁芦轩凑上去说，都知道河岸先生有学问，没想到有这么大的学问。

河岸笑笑说，用你们中国人的话说，是童子功，我是在贵国旅顺口长大的，很小的时候就会背诵这篇文章，终身受益啊！

庄临川请河岸中佐一行落座，几个茶庄伙计献上茶来。河岸中佐问庄临川，贵校的学生为何至今没有返校？

庄临川说，学校宣布提前放暑假，不能朝令夕改。再说，本校学生多为农家子弟，即将进入夏种农忙，索性过了八月十五再返校。

河岸听了，脸色阴沉了很久，喟然长叹说，是啊，兵荒马乱，莘莘学子也受连累。不过，鄙人还是希望贵校体谅本部建立"王道乐土"之诚意，没有学生的学校不像个学校，没有学校支持的"王道乐土"就是一片焦土。鄙人非常期待见到贵校学生，书声琅琅，其乐融融，那才是"王道乐土"的体现。

庄临川说，可能要让河岸先生失望了，本校放假，乃不得已而为之，毕竟，战争正在进行，此时把学生召回学校，其家庭亲人皆有惊惶，如果硬召，岂不更加惊惶？

河岸中佐不高兴了，冲口而出，什么，庄先生认为战争正在进行？本部自从进入峨眉，没放一枪一炮，极力推进怀柔亲善政策，促进农商贸易，资助文化教育，蛾眉百姓无不欢欣鼓舞，连蛾眉的狗都感受到皇军诚恳的恩惠。诸位，扪心自问，你们看到战争了吗？皇军满腔热情，省吃俭用，小心翼翼，极力维护蛾眉民众的利益，可是，庄先生居然还说战争正在进行，令人心寒啊！

河岸中佐大约是受了刺激，大约是没有想到他殚精竭虑的"王道乐土"事业，忍气吞声地推行了半个月，居然会是这个结果，所以情绪就很激动，脸色十分阴郁。

蔡捷丰紧张地看着庄临川，庄临川却不动声色，静静地看着河岸中佐，像在看一条上树的狗。庄临川的神态和坐姿让蔡捷丰突然产生幻觉，他甚至怀疑谭嗣同没有死，这个其貌不扬、面无表情的小老头就是活生生的谭嗣同，一股热血冲上脑门，他觉得该他挺身而出了，就像上次庄临川为他仗义执言一样。蔡捷丰站了起来，逼视河岸中佐，河岸先生，你说我们看不见战争，可是，你的部队是牵着牛马来的吗，是扛着扁担来的吗？你们包藏祸心，早晚会露出你们的真面目的……

够了！

一声断喝打断了蔡捷丰的话，河岸真的被激怒了，脸色铁青，下巴颤动，眼睛里放射出锐利的目光。河岸伸手向后招了一下，加藤少佐立即上前，将一个用红绸子包裹的物件打开，递上一个大伙没有见过的玩意儿。

众人一声惊呼，连连后退，不知道河岸手里拿着的是什么家什，像枪，像炮，又像水瓢。

河岸定定神，开始鼓捣那像水瓢一样的东西，并且从"水瓢"的下面又抽出一个物件。这东西大家看着眼熟，像弓箭的弓，像胡琴的弦。河岸把"水瓢"的大头用下巴压住，一只手翻腕抓住"瓢把"一头，另一只手擎着那像琴弓一样的物件，抬起头凝视众人片刻，右手的物件突然往"瓢把"上一按，往下一扯，顿时，劝学堂里出现了奇异的声音，一下子把众人的心提到了嗓子眼儿上。几声铿锵有力的声音过后，劝学堂里的眼睛全都瞪得像鸡蛋一样，有一种东西，在劝学堂里流淌，在身边，在耳朵边，在眼前，在劝学堂的各个角落，从门口流向门外，再从门外流回门里。

劝学堂里的人们霎时置身于梦境，梦中江河奔流，鲜花盛开，大地复苏，百鸟争鸣，绿叶伸展……是琴！河岸中佐给中国人拉琴，在世豪中学的劝学堂里。

以后蔡捷丰回忆，河岸中佐刚开始拉琴的时候，情绪并不稳定，琴声有些嘶哑，还有些暴戾之气。可是拉着拉着，河岸中佐渐入佳境，一招一式，从容不迫，随着琴声的起伏，河岸的脑袋和上体也在时慢时快地摆动，像是迎风而立的毛竹。那姿势很有风骨。

没有人能够听懂河岸中佐在拉什么曲子，但是，似乎所有的人都被这琴声陶醉了。后来连蔡捷丰都不得不承认，他在那琴声中不知不觉地忘记了自己，忘记了身边的人和事，忘记了拉琴的是一个日本人。那琴声在他的脑子里长久萦绕，挥之不去。

河岸中佐还在尽情地拉着，好像他也忘记了身在哪里，好像他也忘记了身边有一群深不可测的中国人。来之前，他本来打算拉一首中国歌曲的，一首江淮民间小调，宫商角徵羽，五个音阶的民间小曲，他自己把它改成小提琴曲，更有一番滋味。可是，就在刚才，他的计划被两个中国教书匠改变了，他的手没有听他的指挥，上去就拉了一首德国小提琴曲《忧思》，他把他的失望和悲怆、决心和意志都倾注在弓弦和手指上，他把他的真情实感倾注在那时而激越时而悠扬的旋律上，他看得出来，在场的中国人傻了，呆了，中国人看他的眼神，就像在看一个陌生的动物。就凭这琴声，他就无愧于一个文明国度的使者，就能让这块土地上的人们对他心怀崇敬。

终于拉完了，面色潮红的河岸中佐收起琴弓，把它交给加藤少佐，甩着一头汗珠，平静地看着蔡捷丰和他身边的人，微微一笑说，蔡先生，明白了吧，本部虽然不是扛着扁担来的，可是我给贵校带来了这个东西。音乐是不分国界的，艺术是不介入战争的。音乐，才是让我们强大的灵丹妙药。加藤君，把琴留给庄先生，以后，我就用它来给世豪中学的学生上第一课。

蔡捷丰的嘴巴动了几下，可是什么话也没有说出来，此情此景恍然如梦，他确实不知道该对河岸中佐说什么，就凭刚才那首曲子，他就觉得，他不能再对河岸中佐失礼了。

就在这个时候，他听到身边响起一个平静的声音，河岸先生，拉得真好。可是，你为什么不留在日本拉琴呢？

蔡捷丰转头看去，原来是庄校长。蔡捷丰的心头猛地一震，他觉得庄校长这句话问得太是时候了。他没有想到庄校长会这么问。

显然，河岸中佐也没有想到这个问题，居然张口结舌起来，是啊，为什么我不留在日本拉琴呢，因为……因为，因为我奉天皇圣旨，要解放亚洲，要建立大东亚共荣圈，要让更多的人听到这美妙的旋律，要让更多的人学会分享这心灵的甘露……

十二

在世豪中学，河岸中佐度过了难忘的中午，直到袁芦轩一再邀请他到桂山饭店就餐，这才起身告辞。

内心里，河岸极不情愿和蛾眉的土豪共餐，卫生和安全都不是问题，只是和这些人在一起，实在有失体面。可是，为了那个神圣的"樱花计划",他不得不礼贤下士。离开劝学堂的时候,他用中华民国创始人孙中山先生的话鼓励自己,革命尚未成功,同志仍须努力,他之所以答应去桂山饭店跟这些人共进午餐,就是要继续看看他们的心。

就在快要走出学校大门的时候,河岸中佐突然停了下来,他想起了一件重要的事情,他今天是带着川芎中尉来的。两天前的那个上午,在妆台的格斗场上,他为川芎中尉和瀑布举行了历史性的会见,两只狗都不知道为何而战,最初的时光,彼此还摇头晃脑,只听五郎建二一声令下,瀑布还没有反应过来,川芎已经呼啸着扑了过去,瀑布仓促应战,连一次招架都没有完成,便被川芎撕得血肉模糊。那个时刻,中野中尉泪流满面,可是河岸中佐却哈哈大笑,仿佛倒在地上翻滚的不是瀑布,而是他心中的那个阴影。

可是,它在哪里呢?一个上午都没有看见它。

河岸中佐在迈出大门的最后关头收回了腿脚,回首四顾,看得大家心里发毛。河岸最后的目光落在庄临川的身上,它在哪里?

庄临川知道河岸问的是什么,淡淡一笑说,袁镇长担心鄙校的畜生破坏河岸先生的雅兴,让它一边乘凉去了。

河岸盯着庄临川,又问,一边乘凉?一边是哪里?

庄临川说,鄙校有个跑步场,那畜生就在跑步场乘凉。

河岸听明白了,仰起脑袋,向天上看看,天上白云浮动,白云下绿树成荫,夏天的知了一声接着一声鸣叫。河岸说,能让我的川芎中尉会会它的同类吗?

庄临川似乎犹豫了一下,看着河岸身边伸着舌头的所谓川芎中尉,为难地说,河岸先生,你是想让它们打架?我看还是算了吧。

河岸中佐脸皮一紧,口气很硬地问道,为什么?

庄临川说,我们不想让一条土狗惊吓河岸先生的洋狗。

河岸说,惊吓?你是说,你的狗会惊吓皇军的狗?

庄临川说，鄙校的狗就是一条普通的狗，生死由命，可是河岸先生的狗是个中尉啊，要是有个三长两短，譬如说，被鄙校的土狗碰断了牙齿，那就不好看了。

河岸中佐的眼睛里突然涌上一层迷离，断然说，它在哪里，我一定要见到它。

蛾眉镇的头面人物本来心事重重，都在琢磨怎么逃离桂山饭店这一顿，听河岸中佐拉琴很过瘾，陪河岸中佐喝酒可就没那么舒坦了，弄得不好是要倒霉的。风云突变，正好河岸中佐节外生枝，可能又有好戏看了，大家便各怀心思跟在河岸的屁股后面，乱哄哄地来到世豪中学的跑步场。

穿过三排瓦房，打开后门，一片空旷的场地便映入眼帘。跑步场不大，从后门进去，大家的眼睛一起投向百步开外的那个黑乎乎的家伙，还是那样一副德高望重的模样，老和尚打坐一般，正对着后门，坐得像一块上面小下面大的石头。

河岸回头看看，川芎果然是好样的，不像瀑布那样扭头就跑，而是用挑衅的目光看着前方，看着未来的敌人，两只前爪不断地刨着地面，显然已经做好了战斗准备。这个时候，河岸突然感到一丝内疚，也许他错怪了瀑布，也许瀑布误会了对手，甚至说，很有可能瀑布压根儿不屑于同那条狗比试，就像他本人不屑于同蛾眉的头面人物共进午餐一样。可是，瀑布毕竟玉碎了，那么，就让它的兄弟来为它复仇吧。

河岸中佐向五郎建二挥挥手，一声口令之后，除了蔡捷丰，在场的日本人和中国人一起睁大了眼睛。蔡捷丰闭上了眼睛，他不忍看那血腥的一幕，他的，他们的茉莉花坐在死亡的边缘上，也许，等他睁开眼睛，茉莉花就成一个尸体了。

咚，咚，咚咚，咚咚咚，咚咚咚咚……

蔡捷丰感到脚底板下的土地在隆隆地震颤，好比金山战鼓，头顶的空气燃烧起来，燃着了他的头发、眉毛，还有心脏。他费了很大的劲才睁开一半眼睛，他看见一支金色的箭镞划过天空，转眼之间就脱离了他的视野，他再一次闭上眼睛，就在他的眼皮还没有完全合拢之际，猛然听到一片惊呼，他的眼皮像火中爆裂的蚕豆一样炸开了，于是他看到了最后的一幕——就在金色的箭镞距离黑狗不到五丈的时候，那黑狗好像一片被狂风席卷的树叶，斜斜地离开了地面，落在身后的墙角里。川芎中尉在最后三丈远的地方，腾空而起，俯冲而下，黑色和金色擦肩而过，瞬间石崩地裂。

一声凄厉的喊叫传来，既不是狗的声音，也不是人的声音，而是狼的声音，声音从那个叫五郎建二的喉咙里发出，穿破中午的阳光，在旷野里向四面八方滚滚而去。这一切都像是发生在梦中。

等蔡捷丰再次将眼皮撑开，河岸已经在前方三十米处了。河岸中佐扑了过去，五郎建二扑了过去，庄临川也慢吞吞地朝那个方向走去。一伙人跟在后面，面色如土，不知接下来将要发生什么。

什么也没有发生，只有五郎建二搂着满地打滚的川芎中尉，大声号啕。五郎建二嘴里嚷嚷的是什么，谁也听不懂，直到十多天后，翻译官贾宜昌告诉蛾眉的头面人物，五郎建二那天号啕的话语是，孩子，孩子，我的孩子啊，你太大意了，你不知道，它们的战术，那叫以静制动啊，那叫以逸待劳啊，那叫……

五郎建二语无伦次了，神经失常了，泣不成声了。

河岸中佐默默地看着这一切，又把脑袋仰起来，看着天上行走的云。

蛾眉镇的头面人物此时已经顾不上茉莉花了，眼角的余光都在河岸中佐的身上。

许甲站在河岸中佐的左后方，最先看见河岸的那只手，那只右手，放在手枪的皮套上，抖了一会儿，找不到纽扣，找到了，手抖得更厉害了，手背上的青筋就像老树上的藤条，似乎要断落下来。河岸拋了好几下，皮套的盖子还是没有解开，后来左手也过来帮忙，终于解开了，又停下了，左手回到左边，右手在皮套子上面搁了一会儿，继续抖着。

从河岸中佐的两只手上，许甲看到了危险，一下子就想到了自家墙上挂着的那把杀猪刀。许甲突然喊了一声肚子疼，捂着肚子猫腰离开了人群。许甲刚刚走开不到十步，张家恒也跟上了，边跑边嚷，快跑，可能有大麻烦。正嚷着，忽然感觉身边一阵狂风刮过，原来金瑞已经撩起长腿，跑到他们的前面了。

蔡捷丰是第一个来到茉莉花身边的，这个懵懂无知的畜生，也有点惊惶，它的一只耳朵被撕掉了，那是在一瞬间被撕掉的，也许是川芎中尉无意中撕掉的。这畜生当真是傻透了，发生了那么大的事情，它竟然还能坐着，还不跑，只是它的那只没被撕掉的耳朵直立起来，鼻子不停地抽动着，好像它终于感觉到了异常。

五郎建二足足哭喊了一袋烟的工夫，哭着哭着不哭了，放下哀鸣不已的川芎中尉，站起身来，一眼就看见十步开外的黑狗。五郎建二掏出了手枪，缓缓地指向黑狗。蔡捷丰心里一紧，正要上前，却见眼前一黑，一个人挡在黑狗的前面。是姚独眼。

十三

桂山和两个伙计从早忙到中午，使出看家的本事，搞了两桌饭，可是过了中饭点，还是没有人来吃。桂山倒也不急，反正十块大洋的饭钱袁芦轩已经预付了。

直到太阳偏西，才等来了第一拨人，是镇上的头面人物。

许甲进门就嚷，过瘾，太过瘾了，比老子杀猪还利索。

吕上清说，不战而屈人之兵啊，我还没怎么看清楚，那条鬼子狗就一头撞在地上，把嘴摔得稀烂，鼻梁骨都摔断了。

许甲说，怎么没有看清楚？我老早就看见黑狗的耳朵竖起来，黑毛竖起来了，爪子竖起来了。说时迟那时快，就在鬼子狗快要扑下来的当口，咱们的黑狗一个鹞子翻身，刷，向上一个跟头，腾云驾雾了。

随后进门的薛裁缝说，什么腾云驾雾，我看那狗一直傻坐，它是被鬼子狗带去的那阵风吹走的，那鬼子狗跑得多快啊，就像箭一样，不，比箭还快，就像汉阳造的子弹一样。

金瑞说，神驹，就是神驹，过去只是听说过有神驹，这回开眼界了，那日本狗就是神驹。

张家恒在后面推了金瑞一把，龇着大牙说，狗屁！花拳绣腿，有勇无谋，兵不厌诈，贵在神速，就那一下，嘴啃泥，那嘴摔得真好看，哐当一声，半个脸成了骨头肉。

金瑞说，就是神驹，可是好马也有失蹄的时候，神驹太不把咱们黑狗当回事了，老话说得好，骄兵必败啊，它是吃了它自己的亏！

许甲说，想想吧，大鼓书里怎么说，啊，老张，《水浒传》里的林冲棒打洪教头，那书怎么说？

张家恒说，啊，你问这个？欲知后事如何，且听本家分解，洪教头喝一声："来，来，来！"便使棒盖将入来。林冲望后一退，洪教头赶入一步，提起棒，又复一棒下来。林冲看他脚步已乱了，便把棒从地下一跳，洪教头措手不及，就那一跳里，和身一转，那棒直扫着洪教头臁儿骨上，撇了棒，扑地倒了。

张家恒抑扬顿挫，颇有几分说书的范儿，说完了，一屁股落座，大喝，老桂，上酒！

许甲也找到自己的座位，扯过板凳，大大咧咧坐下嚷嚷，就是这段，太像了，那条鬼子狗就是洪教头，来来来，老子让你两招。咱们那条黑狗，就是林冲啊，得罪了，啊，得罪了……嚷嚷还不过瘾，一拳擂在桌子上，碗筷吓得乱跳。许甲又问，得罪了没有啊？

众人一起附和，乱哄哄地喊成一片，得罪了，得罪了，对不起杂种太君啊……得罪了得罪了，对不起狗日的鬼子啊，得罪了得罪了，对不起狗屁河岸先生啊……

约莫半袋烟的工夫，袁芦轩才赶过来，老远就听到屋里嚷嚷一片，匆匆走进包厢，进门就是一声呵斥，都小声点，咋呼什么？

袁芦轩怒气冲冲地找到正中位置，一屁股坐下，端起面前的茶碗，咕咚咕咚一阵牛饮。喝干了水，抹抹嘴，看看大家说，诸位，你们在干什么，幸灾乐祸是不是，弹冠相庆是不是，我跟诸位讲，蛾眉镇这回麻烦大了，比天还大！

头面人物们你看看我，我看看你，薛裁缝睁着一双小眼，傻呵呵地问，啥麻烦，河岸中佐啥话也没说，啥事也没做啊！

袁芦轩气不打一处来，瞪了薛裁缝一眼，把手掌往桌子上一拍说，啥事也没做？看看学校那条黑皮狗，它做了什么？它什么也没有做，可是它把河岸先生的狗嘴摔断了。河岸先生也是什么都不做，可是，往后呢？

张家恒伸长脖子说，镇长大人你是说，河岸先生就像世豪中学的狗那样，无为而为？

袁芦轩没好气地说，我这么说了吗，啊，我这么说了吗？我是说，河岸先生他什么都没有说，可是他什么都说了，他什么都没有做，可是他什么都做了。

张家恒说，镇长你这是什么意思，你绕来绕去，把我都绕糊涂了。

吕上清说，老张还亏得你会说书，连这个都不懂？镇长的意思是……是……哎呀，袁镇长，我怎么也觉得你的话绕啊？

袁芦轩说，很简单，世豪中学的狗把河岸先生的狗弄死了，河岸先生一定会报仇，蛾眉很快就要大祸临头了，要死人了。诸位说说，怎么办？

大家都觉得事情挺严重，一时鸦雀无声，后来还是许甲一拍桌子说，有了，有了！

大家把眼睛举起来，一起看着许甲。许甲说，自古杀人偿命，河岸先生的狗是被世豪中学的狗弄死的，把那条狗交给河岸先生，是杀是剐随他的便，不就两清了吗？

大伙精神顿时为之一振，金瑞说，是啊，冤有头债有主，祸是那条狗惹的，天塌下来自然该它扛着，咱们啥也没做，未尝河岸先生会让咱们连坐？

薛裁缝也说，就是，畜生打架，没有让人偿命的道理。

袁芦轩问，那你们说说，让世豪中学把狗交给河岸先生，都同意吗？

众人一起举手，只有吕上清犹犹豫豫，把手举到半截，又放下来了，忧心忡忡地说，如果把狗交出去能消灾避难，我当然同意把狗交出去。但是，这里面有两个问题，其一，交出狗，河岸先生是否就会善罢甘休？其二，狗是世豪中学的狗，交不交狗，不是咱们几个说了算的。

到底是走南闯北的，吕上清的话说得在理，大家又都陷入沉默。袁芦轩说，老吕讲的，我也想到了，可是事情摆在那里，总得有个办法。刚才走在路上，贾翻译官跟我说，别看河岸先生表面客气，可是他心里早就对咱们恨之入骨了，河岸先生白天是人，夜里是鬼，教书比庄校长还厉害，杀人比许甲还厉害。河岸先生恨的不光是狗，他更恨的是人。

许甲说，别把我跟鬼子扯在一起，我可没有杀过人。

吕上清说，镇长这是打个比方，把你跟河岸先生扯在一起，是高看你。

袁芦轩也说，是啊，是高看你。你有河岸先生的学问吗？大家琢磨琢磨，河岸先生最恨的人是谁？

许甲说，那还用说，姚独眼呗！

张家恒说，这件事情，说到底是姚独眼捅的纰漏，那条狗为啥要跳那一下子？为啥在那个时候跳那一下子？那条狗又瞎又聋，可是在那样一个关节上，它就知道纵身一跳，为啥，因为有姚独眼暗中指挥，姚独眼会玩戏法。

金瑞一拍桌子说，是啊，姚独眼啊，河岸先生的两条狗都死在他那条黑狗的手里，他不恨姚独眼他恨谁啊？狗仗人势啊，没有姚独眼，那狗它敢那样吗？

薛裁缝呼啦一下站起来说，这不就结了吗，谁捅的纰漏谁扛着，那个姚独眼，他一个外乡人，他凭什么弄一条破狗给咱蛾眉镇找这么大的麻烦？我主张把姚独眼交给河岸先生，随他怎么收拾。

吕上清说，老薛你讲这话不厚道，当初那条日本狗惨败，你还在我旁边叫好，可是事到临头，你就一推二六五。

薛裁缝说，我这也是为了一方平安。

吕上清说，问题是，把姚独眼交出去，能不能平息河岸的心头之恨？我看交狗交人恐怕都不是最妥的办法，关键是要搞清楚，河岸中佐到咱蛾眉来，他到底要做什么？

袁芦轩说，咱们确实要搞清楚，河岸先生到底想干什么。眼前的事情，就是要给河岸先生吃一颗定心丸，先把他稳住。

吕上清问，袁镇长说的这个定心丸指的是什么？

袁芦轩说，明摆着的，还是狗，可以不把世豪中学的狗交出去，但是可以把它弄死，把它的皮交给河岸先生，以表明咱们蛾眉的人不全是狗，不对，我的意思是说，咱们不都是那条狗，还是不对，我的意思是说，咱们不会杀鬼子的狗，他妈的还是不对。我都急糊涂了。

吕上清说，我来替镇长说，镇长的意思是，先把世豪中学的黑狗干掉，证明咱们蛾眉人对日本人是友善的。是不是啊镇长？

袁芦轩说，就是这个意思。可是怎么干掉，这里面有学问，最好让世豪中学的人来干，要是由姚独眼自己把自己的狗杀了，由庄校长把狗皮送给河岸先生，那就再好不过了。

吕上清说，那是不可能的，我看还是老许干吧，老许既有手艺，还有肉，肉包子打狗的故事老许最会讲。

许甲怔怔地看着吕上清，突然一拍桌子说，别害我，我不干，我不想招惹那只独眼。

十四

返回妆台的路线，河岸中佐选择了从东头直接到南头，而不是东西南北地转圈。

在世豪中学的跑步场上，当五郎建二的枪口指向姚独眼的时候，最初他希望五郎建二把枪膛里所有的子弹打光，但是在最后关头他改变主意了，他轻轻走过去，拨开了五郎建二的枪口。尽管面部肌肉已经非常僵硬，他还是咬紧牙关笑了笑，他说，无非就是一条狗嘛，用蛾眉人的话说，旧的不去，新的不来，何必小气？啊，姚先生你说是不是？他很注意地看着姚独眼的独眼，那只独眼迎着他的目光，毫无表情。似乎很久之后姚独眼才蹦出一句话，对不起河岸先生，让你受惊了。这句话就像刀子一样戳在他的心上，受惊了？道歉？姚独眼的口气是居高临下的口气，姚独眼的话语是胜利者的话语。要不是为了实现"樱花计划",他能受这样的侮辱吗?他还是忍受了,还是用中国人的话安慰自己,君子报仇十年不晚,不,他在心里计算过,不用十年,只需十周,不,连十周都不要,七夕一过,他会让姚独眼的鲜血,不,让蛾眉全体百姓的血从十字街一直流到妆台。

怀着一腔莫名的悲愤,河岸中佐走过了南街,就在快要走到汲河桥头的时候,他突然感觉哪里出了问题,回头一看,左边,右边,身后,甚至桥头上,几十双眼睛星星一般闪烁,那是狗的眼睛,蛾眉狗的眼睛,中国狗的眼睛。居然还有一黑一白两条狗,就坐在前方的桥头上,坐姿俨然世豪中学那条黑狗的模样,泥菩萨打坐一般。河岸中佐怀疑他看错了,怀疑眼前的一幕是幻觉,可是揉揉眼睛之后再看,没错,一切都是那么真实,蛾眉的狗好像在举行庆祝仪式。

幽灵,河岸中佐这会儿想到了这个字眼,就是幽灵,你看不见,摸不着,可是,它却无时不在,无处不在。一个幽灵游荡在蛾眉人中间,游荡在蛾眉的大街小巷里。

中野和五郎建二也看见了那些狗,五郎建二掏出匕首,弓起腰,跳进右侧的芦苇丛里,向桥头那两条狗秘密运动。中野没有找到匕首,握紧双拳,快速向左方跑去,一直跑到桥下,然后回过头,以敏捷的单兵战术向桥头迂回。两个人配合作战,从两个方向接近了那两条狗,就在五郎建二准备发起偷袭的当口,白狗站起来了,黑狗也站起来了,两条狗窃窃私语几句,撒腿一溜烟跑了。

回到妆台,河岸中佐交代五郎建二和中野,把今天看到的想到的,每人写一份"检讨"。两个人讨论了一个下午,意见惊人地一致,认为那条中国狗是条傻狗,耳聋眼瞎,之所以在最后一刹那能够跳起来,只有一个原因,耳聋眼瞎的狗具有常狗不具备的超凡触感,对于速度和温度异常敏感。川芎中尉扑向黑狗的速度过快，奔跑的脚步声振动了黑狗的心脏，所以它才在最后的关头纵身跳离原位。至于黑狗跳起来的时机——那绝对是一个至关重要的时机，早半秒不行，迟半秒也不行——两个人的解释是，不是黑狗采用了战术，而是因为黑狗反应迟钝，它那一跳事实上已经迟了零点一秒，它的耳朵被铺天盖地压过去的川芎撕掉一块，就是证据。那耳朵是被川芎的一个脚趾撕掉的。

这件事情过后，五郎建二和中野就成了一对难兄难弟。五郎建二流着眼泪说，一定要消灭，一定要让它偿命。中野也流着眼泪说，此仇不报，我就剖腹谢罪！

河岸这段时间进行了认真的反省，他做得已经够好了，既表现了一个读书人应有的学识和涵养，也在中国的读书人的心中建立了互相尊重和信任的基础。在劝学堂拉小提琴的时候，他能看出那些人眸子里流露出来的钦佩和羡慕，连庄临川和蔡捷丰都被那优美和悲怆的旋律带入一个忘我的境地，他们对日本人的感情正在发生微妙的变化。中国人说得好啊，随风潜入夜，润物细无声，文化、艺术、文学，再具体地说，音乐，还有他让人送去的那些日本图书，都在隐秘地、但却是无时无刻不在起着作用。只要他再努力坚持几天，他们的变化会更大，即使他们仍然对皇军将信将疑，至少不会采取敌对行动。

可是，他还是感受到了一种敌对的情绪在蛾眉的上空蔓延，在身边的空气中流动着。有一天他在格斗场上巡视，竟然毫无征兆地被马蜂螫了一下，脑门上立即就鼓出一个大包，疼痛难忍。中国马蜂！

这一切都是怎么发生的呢？还是因为那条狗，还有狗背后的人。第一次瀑布被吓退，他没在意，可是第二次川芎功败垂成，他注意到了，那个姚独眼像隐身人一样，神不知鬼不觉地出现在该他出现的地方。在此之前，他在哪里？他会不会躲在某个阴暗的角落里，用一种特殊的方式指挥和操纵那条狗，完全有可能，中国人的民间伎俩多得很！

　　河岸中佐苦思冥想，再次坚定了一个看法，他没有做错，他相信他所遇到的困难，皇军在其他地方也会遇到。他必须重视狗的存在，必须认识到狗的巨大的破坏作用。必须把势态控制在狗仗人势的层面，如果让人仗狗势，麻烦就会更大，那样就有可能蓄势待发，最后大势所趋，那就是悲剧了。

　　只有河岸中佐自己知道，他的部队虽然号称"河岸大队"，每天早晨在妆台耀武扬威地转着圈子跑步，但是那里面没有多少真正的日本人，就连日军部队，也不是纯粹的日本人，那里面有三分之二是朝鲜人、"满洲"人、蒙古人，这些人同日本人并非同心同德，更不要说所谓的"皇协军"了。皇军的两条军犬玉碎了，每次，皇军官兵都是痛哭流涕，可是在场的中国人呢，特别是"皇协军"团长张贵和他的下属，他们落过一滴眼泪吗，他们表示过哀伤吗？

　　川芎中尉后来被抬到妆台，经过多方抢救无效，含恨撒手人寰。在安葬川芎中尉之前，张贵居然提出来，这么肥的狗，埋了可惜，还不如炖一锅狗肉，让弟兄们打打牙祭。听听，这是什么话，简直就是禽兽，对皇军的神犬没有任何感情。从他对日本狗的态度上，就可以看出他对日本人的态度。眼下是日本人占上风，他给日本人当狗腿子，一旦日本人站在下风，日本人落魄了，还能指望他死心塌地吗？门儿都没有。

　　更让河岸中佐愤怒地是，自从张贵说了那句话之后，他的部队好像也在暗暗地发生变化。川芎往生的当天晚上，晚餐的时候部队照例要祷告，感谢天皇陛下赐予食物，可是那天，却有个"皇协军"士兵发起了牢骚，端着碗站在上风头说，碗里明明装着的是中国农民种的粮食，跟天皇有什么关系，为什么要感谢天皇？天哪，如此放肆……更严重的是，还不是他一个人放肆，还有几个"皇协军"士兵跟着起哄，至少有五个人抖着自己的碗嚷嚷，说日本人为了收买人心，天天买许甲的猪肉，可是许甲他根本没有那么多猪可杀，许甲的猪肉，有一半掺了老鼠肉，往后咱们不吃肉丸子了，要吃整块的五花肉。

河岸中佐是晚饭后听到中野密报这个情况的，当机立断，把张贵和贾宜昌叫来，宣布"皇协军"士兵聚众闹事，为首的严惩不贷。张贵避重就轻，闭口不谈亵渎天皇陛下的事情，只是坚持说，许甲的肉掺假，这是事实，因为部队有人捉了耗子，扒皮卖给许甲，许甲照收不误。张贵实话实说，河岸更是七窍生烟，看看这是什么军队，什么居民，连皇军都敢坑害。好在河岸中佐早有防范，他虽然下令买了许甲的猪肉，但是他从来不让日军士兵吃许甲的猪肉，他从来都让自己的士兵吃罐头，包括他的军犬。河岸早就听说许甲在猪肉里面掺杂老鼠肉、麻雀肉、蛤蟆肉和病猪肉的情况，但过去一直睁一只眼闭一只眼，中国人坑中国人让他们自作自受好了，没想到这件事情闹出这么大的风波。

当天夜里，五郎建二把那个士兵带到格斗场上，当着"皇协军"十几名班长和军官的面，声称这个士兵亵渎了天皇陛下，他要以武士的方式同那个士兵比武。虽然那个士兵最初很害怕，还哭着喊着求饶，可是当五郎建二向他扑来的时候，他还是举起枪刺抵抗了。只是他的刺杀技术远远不如五郎建二，只几个回合下来，那个士兵就多处负伤，临死之前还睁开眼睛，一股浓血喷在五郎建二的脸上。

在场的"皇协军"军官和班长没有一个人讲话，在第二天的"思想纯正检讨会"上，那些中国官兵还是没有人讲话，直到张贵向河岸中佐交了一份检讨书，这件事情才不了了之。

离七夕越来越近了，松冈又派人送来指令，要求务必于农历六月底完成"樱花计划"的一切准备，河岸中佐打起精神，回复松冈大佐，一切准备就绪，没有任何问题，请大佐阁下放心！

十五

袁芦轩代表镇上头面人物去找庄临川，要求他把黑狗弄死，把黑狗的皮交给河岸中佐，理所当然地遭到拒绝。

蔡捷丰那几天高度警惕，密切观察黑狗的情况，他发现黑狗还是那样淡定，每天上午都在门口坐着，像个通达世事的老者，任天上云卷云舒，我自我行我素。

有一天蔡捷丰起得大早，撒了一泡长尿，好像有什么预感，提着裤子走到门口，远远看见有人向大门口扔了一个东西。蔡捷丰急忙小跑过去，发现茉莉花的面前已经有了好几个包子。那个早晨，蔡捷丰守在那里等了很长时间，直到姚独眼做好早饭出来。蔡捷丰说，姚师傅，有人要害茉莉花，你以后不要让它坐在这里了。说完，把包子递到姚独眼眼前。姚独眼看都没看说，没用，他们害不死茉莉花，茉莉花从来不吃别人的东西。

蔡捷丰说，姚师傅，茉莉花有什么来头吗？

姚独眼抬起头，用那只独眼扫了一下蔡捷丰，又把头抬起来，看着远处说，别搞炸药了，匹夫之勇成不了大事。

蔡捷丰点点头说，不搞了，搞也白搞，咱们这些人，还不如一条狗。

说话间，出来几个人，有庄临川和周介于，还有袁莞睿和蒋余干。庄临川问，谁说人不如狗？

蔡捷丰说，我说的，眼睁睁地看着日本人耀武扬威，咱们这些人，却是素餐尸位，徒呼奈何。

庄临川看了蔡捷丰一眼说，你要做什么？

蔡捷丰说，校长，你是个硬骨头，为什么不拿出行动来？你登高一呼，我们就跟着你干，我们再也不能无动于衷了。

周介于说，就是啊，就算咱们自己不拉队伍，咱们可以到别茨山找新四军，找国军也行啊。

庄临川说，你不怕死？

周介于说，狗都不怕，我为什么要怕？老蔡，你还造炸弹吗？我帮你造弹簧。

蔡捷丰说，我不造炸弹了，我想当一条狗。

蒋余干说，别造炸弹了，也别当狗了。诸位听说没有，咱们蛾眉来了一支抗日的队伍，叫"蛾眉纵队"，有好几千人呢。

蔡捷丰说，画饼充饥，蛾眉镇就这么屁股大的地方，好几千人在哪里，我怎么没有看见？

庄临川说，蛾眉镇不就是几千人吗，这几千人不就是一个纵队吗？

蔡捷丰心里一怔，看着庄校长，嘴巴张了几下，还想问什么，庄校长却转向姚独眼说，老姚，这些日子不太平，少让茉莉花出来。

姚独眼没说话，只是点点头。

庄校长说，我们是读书人，教书育人是根本，以后不要说些没用的。

说完这话，庄校长就率先走进大门了。

蔡捷丰跟在庄临川的后面，又抢上几步说，庄校长，我听街上的人说，妆台只有八个日本人，那一个小队的鬼子，还有一大半是朝鲜人和蒙古人，还有中国的"满洲"人。

庄临川头也不回地问，你相信吗？

蔡捷丰说，我相信，要不为什么从来没有看见鬼子的大部队？蛾眉居民说，每天鬼子大部队跑操的场面，都是做出来的，其实就是一个小队轮流跑，加上"皇协军"的一个连队，那个张贵其实就是个连长，号称一个团。

庄临川快走到自己的门口了，回头说，这跟你有什么关系？

蔡捷丰说，当然有关系，如果情况属实，有人出头一喊，蛾眉居民一起拿起家伙，再加上"皇协军"里应外合，很容易就能把鬼子干掉。

庄临川停住了，看看蔡捷丰，笑笑说，你说得太好了，蛾眉居民一起拿起家伙，再加上"皇协军"里应外合，那当然是手到擒来了。可问题是，蛾眉居民会一起拿起家伙吗？"皇协军"会里应外合吗？还有，会有人出头一喊吗？

蔡捷丰说，当然会啊，你不出头，我来出头。

庄校长不笑了，转过身来，看着蔡捷丰，看了很久，然后拍拍蔡捷丰的肩膀说，好好读你的书吧，记住，不要读日本人的书，那里面有毒。

这以后，蔡捷丰的脑子就活跃了，越琢磨越觉得庄校长话里有话，蒋余干说"蛾眉纵队"有几千号人，庄校长说蛾眉镇就是几千人，这话是什么意思？还有那句"以后不要说些没用的"，那么，不说没用的，就要说些有用的，或者说做些有用的。别看庄校长寻常不显山不露水，可是庄校长每一句话都是有分量的。

关于"蛾眉纵队"的传说，在蛾眉镇很快就暗中流行开了，有人说，因为日军封锁得厉害，别茨山里的新四军主力接近不了蛾眉，但是派遣零星人员，分期分批地进入蛾眉镇，四周的乡镇都有，蛾眉街面居民家里的亲戚也多了起来，这些人都是"蛾眉纵队"的成员。

到底有没有"蛾眉纵队"，蔡捷丰没有办法证实，但是后来连续发生了两件事情，让他确实感受到，好像有一股力量在暗中左右着蛾眉镇。

川芎中尉毙命的第四天一大早，几条狗不知道从哪里拖出了一只胳膊，在蛾眉街面上奔跑追逐，从南头到西头，再到北头，然后返回到东头。那只胳膊，早起的人看见了，上面还有"皇协军"的军服碎片。到了前半晌，全蛾眉镇的人都看见了，胳膊已经腐烂，露出白生生的骨茬。一个消息不胫而走，怪不得鬼子把鬼窝扎在妆台上，闭门不出，原来在那里秘密杀害中国人。

河岸接到报告，派加藤到镇上找到袁芦轩，要袁芦轩向居民发布安民告示，说那只胳膊是"皇协军"里的一个败类，因为企图强奸妆台菜农的女儿，被皇军正法了。跟袁芦轩一起宣讲安民告示的还有妆台裴氏庄园的菜农张叶海，张叶海出来证明，确有其事，这才把事态平息下来。

一波未平，一波又起，过了一天，蛾眉街面上突然出现一些印刷品，揭露日本人的谎言，因为日本人在妆台留用的菜农只有三家，而张叶海的闺女早就嫁在外县，自从日本人进入妆台，这个闺女就再也没有回过娘家，张叶海是受到日本人的威胁和金钱收买，才违心做假证的。除了传单，还有一些照片，是日本人在邻县黄泥村杀人放火的照片，被杀的有男的有女的，一律反捆。其中的一幅，是活埋中国人的照片，成群的人被赶向事先挖好的巨大的土坑里。照片的下面有一行小字：黄泥村的昨天，就是蛾眉镇的明天。醒醒吧！

蛾眉居民聚集在蛾眉十字街上，议论纷纷，群情激昂，喊着要把鬼子赶出蛾眉镇。甚至有人嚷嚷，要到妆台看看，去找张叶海对证，看看他家闺女这段时间到底回来过没有，到底是不是"皇协军"士兵强奸了他的闺女。如果不是，鬼子乱杀中国人，就跟他拼了。参加集会的，除了袁芦轩和吕上清，其他的头面人物都到场了，许甲一下子捐出了六把杀猪刀，张家恒和金瑞也各自拿出十块大洋，鼓动年轻人到妆台看个究竟。

消息很快就传到河岸中佐的耳朵里。河岸心急火燎，下令追查散布照片的人。加藤少佐和贾宜昌带人忙乎了一个下午，搜捕了几个从外乡来的生意人，连打带审，一无所获，那些人确实是做生意的。到了天快黑的时候，只好把人放了，河岸交代加藤，把这些人带到汲河和淮河交界处，杀掉扔到河里。皇军在别的地方杀人不用遮掩，只要不在蛾眉杀就行。同时河岸还交代加藤，至少要借调一个中队的纯正的日本兵，随时待命。

河岸中佐在紧张不安中又度过了一天，时间离七夕越来越近，而他的"樱花计划"不断受到破坏，看来软的是不行了，他决定，万不得已的情况下，就动真的。

十六

农历六月十六这天，河岸中佐派人把袁芦轩等头面人物叫到妆台，声称要满足他们的好奇心，让他们看看皇军的部队。河岸这次没有招呼世豪中学的老师，他已经通过松冈大佐的情报部门得到最新的情报，庄临川，原蓼蓝县县长，后在别茨山赤色暴动中失踪，一种可能是在失踪的十年里，隐姓埋名在江南做生意。第二种可能是当年参加了暴动，或者反暴动，也就是说，这十年中，庄临川很有可能在军队任职。那个姚独眼，情况暂时不明。至于那个蔡捷丰，一个热血青年而已，不足挂齿。

对于这份调查，河岸中佐不甚满意，但是庄临川这个前县长的身份，让他横下一条心来，那就是撇开世豪中学，完全由蛾眉的头面人物来唱"王道乐土"的戏。

在格斗场上，河岸中佐给蛾眉的头面人物安排了一场别开生面的竞技，不知道从哪里弄来七条中国土狗，由两个士兵从格斗场的工具房里轰出来。那些狗不认识五郎建二，见他站在格斗场中央，不知道发生了什么事情，正在探头探脑，五郎建二一声呼喊，擎起军刀，向最前面的一条狗咿咿呀呀地冲了过去。那狗吃了一惊，立即纵身躲避，其余的狗也被惊得目瞪口呆，哇哇狂吠，两条胆子大一点的，围着五郎建二，一边防御，一边试探着进攻。五郎建二瞅准时机，挥起一刀，将一只狗头砍下，另外的狗嚎叫着跳出圈外。只有领头的那只花狗，像是发疯一样，趁五郎建二立足未稳，纵身扑了过来，五郎建二措手不及，仓促应战，刀刃从那狗的背上划过，但是自己腿上也被撕下一块。

中野中尉见势不妙，拔刀冲进格斗圈，同五郎建二背靠着背，同其余的六条狗搏斗。那条领头的狗因为负伤甚重，体力不支，进攻势头减了下来，被五郎建二一个声东击西，砍掉了脑袋。其余的狗群龙无首，顿时乱作一团，五郎建二和中野中尉乘胜追击，很快就将其余的狗各个击破。

事实上，河岸中佐给蛾眉头面人物准备的不是这个节目，他希望看到的是，那些中国狗面对雪亮的日本军刀，顿时屁滚尿流，然后被五郎建二遍地追杀，血流成河。他没有料到这些中国狗居然会反抗，反抗得还很勇猛，要不是中野中尉助阵，仅凭五郎建二一个人，没准就弄巧成拙了。中国狗的表现让河岸中佐暗暗吃惊，他再一次确信，中国狗变了，这一切都是因为世豪中学门前的那条狗。

蛾眉头面人物看了一场人狗大战，不仅没有被吓倒，反而有些不以为然。许甲在背后跟吕上清嘀咕，日本人这是干啥，人杀狗算啥能耐，我杀猪比他利索得多。

看完了这出戏，河岸中佐才请蛾眉的头面人物参观日军营房，但见窗明几净，物资摆放有序，一尘不染，令人叹为观止。出了营门，只听一声听不懂的口令发出，眼前齐刷刷地出现一队日军士兵，在格斗场上龙腾虎跃，刺杀的技术精彩绝伦。

头面人物们这回才真被吓住了。许甲暗暗惊呼，只听说日军不过八个人，把朝鲜、蒙古、满洲的士兵加在一起也不过一个小队，可是眼前，至少一百二十人。连汉奸团长张贵都目瞪口呆，他也不知道河岸中佐从哪里弄来那么多的日本兵，想来想去才想明白，原来汲河上有两艘日本火轮，很有可能日本兵寻常都是住在火轮上，从安峰渡口到蛾眉汲河桥头，小火轮半个小时就到了。明白了这一点，张贵的后背就冒汗了，幸亏前些日子没有动手，动手了恐怕就有灭顶之灾了。

一切科目进行完毕，回到庄园正屋院内，河岸中佐开始摊牌，头面人物们这才明白，早就在传说中的"樱花计划"，原来是要搞一个"王道乐土模范镇"的揭牌仪式。河岸中佐说，最好动员世豪中学的学生返校，如果世豪中学的学生不能返校，蛾眉镇必须动员至少二十名十四岁至十七岁的青少年替代，届时要给皇军献花，唱日本国国歌《君之代》。

袁芦轩一听就蒙了，结结巴巴地说，这太难了，找人难还不说，可那些中国孩子，哪里会唱日本歌啊！

河岸说，这个不用发愁，用你们中国人的话说，有钱能使鬼推磨，用我们大日本的话说，有钱能使磨推鬼，这一项预算两千大洋，青少年后天就送到妆台，由贾宜昌君教授他们唱日本国歌。张贵君负责给他们制作世豪中学校服。

袁芦轩说，这我得和镇上头面人物商量商量。河岸中佐同意了。商量的结果，头面人物也同意了。袁芦轩说，人和歌的问题解决了，可是穿世豪中学的校服，恐怕要跟庄校长商量。

河岸中佐说，那是你的事，你不能光拿钱不干活。河岸宣布的第二件事是，天气越来越热，瘟疫越来越近。为了蛾眉百姓的健康，避免瘟疫蔓延，限令蛾眉镇从今夜动手，将全镇民狗全部消灭。但是，皇军仍然贯彻怀柔亲善的政策，每只狗耳朵十块大洋，全镇现在有九十六条狗，一百九十二只狗耳朵，少一只都不行，多一只奖励三十大洋。

一个声音从头面人物中间发出，一只狗耳朵十块大洋，这生意太好了！可是，世豪中学那只狗的耳朵，恐怕……恐怕不太好办。

说这话的是许甲。

河岸中佐说，世豪中学那条狗，每只耳朵一百块大洋！

许甲一下子叫了起来，这件事情我来办！

河岸中佐说，很好，很好，良民大大的！

许甲刚刚坐下，又咕咚一声站起来说，河岸先生，可是，可是……

河岸中佐不高兴地问，怎么？

许甲说，可是，世豪中学那只狗，它本来只有一只耳朵，可同样是一条命啊！

河岸中佐听明白了，笑笑说，许先生，你很会做生意，很好，那就二百块！

事情就这么定下来了。告别的时候，河岸中佐对蛾眉的头面人物说，前段时间蛾眉镇传说很多，说我们大日本皇军杀人越货，还说有什么"蛾眉纵队"，全都是谣言。诸位都看见了，大日本皇军杀人越货了吗，大日本皇军有一百多名官兵住在蛾眉镇，分布在蛾眉的镇上、乡村和汲河的河道里，如果我一声令下，可以在瞬间把蛾眉杀得片甲不留，可是我这么做了吗？再说，即便真的有什么"蛾眉纵队"，他是我的对手吗？我可以告诉大家，我的河岸部队，当年在南京，一百三十个人迎战一千六百中国人，最后他们统统上了西天，我还怕一个子虚乌有的"蛾眉纵队"？简直是笑话！

河岸中佐一得意，把自己的老底兜了出来，可这老底却把蛾眉的头面人物吓坏了。

河岸中佐站在汲河桥头向大家挥手致意，愉快地说，好好为皇军效忠吧，干得好，好处大大的，否则死啦死啦的！

十七

那天夜里，蔡捷丰睡得很不踏实，老是做奇怪的梦，陈芝麻烂谷子的事情都有，有的还很吓人，所以很早就起床了，到后院撒了尿之后，就到大门口去看茉莉花，没有见到茉莉花的影子。他琢磨，可能是姚独眼不许茉莉花早晨坐在大门口了，便到姚独眼的居室门外，从窗子往里看，看墙角和床底下，可是这两个地方都没有。蔡捷丰心里有种不祥的预感，赶紧敲姚独眼的门。姚独眼还没有睡醒，抠着眼屎，不高兴地问，什么事啊，这么大早的。蔡捷丰说，你的茉莉花呢？姚独眼说，茉莉花在伙房睡觉啊，干什么？蔡捷丰说，我觉得不对劲，咱们赶快去看看，可别出什么事啊！姚独眼二话不说又回到床上说，要看你去看，我再睡一会儿。

蔡捷丰只好独自前往伙房，灶前灶后柴堆都看了，哪里还有茉莉花的影子。不大一会，在校的老师都被搅起来了，从早晨找到小晌午，也没有见到茉莉花的影子。

蔡捷丰站在劝学堂门前，悲愤地说，一定是鬼子下手了，一定是蛾眉镇上那些孬种下手了。这日子还有什么活头，庄校长啊，你要是再不动手，我可就单枪匹马去跟鬼子拼了。

庄临川也站在劝学堂门口，很长时间不说话。

到了中午，就有消息传来，果然是镇上的头面人物动手了，花钱雇了二十几个二流子和三流子，下套、放毒、手刃，各种手段都用了，把镇上的狗全都弄死了。

几个老师听了，脸色灰暗，正叽叽喳喳议论着，周介于回来了，进门就说，且慢，没有全部弄死，听说昨夜上半夜，打狗队动手之前，有三十条狗召开紧急会议，然后逃之夭夭。现在河岸还在跟袁芦轩算账，要他务必再交六十只，不，再交五十九只狗耳朵。如果不交，就要让镇上的头面人物把四百块洋钱吞进肚子里。

蔡捷丰起先没有想明白，问周介于，为什么是五十九只狗耳朵？

周介于说，这还不明白？因为茉莉花只有一只耳朵啊。

这下蔡捷丰明白了，喃喃地说，老天有眼，这么说，咱们的茉莉花还没有遭到毒手，咱们的茉莉花它还活着？

姚独眼看蔡捷丰泪流满面，好像也很感动，拍拍蔡捷丰的肩膀说，咱们的茉莉花它不会死的。

蔡捷丰泪眼蒙胧地问姚独眼，可是，茉莉花它在哪里呢？

姚独眼说，我知道茉莉花在哪里，到了该让你见到它的时候，自然你就见到了。

这件事情太神奇了，三十条狗集体行动，从人们的眼皮底下消失了，这事是狗做的吗？蔡捷丰坚持认为，这是有人在背后操纵的，可是那个人是谁呢？他再一次想到了"蛾眉纵队"。看来，真的有"蛾眉纵队"，即便不是拿枪拿炮的"蛾眉纵队"，也一定会有一个看不见的"蛾眉纵队"。这时候，他又想起了庄临川校长讲的那些话。

这天夜里，蔡捷丰辗转反侧。半夜时分，听到窗外有微弱的动静，过了一会儿，他从枕头下面摸出剪刀，蹑手蹑脚地下床，猛地拉开房门。借助门外上弦月光，他看见地上有张纸条，点上灯一看，是一封信，开宗明义地说，日本人的阴谋就要揭晓了，所谓的"樱花计划"，就是在蛾眉镇组织"王道乐土模范镇"揭牌仪式，让蛾眉的学生升太阳旗，唱日本歌，给日本人献花，说明中国人欢迎日本军队。他们把这些场面拍成电影和画片，欺骗世界人民。最后的战斗就要开始了，请做好一切战斗准备，随时接受"蛾眉纵队"的指令！

那一夜，蔡捷丰再也无法入睡了，他想了很多很多，想到了谭嗣同，想到了史可法和文天祥，也想到了父母祖宗，更想到了死，就这么想着哭着睡着，迷迷糊糊，似睡非睡，直到姚独眼在门外把他叫醒。

姚独眼什么也没有说，只是告诉他，茉莉花找到了，正如他所预料，在它该去的地方。蔡捷丰热血沸腾，跟着姚独眼，先是穿过东头那片一望无际的稻田，一直走到距蛾眉十几里外的油坊桥，在桥下上了一叶扁舟，再往前走，就到了一个河湾。

上岸之后，老远看见一棵树，树下站着一个人，天哪，果然是他——庄校长。

庄临川回过头来，微笑着说，蔡老师，没有想到吧？

蔡捷丰说，不，我想到了。

庄临川说，你不是一直在找"蛾眉纵队"吗，今天我就让你看看"蛾眉纵队"，远在天边近在眼前，就是你、我、老姚，还有它们。庄临川伸手一指，河湾深处，一群狗在奔跑跳跃，尽情地撒欢。蔡捷丰一眼就认出来了，领头的那条黑狗就是茉莉花。狗们显然把茉莉花当成袁镇长了，茉莉花走到哪里，多数狗就奔向哪里。

蔡捷丰恍然如梦，有些失望地说，"蛾眉纵队"原来是一支影子部队？

姚独眼说，庄先生说"蛾眉纵队"是天边的风，是云间的雨，是一个神。

庄临川说，老姚，你把狗集合起来，让蔡老师开开眼界。

姚独眼说好，从口袋里掏出一个五眼短笛，轻轻地吹了起来，吹得不算高明，比河岸中佐的琴声差远了。蔡捷丰听着有点熟悉，过了一会儿想起来了，是当地的民歌小调，《好一朵茉莉花》，这下恍然大悟，原来庄校长给狗起的名字，典故在这里。

姚独眼的短笛刚刚吹了两句，奇迹发生了，茉莉花摇头晃脑小跑过来，一屁股坐在姚独眼的面前，看来它真的能听见五音笛的声音。那些正在玩耍的大狗小狗跟着茉莉花，一个接着一个坐下来，老老实实，一动不动。不多一会工夫，三十条狗就坐得井然有序，既不东张西望，也不摇头摆尾，煞有介事，像听课的学生。

蔡捷丰的眼睛都看直了，没想到这些狗这么听话。

庄临川说，看见没有，这就是领头的作用。凡是群居动物，都有一个领头的。你看，这些狗本来一盘散沙，各自为战，可是自从茉莉花来了，它们有了主心骨，就聚到一起了。

蔡捷丰问姚独眼，你这狗到底什么来头，为什么日本狗那么怕他？

姚独眼眯起独眼想了想说，什么来头？说起来确实有点来头，它是咱们师长的狗，我是师长的勤务兵，师长负伤了，把我和狗一起送给团长了。团长阵亡了，我和狗一起留给新团长，新团长后来到了蛾眉，我和狗就跟着一起到了蛾眉。就这么回事。

蔡捷丰琢磨了半天问，新团长就是庄校长？

庄临川说，正是鄙人。

蔡捷丰说，如此说来，这狗果然不凡，难怪鬼子的狗怕他。

庄临川说，这狗其实也就是普通的狗，无非就是打过几仗。鬼子南下这一年多，打过多少恶仗啊，师长、团长死了好几个，这狗也是从死人堆里爬出来的，耳朵被炮弹震聋了，眼睛也差不多瞎了，只能看见十步远。可是，如果危险近了，它还是有反应的，反应的速度你想都想不到。

蔡捷丰全明白了，原来庄临川和姚独眼都是从队伍上下来的，还有这条狗。蔡捷丰说，自从那天它把鬼子的狗吓跑，我就觉得好像有什么东西落在蛾眉镇了，蛾眉人的腰杆一下直了许多。是狗帮助咱们提起了精气神。

庄临川说，狗的事情已经做完了，以后就该我们这些人来做了。

蔡捷丰说，姚师傅把他们训练得这么听话，不派上用场吗？

庄临川说，暂时还派不上用场，再说，这狗老了，它该歇歇了。剩下的事情，我们来做。你不是到处找那个领头的人吗，我就是。

蔡捷丰说，众里寻他千百度，蓦然回首，那人却在，眼前就是。

庄临川说，应该这么说，蓦然回首，那人却在，在你自己的心里。

蔡捷丰激动得泪花闪烁，喃喃地说，庄校长说得好，蓦然回首，那人却在，在我们自己的心里，在蛾眉的大街小巷，在江淮的山山水水。

十八

离松冈大佐规定的日子越来越近了，可是河岸中佐却分明意识到他遇到的麻烦越来越大了。"蛾眉纵队"的传说在蛾眉镇居民中间有很多版本，皇军在黄泥村杀人放火的说法也有很多版本。一个幽灵在蛾眉地界游荡，蛾眉人的胆子似乎越来越大，尽管妆台周围暗哨密布，可还是不断有人到妆台周边，以钓鱼和收庄稼为名，打探皇军的虚实。"皇协军"里不断闹事，几个士兵携枪逃脱，还差点打死了一名日军士兵。

当然，最让河岸中佐耿耿于怀的，还是蛾眉镇上那三十条狗。就在他下达杀狗令之后不到一个小时，就有三十条狗望风而逃，这个风是谁放出去的？重要的是，那其中就有世豪中学的黑狗。其他的任何一条狗跑了都无关紧要，唯独世豪中学那条黑狗，才是河岸中佐围剿的核心，可是它居然跑了，这意味着什么？意味着他的身边，到处都是心怀叵测的人，到处都有皇军的敌对势力。

河岸中佐调整了思路，他手下真正的日本官兵，加起来也才十一个人，虽然有一百多号"皇协军"装点门面，可是这些"皇协军"越来越靠不住了。上次在格斗场上给蛾眉头面人物展示的那一个日军中队，是松冈大佐临时从陆安州借来的，当天夜里就从水路秘密返回了。松冈说，皇军在军事战场上的兵力已经到了穷尽的边缘，像蛾眉这样一个非军事战场，要克服一切困难。在华北战场上，八个日本兵就能征服一座县城，你们十一个日军官兵，连一个小镇都控制不了，还赔上了两条军犬，太无能了。

松冈的斥责让河岸中佐无地自容，上司的话一点也不过分，他确实无能，他唯一能给自己安慰的，就是蛾眉镇的特殊性，蛾眉不是一个简单的民间小镇，蛾眉那所中学曾经培育了三百多个英才遍布江淮大地，正是因为它的非凡的文化名望，华东最高司令部才把它确定为"王道乐土模范镇"，才让他在此艰难支撑。蛾眉不是华北啊！

关于"樱花计划"，他已经做了充分的考察，他曾经考虑避开世豪中学，在蛾眉十字街上举行揭牌仪式，但是松冈大佐不同意这个方案，松冈要求他必须在学校大门口升起太阳旗，必须在劝学堂内拍摄学生献花、师生和皇军同乐的镜头，世豪中学是他绕不开的坎。正因为这个原因，他必须仍然同庄临川继续虚与委蛇，继续保持和睦相处的状态。

从表面上看，袁芦轩还是听话的，花了重金从县城雇来了二十个中学生，冒充世豪中学的学生。校服和其他物资均已准备就绪，就差和庄临川摊牌了。

农历六月二十七那天，河岸中佐硬着头皮到世豪中学，同庄临川进行决定性的会晤。这次他没有带狗，因为他已经没有狗了。

这次，河岸又给世豪中学带来一批礼品，还有一批西洋乐器。会晤的时候，世豪中学在校的老师都参加了。河岸对庄临川说，协助皇军拍个电影，对于世豪中学来说，其实就是举手之劳。此举既可以加深中日之间的感情，又可以为贵校带来福祉。河岸说，中日两国一衣带水，自古就是友好邻邦，日本人对儒家学说的钟爱，丝毫不亚于中国人。大日本帝国建立东方"王道乐土"是诚意的，希望得到贵校的支持。

庄临川说，学校不是我一个人的。在世豪中学挂日本国旗，让世豪中学的学生给日本人献花，师生感情不能接受。

河岸见庄临川油盐不进，难免焦躁，索性摊牌说，如果庄校长和贵校老师觉得不妥，届时可以离校回避，皇军另外雇佣师生完成这项工作。

庄临川说，跑掉和尚跑不掉庙，用世豪中学的大门和劝学堂作为背景，本校长和世豪中学都会被千夫所指，我们这些人就无法在峨眉地界混了。

河岸想了想说，那你说怎么办？

庄临川说，我说不办，河岸先生同意吗？

河岸的脸又阴沉下来说，庄先生不要开玩笑，这件事情，你同意要办，你不同意还要办。要知道，无非就是借你的大门和劝学堂匾额一用，皇军为了尊重，才和庄先生商量的。我们也可以不商量，你不会认为我们办不成吧？

庄临川说，我当然不会幼稚到这种地步，你们可以把我和老师们秘密地杀掉，如果你们不想破坏怀柔亲善的假象。也可以把我和老师们赶走，还可以把匾额取走，另外修建一个世豪中学的大门，这花不了多少钱。况且你们做事也不用花钱。

河岸中佐没想到庄临川会说出这些话来，这几个方案都是他曾经酝酿过的，当然，都不是最佳方案。河岸中佐矜持一笑说，庄先生是个聪明人，皇军想到的，庄先生想到了，皇军没有想到的，庄先生还是想到了。

庄临川说，可是，你为什么还要和我商量呢？

河岸中佐一怔，脱口而出，因为皇军需要真实，真实，庄先生，我说清楚了吗？

庄临川说，那就对了，你们需要原汁原味的中国背景，可是我们也有我们的需要。我们需要保持人格独立，即便不能兼济天下，也要独善其身。

河岸中佐从庄临川的话里咂摸出味道了，眯起眼睛问，庄先生是在和皇军讨价还价？

庄临川说，河岸先生也可以这么理解。

河岸窃喜，看来真是有钱能使磨推鬼啊，中国人就是这样，连自命清高的庄临川也不过如此。河岸伸出巴掌说，那好，就请庄先生开价吧。

庄临川说，世豪中学升起太阳旗之时，也是我等离校辞职之时。这就是我的条件。在河岸先生拍摄的胶片中，必须注明，庄临川等人因故辞职，不在"王道乐土"之中。

河岸中佐略一沉吟，虽然心中暗喜，嘴上还是说，庄先生，非走不可吗？

庄临川说，请河岸先生体谅我们起码的自尊。

河岸先生很快就把账算明白了，庄临川等人离校，于他是求之不得，于庄是迫不得已。至于离校以后还让不让他们活着，是七夕以后的事情。但河岸还是假装为难地说，庄先生提出的这个条件，按说也在情理之中，只是，如此一来，这个"王道乐土"就逊色许多，以庄先生的名望，我是多么希望我们携手共建啊！

庄临川说，我不能保护自己的学校，可是我也不能出卖我的人格和国格。

河岸长吁短叹，擦着眼镜说，既然如此，那就尊重庄先生和贵校老师的选择。我以我的人格担保，庄先生和贵校同仁离开学校之后，我一定会保证诸位的安全。

庄临川说，悉听尊便。

十九

世豪中学全体老师辞职离校的消息，很快就在蛾眉镇传得沸沸扬扬。头面人物聚在桂山饭店交流看法，许甲说，这下蛾眉镇真的完了，庄临川他们一走，还有谁敢跟河岸吵架呢？

金瑞说，还有他们的狗，一眨眼就跑没影了，到底是日本人厉害。往后，日本人的狗该到十字街唱戏了。

张家恒说，我本来以为他们是"蛾眉纵队"的内线，可是他们这一走，"蛾眉纵队"在哪里呢？

袁芦轩说，现在总算搞明白日本人要干什么了，那个"樱花计划"，就是在世豪中学举行升旗仪式，要拍电影，要把蛾眉镇"亲日友善"的场面带到美国和英国去，说他们到中国来，是咱们打着旗子哭着喊着欢迎来的。

吕上清说，要是真的这样，咱们蛾眉镇就算把人丢大了，祖宗八代的人都丢了。这比杀人放火还歹毒。

许甲说，这不是把天大的屎盆子扣到咱蛾眉镇了吗？我看不能干瞪眼，咱们得拿出办法，不让日本人得逞。

袁芦轩没好气地说，老许说得比唱得还好听，我问你，那天在世豪中学跑步场上，第一个往后出溜的是谁？

许甲说，那天我肚子疼。再说，往后出溜的也不是我一个，老金比我跑得还快。没有人领头，你还指望咱们都当岳飞？

袁芦轩更生气了，怎么没有领头的人，那天我跑了吗？

袁芦轩把话说完，大家半天没吭气，一齐拿眼看着袁芦轩。袁芦轩话出口了就觉得哪里不妥，一看大家都看着他，就知道哪里不妥了。许甲突然嚷嚷起来了，大家听见没有，袁镇长说他那天没跑，他就是领头人。

袁芦轩脸都白了，拍着桌子喊了起来，胡说，我那天没跑，是没有办法，我是镇长，我得跟日本人给狗办理后事……

半天没说话的吕上清开口了，老袁，你急什么，你就当一回领头人怎么了？你是镇长，有这个责任。大不了一死，死都比这样活着强，日本人把这么大的屎盆子扣下来，咱们却在这里推三阻四，连条狗都不如。

金瑞说，就是，连条狗都不如。索性袁镇长你领个头，咱们有钱出钱，有力出力，拿起家伙跟鬼子干，实在不行就到妆台去放把火。

袁芦轩出了一头冷汗，嘟嘟嚷嚷地说，我是镇长怎么啦，镇长也是一条命啊，镇长也没有三头六臂啊，镇长也不是刀枪不入啊，这话你们可不能出去说啊……

就在这时候，推门进来一个人，大家吓得不轻。定睛一看，是"皇协军"的团长张贵。

张贵说明来意，原来是借钱。日本人搞的那个仪式上，有一个内容，为了体现蛾眉居民对皇军的拥戴，箪食壶酒，要当场向皇军捐款。河岸中佐派张贵到镇上找头面人物，每家借钱三百大洋。说好了，就是做做样子，拍摄完毕立即物归原主。

张贵话没说完，头面人物们就炸锅了，许甲第一个跳起来说，日本人借钱，他会还吗？张贵你还好意思，你一个中国人，当汉奸不说，还帮日本人搜刮民脂民膏，你连一条狗都不如。

张贵也火了，把手按在皮枪套上说，你许甲横什么横，老子手里有一百多号人，老子敢夜里摸鬼子的岗，你敢吗？

许甲一怔说，什么，你夜里摸鬼子的岗？前天夜里鬼子少了一个士兵，是你干的？

张贵说，就是老子干的。老子这次来，就是要找"蛾眉纵队"，只要有人领头，老子不当这个汉奸了，他妈的，连个狗都不如！

大伙看着张贵，全傻眼了。张贵说，不瞒各位大佬，自从进入蛾眉，河岸老鬼子被世豪中学的狗日了几次，每次都拿"皇协军"出气，这回又要找"皇协军"借钱。他妈的"皇协军"那点钱，都是卖骂名换来的，哪能借给鬼子啊？我跟几个弟兄商量好了，只要找到"蛾眉纵队"，咱们就里应外合。

许甲说，张团长你不是喝醉了吧，你敢跟鬼子叫板？

张贵说，我今晚一滴酒都没喝。我跟诸位说，给鬼子当狗腿子，就是为了活命，当一天和尚撞一天钟。可是，这鬼子太他妈的狠了，你们知道"樱花计划"是个什么玩意吗？

吕上清说，知道了，拍电影拿到外国放。咱们就是知道了这个情况，才在一起商议对策的。

张贵说，他妈的还有比这更狠的，老鬼子笑里藏刀，明里搞亲善怀柔，暗地里已经向松冈报告，等七夕一过，他的炮兵就把蛾眉夷为平地。鬼子的计划我看了，到时候几条街一封，一个人都跑不出去。你说，这么戕害中国人的事，我能帮凶吗？

张贵的话说得众人魂不守舍，金瑞当场就哆嗦了，张口结舌地说，天哪，这鬼子人面兽心啊，这可咋办哪，赶快想辙吧！

袁芦轩如梦方醒，赶紧去把门关好。张贵说，袁镇长你不要怕，我跟你讲，我昨夜找薛半仙算了一卦，只要你们有人领头，我就拉上大半兄弟入伙。

许甲一把搂住张贵说，张团长啊，真是有眼不识泰山，好兄弟啊，好兄弟，你算明白过来了。

张贵一把甩开许甲的手说，老子早就明白过来了，就等着有人领头大干一场。

大家都把眼睛落在袁芦轩的身上。袁芦轩的脸上看不出是哭是笑，咧着大嘴说，是啊，大家都在等有人领头，可是，谁领头呢？领头人他在哪里呢？

张贵说，庄临川啊，找到庄临川，就找到"蛾眉纵队"了，就算他找不到"蛾眉纵队"，他也可以领头啊！

头面人物们你看看我，我看看你，袁芦轩突然招招手，让大家把脑袋凑在一起，袁芦轩咬牙切齿地说，就这么干！

二十

日本人果然说话算数，农历七月初一这天一大早，派人接管了世豪中学，庄临川等人卷起铺盖离开了学校。

庄临川分析，此后日本人会一直跟踪他和姚独眼、蔡捷丰，直到七夕之后把他们杀掉为止。而此时，到哪里去都是不安全的，反而只有继续待在蛾眉镇上最安全。庄临川委托袁芦轩向河岸中佐交涉，这三个人都是外乡人，路途遥远，暂时在桂山饭店住两天，待家人来接。河岸中佐虽然极其疑惑，但是不好撕破脸皮，便答应了，只是嘱咐贾宜昌安排内线，加强监视。

贾宜昌是众所周知的铁杆汉奸，跟随河岸中佐从华北直到江淮，深得河岸中佐的信任，受命监视庄临川，自然不敢有半点马虎，亲自到桂山饭店布置暗哨。晦气地是，贾宜昌从桂山饭店出来，正好遇上张家恒和许甲，许甲上来就把贾宜昌的脖子揞住了，让他还钱。贾宜昌莫名其妙，接着金瑞和薛裁缝也出来了，金瑞证明说，贾宜昌确实欠许甲二十块大洋，刚才在麻将桌上输的，不能赖账走人。几个人围着贾宜昌，七嘴八舌没完没了。贾宜昌这才明白，这些人喝醉了，也许是装醉。可是不还钱许甲就不让他走，嚷着嚷着就动手了，一拳打在贾宜昌的肚子上，等几个便衣特务过来，那几个人才摇摇晃晃地走了，一路仍旧骂骂咧咧。贾宜昌自认倒霉，回到妆台才发现，许甲分明打在他的肚子上，可是脑袋却疼得要命，银质怀表也不知道什么时候丢了。

在桂山饭店住下的当天夜里，庄临川得到情报，晚饭后召集蔡捷丰和姚独眼开了一个紧急的会议。原来，河岸中佐说的在七夕那天举行揭牌仪式是假的，真的在农历初三。鬼子的电影拍摄队和雇用的学生已经到了妆台，保密工作做得非常严格，连"皇协军"团长张贵都没有见到他们。同时，鬼子的营区里又出现两条狗，估计是从松冈那里要来的军犬。这天上午，中野中尉和五郎建二带着狗，到世豪中学，里里外外嗅了一遍，连伙房里的一个耗子窝都被挖了出来。下午又从镇上传来消息，即将参加揭牌仪式的头面人物和借来的学生，以及二十几个民众代表，都被军犬嗅了又嗅。庄临川分析，届时，能够进入劝学堂的，只有被军犬嗅过的人，任何生人都无法进入劝学堂，包括"皇协军"团长张贵。

这个变化使庄临川原先制定的计划陷入困境，本来计划陆续潜入的主力部队一个连，不能及时赶到，目前能够投入战斗的，只有先期到达的三个侦察员。庄临川说，看来全歼鬼子不可能了，唯一能做的就是炸掉鬼子的拍摄机器，最好连同河岸中佐一起干掉。

蔡捷丰出主意说，初三那天，在汲河桥头阻击，专打河岸中佐和拍摄机器，他本人也可以躲在桥下引爆炸药。这个提议被庄临川否定了，因为鬼子那天出动，必然有巡逻队开路，侦察员无法靠近拍摄机器和河岸中佐。

姚独眼提议，在劝学堂放炸药，到时候同鬼子和机器同归于尽。这个提议同样被庄临川否定了，因为届时劝学堂里鱼龙混杂，河岸中佐疑心极重，在没有确认安全的情况下，一定会把借来的学生和民众代表裹在一起，在劝学堂引爆会伤及无辜。

蔡捷丰说，侦察员提前进入劝学堂，待日军揭牌仪式开始之后，学生献花之前，击毙河岸中佐和拍摄人员。

庄临川说，我的计划就是这样，但是有一个困难，那就是狗，河岸中佐这次要来的狗，不是军犬，而是警犬，攻击能力差一点，但是鼻子厉害。河岸进入劝学堂之前，一定会让这两只狗到处寻找，如果我们的侦察员进入过早，就会被狗嗅出来。

蔡捷丰说，那就在汲河桥头把日本军犬干掉。

庄临川说，不行，人和狗是分离的，干掉狗，人就撤了。距离近了，打完之后不好撤，距离远了又打不准。

姚独眼闭上独眼想了半天，最后说，那就只有一个办法，把茉莉花再找回来。

蔡捷丰惊问，你是说，让茉莉花消灭日本狗？

姚独眼说，那是做梦，茉莉花已经老了，它打不过日本狗，但是它可以弄坏日本狗的鼻子。

庄临川一拍大腿说，老姚这个主意好，但是，不光茉莉花，那三十条狗都要用上。

姚独眼说，没有三十条了，好像你的这个想法狗们早就知道似的，昨天逃了三条。

庄临川笑笑说，哈哈，这些狗啊，没关系，我相信不会都逃的，只要咱们的茉莉花还在，哪怕只有三条狗，跟日本狗死缠烂打，目的也就达到了。

姚独眼说，三条不止，我可以保证，至少有五条狗可以战斗到最后，而且都是凶狗。

庄临川说，那就太好了，等那两条狗把这五条狗撕碎，那它也差不多耗尽了，鼻子不管用了。

庄临川告诉蔡捷丰和姚独眼，薛家裁缝铺的水井里，有一个地道口，同劝学堂左侧的实验楼相通，从那里可以上到二楼楼顶。那是当年修建世豪中学时，他向裴世豪提议并亲自监工建造的，当时为的是防备匪患，没想到现在派上了用场。姚独眼的任务是组织狗阵，蔡捷丰熟悉实验楼的结构，任务是在行动前十分钟，带领那三名侦察员从薛家地道口进入劝学堂东侧实验室楼顶。

除了这两个核心任务，庄临川还介绍了外围的部署，届时，"皇协军"里的反正人员在张贵的率领下，主要在汲河打援，至少可以争取一个小时的时间。蛾眉头面人物组织的自卫队，在学校跑步场外五百米处集结，在战斗打响后，冲入劝学堂，配合三名侦察兵作战，迅速击毙残留的日军，并掩护居民代表和借用学生转移。周介于和蒋余干等老师，届时会在十字街接应撤退人员。

蔡捷丰激动地说，没想到啊没想到，我还以为大家都是缩头乌龟呢，关键时刻，还是起来了。

姚独眼说，这就是庄先生说的"蛾眉纵队"。

然后，一个细节一个细节地推敲。天亮之前，终于形成了一个比较可行的方案。姚独眼的行动地点，选择汲河实施太早，选择世豪中学门口实施太迟，最后选定在十字街。

方案敲定后，蔡捷丰还是不放心，问庄临川，这样就能确保万无一失吗？

庄临川说，没有万无一失的方案，只有万无一失的运气。咱们只能如此了，剩下的，就看老天爷了。

蔡捷丰说，我认为，剩下的，关键还要看狗。

庄临川说，这话不对，关键还要看神。我得睡觉了。

二十一

这天夜里，袁芦轩和几个头面人物在桂山饭店打牌，商议揭牌那天怎么把土炮派上用场，薛裁缝主张半夜向妆台放几炮，把鬼子的阵脚打乱；吕上清主张天亮前架在西头的楚岗，对准河岸的汲河桥，等鬼子巡逻队过去之后，这边举旗为号，那边点火发炮，把汲河桥炸掉。

正商量着，许甲和"皇协军"团长张贵闯了进来，说奇了奇了，天上打雷了，还下了冰雹。袁芦轩不信，说你们简直睁眼说瞎话，大伏天的，打雷还说得过去，下什么冰雹啊？许甲说，你们不信？蛾眉地界，乾隆年间就在伏天里打过雷下过雪。张贵噗嗤一下把灯吹了，说大家都不要讲话，往外看。

大家就黑咕隆咚地向外看，渐渐地安静下来，果然听见远处有隐隐的雷声，十字街的街面宛如升起了月亮，青石板路好像铺了一层白花花的冰霜，小河一样泛着蓝光。袁芦轩说，奇了奇了，真是奇了。吕上清说，莫非是收复陆安州了，那亮光是大炮的光，这雷声是大炮的声。张家恒说，不是，你看十字街，你看蛾眉镇上面，在房顶上，在天空下面，有千军万马呢，有天兵天将呢，你看那云彩，那里晃动的是啥，是方天画戟，是岳大元帅的旌旗。莫非是"蛾眉纵队"下来了？

大家睁大眼睛往上看，有的说看见了，有的说没看见。袁芦轩突然说，都别吭气，你们听到了什么？

大家说，好像真的在打雷。

袁芦轩说，我说的不是打雷，你们听到歌声了吗？天边的风，云间的雨，荷叶上的冰凌，腊梅上的蛙鸣，麦子熟了，麦子熟了……

大家说，没听到歌声，确实听到打雷了。

袁芦轩说，再使劲听，好像是从十字街里传出来的。

大家于是使劲听，听了一会儿，许甲说，没有听到歌声，就听到哪里在隆隆地响，还是像打雷。

吕上清说，我听到了，是从十字街的青石地板上发出来的。

金瑞说，这回我也听到了，是从我的喉咙里传出来的。

袁芦轩说，大家不要在这说空话了，回去各忙各的吧。

二天天不亮，蛾眉镇就醒了，十字街上聚了很多人，眉飞色舞地议论，夜里过龙兵了，"蛾眉纵队"来了，一队一队的，天上打着雷，下着冰雹，日本人被吓坏了，躲在妆台不敢露面，蛾眉的鬼子兔子尾巴长不了啦。

这件事情自然很快就传到河岸中佐的耳朵里，河岸把贾宜昌和张贵叫去，问起这首歌的情况，贾宜昌说，蛾眉地界是有这首歌，很老很老的歌，有的人会唱，有的人不会唱，不过，只要有人带头唱，大伙就会跟着哼哼。

河岸中佐问，这首歌有没有特殊的含义，比如像白莲教和太平天国起义时的联络暗号？贾宜昌和张贵信誓旦旦地说，没有这个用场，就是收割时唱的民歌，表达快乐的心情而已。

河岸中佐虽然将信将疑，倒也不再深究了。

农历七月初三这天早晨，蛾眉的多数居民还在梦中，日军一个小队护卫着河岸中佐和电影拍摄队，踏过了汲河桥。这支队伍的后面，还有几个农民，挑着竹筐，据说里面是揭牌仪式后的午餐食材。世豪中学那边，早已安排妥帖。河岸中佐的计划是速战速决，拍上三十分钟即收兵，松冈已经秘密调兵遣将，单等拍摄计划完成，血洗蛾眉。

在汲河桥头，河岸中佐交代加藤少佐，到了世豪中学，先带两条军犬进入，警戒部队内圈全部由皇军士兵担负，"皇协军"只负责外围。

走过汲河桥，一路巡视沉睡的街面，河岸中佐的心里突然升起一种复杂的感情，啊，蛾眉，多么美妙的名字，他在这里待了两个多月，这是他征战中国以来驻扎时间最长的一次，在那些险象环生的日子里，多少屈辱，多少惊恐，多少忧虑，他都挺过来了，再过几个小时，在他带着另一种战果乘船脱离这个小镇的时候，身后将是一片火海，一个人间地狱。蛾眉啊蛾眉，地球上再也不会有相同的蛾眉了。想到这里，河岸中佐的心里居然涌起一阵伤感。

一路未见异常。越是接近世豪中学，河岸中佐的心里越是复杂，直到快到十字街的时候，这种感情才被另一种感情取代。

巡逻队报告，前方出现情况。

不用巡逻队报告，河岸中佐和那两只军犬也发现了前方异常，非常异常——十字街中央，出现一个黑色的方阵，几十个黑乎乎的石头坐在那里。河岸中佐掏出手帕，擦擦眼镜，他看清楚了，那不是石头，而是——狗！他大致数了数，心里就有数了，那正是他颁布杀狗令之后从蛾眉镇上一夜之间无影无踪的狗，如今，它们又回来了，它们坐在那里，完全无视皇军的威严，无视皇军军犬的尊严，装聋作哑，似笑非笑，一言不发，傲慢无礼。

那是被姚独眼全部刷了黑漆的狗队，除了望风而逃的，还有二十五只，每排五个，一共五排。这阵势，很像河岸中佐在军校的电影里见过的鹿寨，它们的头顶正在向上乎乎冒着鬼气。幽灵啊幽灵，蛾眉无处不在的幽灵！

这个时候，河岸中佐第一个想到的就是身后的两只军犬——雄狮少尉和狂飙少尉。河岸中佐低沉地喊了一声，五郎君，中野君，你们还在等什么？

五郎建二和中野就在等他的这句话，只见二人把手一撒，两只军犬似乎犹豫了一下，对视一眼，然后对准黑色方阵，由慢渐快冲了过去。在最初的几秒钟内，黑色方阵静如冰雕，一动不动。随着两只军犬的逼近，黑色方阵出现了骚动，后面的几只狗欠起了屁股，一只弱小的狗甚至开始退却，试探着向后倒行。

河岸中佐的目光始终聚焦在前面那条狗的身上，不用问他也知道它是谁，只有它，在两只军犬离它只有二十步的时候，它的耳朵还是耷拉的，它的安之若素的姿势让两只军犬突然警觉起来，它们放慢了冲击的速度，并且再次对视。大约过了一分多钟，两只少尉军犬终于达成默契，一声呼啸，同时扑向茉莉花！

跟上次没有太大的区别，就在威胁即将落下的时候，只见茉莉花的独耳刷地一下直了起来，身体随之腾空而起，但是这次它没有上次幸运，它只能摆脱左侧的危险而难免同右侧的危险撞个满怀，正好被那个名叫雄狮的军犬抓住，雄狮的两只前爪准确地扼住了茉莉花的脖子。出乎雄狮的意料，茉莉花并没有俯首就擒，而是就地一滚，用后腿蹬开了雄狮，两只狗随即扭打在一起，双方的爆发力都发挥到极致。雄狮显然不知道茉莉花的眼睛半瞎，它把它当做正常的狗来对待，而茉莉花没有正常的战术，它的所有行为都是来自本能，从而使雄狮的判断失误，因此打成一片，没有出现河岸期待的速战速决的效果。

幽灵又出现了。一缕细若游丝的笛声从鏖战双方的头顶飘过，落入河岸中佐的耳朵里，那笛声简单，轻松，欢快，时隐时现，好一朵茉莉花，好一朵茉莉花，芬芳美丽满枝丫，又香又白人人夸，春风又绿淮河水，两岸笑开茉莉花……河岸中佐听出来了，那是用竹子做成的短笛，五个音阶，只有五个音阶。他听不懂，但是他知道，那些狗能够听得懂。河岸中佐茫然四顾，十字街家家关门闭户，但是他知道，吹笛子的人就隐身在那里，就像一只鱼潜在水底。

茉莉花的战斗精神犹如战鼓，在十字街的地面上隆隆震响。

好
一
朵
茉
莉
花

在那个决定性的时刻，不是所有的蛾眉狗都望风而逃，比姚独眼预计的还要乐观，除了茉莉花，竟然有六只狗没有逃跑，它们同那个名叫狂飙的军犬纠缠在一起。狂飙深感敌众我寡，避免斗勇，尽量斗智。好在这六条蛾眉狗都是耳聪目明的狗，它们的招数都在狂飙熟悉的范围，因而狂飙有了施展战术和技术的可能。狂飙左冲右突，采取各个击破的战术，抓住一个重点就重拳出击，接着杀一个回马枪，很快就击倒三条蛾眉狗，但此时狂飙也付出了重大代价，连续断了两根牙齿，一只前腿负伤。河岸中佐从望远镜里激动地看到，瘸了一条腿的狂飙带伤战斗，越战越勇，越战越有感觉，不仅连续击毙三条蛾眉狗，而且终于把其余的蛾眉狗吓得不敢上前了，只是围着狂飙狂吠而已。

在另一个方向上，雄狮同茉莉花短兵相接，起先几招，雄狮不太熟悉那条病狗杂乱无章的战术，尤其对它一声不吭感到费解和恐惧，十几个回合之后，雄狮终于明白过来，对面这个披头散发的家伙，它的战术就是没有战术。明白过来之后，雄狮就不再蛮干了，卖个破绽跳出圈子，一边喘息一边观察。茉莉花失去了目标，似乎也明白有更大的危险在等着它，一只耳朵直立起来，警觉地捕捉四周的动静。突然，雄狮一声长鸣，竖立前爪，两只后腿猛地一曲，身体就离开了地面，然后像一道划过长空的彩虹，准确地叼起茉莉花的右前腿，竭尽全力向空中一甩，只听"咔嚓"一声，茉莉花的右前腿断了，连着爪子的小腿骨被雄狮吐在身后。经过这致命的一击，茉莉花只剩下半截小腿，白色的骨茬转眼就被汹涌的鲜血染红。奇怪的是茉莉花不喊不叫，原来它还是一只哑巴狗，此时这只可怜的病狗倒在地上，搂着断腿抽搐不已，等待死亡来临。雄狮决定不再攻击，它知道，不用它下手，这个敌人也不可能再站起来了。

可是，就在这个时候，意外发生了，刚刚把六条蛾眉狗全部击倒的狂飙，在狂怒和狂喜中进入了高度亢奋的状态，焦躁不安地在圈子外面刨着土，一眼就看出雄狮的作战对象是这次作战的核心目标，纵身跳到一截断墙上，又从断墙上对准茉莉花，径直俯冲下来。茉莉花的脖子被死死地咬住，浑身剧烈地悸动，就在狂飙拖着它的身体全力扭打的当口，它的那只断腿插进了狂飙的腹部。

加藤少佐后来证实，是狂飙在狂喜中自己扑到那条断腿上的。

中野中佐和五郎建二几乎同时拔出了军刀，河岸中佐厉声喝道，你们要干什么？难道想和狗打架吗？

二十二

狗战结束了，河岸中佐的心中涌起巨大的波澜，他很想在这个时候抱起一挺机关枪，从蛾眉镇十字街的第一扇门窗一直扫射到最后一扇门窗。可是他不能，他至少还要坚持一个小时。

加藤少佐红着眼睛向他请示，皇军的军犬又玉碎了一条，是否按计划进行？

那一瞬间，河岸中佐确实有过几秒钟的迟疑，他知道，十字街的狗战很有可能是预谋的，那么，这个预谋到底要达到什么目的？他也想到了是为了破坏两条军犬的战斗力，但是很快他又否定了这个怀疑，他不相信中国人会把他的狗作为作战对象，他想，也许他是被中国的狗弄得有些神经质了，再说，万事俱备，已经容不得他改变了。

河岸中佐坚定地对加藤少佐命令，一切按计划实施。

走在路上，河岸中佐迅速地调整了情绪，谈笑风生，安慰身边的日本人和中国人说，一个插曲，连蛾眉的狗都知道今天是个黄道吉日，前来为皇军助兴。很好，很好！你们说好不好？

张贵说，开门见喜，自然很好！

贾宜昌说，皇军的狗以一当十，打出了威风，虽然狂飙少尉玉碎，但已恪尽职守，虽死犹荣，可歌可泣，可喜可贺！

河岸中佐见贾宜昌说得真诚，很感动，拍拍贾宜昌的肩膀说，贾君，你是最了解皇军的人，皇军不会亏待你的。

贾宜昌说，开弓没有回头箭，我贾宜昌生是皇军的人，死是皇军的鬼。

河岸说，很好，很好，"大东亚共荣圈"就需要像贾君这样的骨干作为栋梁。

渐渐地，河岸中佐又恢复了好心情，十几分钟后，带领他的拍摄队和那只伤痕累累的雄狮，来到世豪中学的大门口。

大门是在河岸中佐到达之后才打开的，劝学堂内外，有两道日本兵组成的警戒线。院内布置了一个升旗台，由日本人制作的基座、旗杆和太阳旗已经搁置到位。河岸一到，立即接见二十名借用的中国中学生，亲热地拉起两个少年的手，一同进入世豪中学的大门。

蛾眉镇的头面人物和民众代表悉数到达，在五郎建二的指挥下，迅速列队，向河岸中佐点头的点头，鞠躬的鞠躬，作揖的作揖。河岸说，各位辛苦了，完成今天的仪式，本人会向松冈大佐报告，授予诸位"王道乐土共荣良民"的称号，还会有一笔可观的奖金哦！

袁芦轩说，本镇长和蛾眉各界不求有功，但求无过，预祝河岸先生诸事顺利！

河岸看着袁芦轩等人的表情，大家都是毕恭毕敬的模样。河岸点点头说，很好，再过半个小时，蛾眉镇就是"王道乐土模范镇"了，让我们一起分享天皇陛下的隆恩吧！

袁芦轩说，我等静候佳音。

身负重伤的雄狮进入大门之后，便自觉地在各个角落走来走去，走过了头面人物的队列，走过了借用学生的队列，走过了民间代表的队列。雄狮一边巡逻还一边舔着自己的伤口，这种尽职尽责的精神令河岸中佐大为感动。此刻，河岸中佐最爱看的就是雄狮不断抽动的鼻头，只要那鼻头还在抽动着，他的心里就会好受很多。雄狮的鼻头在院内抽动了十多分钟后，由中野和两个士兵护卫，又到两侧的孔庙和实验室，从一楼到二楼，从地面到楼顶，不留一个死角。在试验室二楼的一个角落，它似乎走得有些犹豫，大约有一分多钟放慢了步子，中野从锁着的门缝里向里面张望，除了几张破桌子，就是一堆实验用的烧杯和玻璃瓶之类。雄狮很快就离开了，下楼的时候还难得地放了一个响屁。中野中尉心里揣摩，这大约是雄狮受伤的缘故，不太注意自律了。

中野回到劝学堂，向河岸中佐报告，未见异常。河岸中佐摸着雄狮的脑袋，眼窝有些湿润。河岸对中野说，这是皇军忠诚的士兵，英勇不屈，带伤尽职，应该晋升为大尉，明天就向松冈大佐报告。

中野中尉一怔，垂下脑袋回答，是，中佐阁下。

一切准备就绪，松冈大佐临时调配过来的军乐队敲响了军鼓，吹响了《君之代》，贾宜昌指挥借用的学生离开河岸中佐，到院子里列队等待升旗和献花。

五十步开外，三只枪管从三个方向悄然伸出。

就在这个时刻，河岸身边的雄狮突然抬起头来，游移不定地东张西望了一阵，似乎想站起来，可是，屁股动了两下，又沉下去了，回头舔舔自己的伤腿，再抬头看看远处，抽动鼻翼，终于半闭眼睛，伏在河岸的身边，把脑袋埋在两腿之间。河岸中佐环顾四周，四周安静得沉睡一般。他收回目光，深情地看了雄狮一眼，弯腰拍拍它的脑袋，然后直起腰，向身后做了一个手势。

从队伍后面走出几个农民打扮的人，把原先摆放在前面、用黑布蒙着的机器搬开，从竹筐里抬出真正的拍摄机器——原来，那几个农民才是日军的拍摄队员，而原来架在劝学堂中央的机器，竟然是一部废旧的电台。

劝学堂正院中央，加藤少佐面向众人喊了一声口令，然后转身，握着指挥刀的刀柄，正步走向河岸中佐，立正报告："大日本帝国东亚共荣共存王道乐土模范镇揭牌仪式准备完毕，请河岸中佐阁下授旗。"

河岸接过身旁士兵呈上的旗帜，恢复了立正姿势，深深地呼吸一口蛾眉清晨甘冽的空气，慈祥的笑容如樱花般鲜艳，向院内的人群微微点头致意，然后离开人群，大步走上台阶，等待学生上前接旗。

枪响了。

节 外 生 枝

编者的话

所有的一切，源于 7 月中旬某个清晨的电话。

电话里的声音敦实快捷："……一开始，我思考的不是怎么去写。首要的是对战争的认识，对人的认识，对民族族性的认识，对中国文化和他国文化的认识，以及文化的博弈……"

我从睡意迷蒙中彻底清醒。认识——才能前往，才有到达。此番电话之前，我从未见过徐贵祥先生，也未与他有过一言之交。

"……这里没有英雄，只有英雄的思想，和英雄的行为。不是让你进行英雄崇拜，而是让你感受英雄精神！……"

电话前的一个月，我偶尔读到徐老师的中篇小说《天风》，连读三遍，汗毛炸立：它将是全新的开始！

每个人物、每个事件都暗藏弹性，可以衍生，可以发展，可以重塑，可以颠覆。它唤起了我一种前所未有的编辑甚至写作冲动：介入，延伸，扩展……

"可以考虑进行技术层面上的探索。我正是想将它作为一个创意写作教学的模本，才在文本中留下了诸多气口。若是写一部完整的作品，我会注意所有细节的相互关照，自圆其说，而非现在这样，全部呈开敞式……"

反复阅读《天风》，深思浅虑，冒出一堆想法。正因为之前从未见过徐老师，毫不知他的性情个性，故在这个风微花盛的清晨，我从窗外的满目绿意借胆，拼将一个大不了被毙了算，在电话里便纵肆直言，坦陈管孔之见，倒也少了场面上的千般拘缚。心想，他若虚怀，事便如谷……

首度电话后，面晤有一，而再，再三。邮件电话往复。始终保持高昂的探讨状态，无一言不谈创意写作，无一语离开《好一朵茉莉花》(原名《天风》，再原名《狗阵》《好一朵美丽的茉莉花》) 花生花树长树的千年大计。

编改、读写、设计、催缴、修订……经历了无数个不眠之夜。

如今的《好一朵茉莉花》，乃众多人从原作《好一朵茉莉花》出发进行续写、仿写、扩写、评议，一干多枝，创意生发。原作的魅力、人物事件暗藏的多面性、分裂性都在这些延续和分岔中展露无遗。未来，且可继续分蘖。有效分蘖自然果实芬香，无效分蘖亦有枝繁成赏。

"……一本书对社会对文学可以产生什么作用，它能否改变世界，或者说能改变多少，我不知道。但它必定会带来某些变化，产生一些影响，比如改变固有的思维模式，衍生出一种新的文学观念等等……"

徐老师曾有言"我们就是这样改变世界并被世界改变着"。改变，是往前往新最大的动力。"节外生枝"便是一种全新的实践，这种实践，使原先很多模糊的思路得以厘清。

"军艺文学系极可能会因这本书的启发而开设一门新课程：牵引式文学创作教学课程。"看到亮相的首批创意作品各具特色，他长吁一口气，说。

回忆7月中旬那日清晨，在长电话的最后，我们聊鲁迅与安徒生。鲁迅以文字为匕首撕开社会的黑暗，安徒生则用火柴的微光慰抚人世的凄凉。

天堂是什么？

俄罗斯诗人库什涅尔说，天堂就是普希金阅读托尔斯泰的地方。

简以宁 于 2015/8/28

热血犹殷红

蔡静平

一

后半夜，当日本人进驻蛾眉镇的时候，世豪中学的物理教员周介于正匍匐在汲河边的草丛里，大气也不敢出。

朦胧的夜色中，只见一艘日本小火轮一声不吭地靠上了汲河古渡，从上面下来一队人马。皇协军打头，鬼子紧随其后，约100多人的队伍携枪扛炮，大摇大摆地走过汲河上的一座毛竹吊桥，走到镇上一个叫"妆台"的地方驻扎了下来。妆台上有几栋青砖碧瓦的房子，是蛾眉首富裴世豪的家产，裴家在日军进入江淮之前，举家迁到河南了，空出的房子就成了日军的队部。

蛾眉镇是陆安州蓼蓝县的第二大镇，自古就物阜民殷。据《陆安志》载：蛾眉原名芦泽，因镇西有片芦苇丛生的湿地"芦泽"而得名。梁武帝天监初年，广陵人高爽路经芦泽，偶赋《咏镜》一诗，天下风传。诗曰："初上凤凰墀，此镜照蛾眉。言照长相守，不照长相思。虚心会不采，贞明空自欺。无言故此物，更复对新期。"时任陆安太守的曹彦卫对此诗极为称赏，吟咏之余，又想到芦泽地形狭长，弯曲如眉，景致明秀，遂将芦泽更名为蛾眉，其后建制沿用至今。一条清澈的汲河穿镇而过，直通淮河，给蛾眉带来了地利之便。从南宋开始，蛾眉镇就因淮河漕运而日渐繁华，商户逾千家，成为尽人皆知的江南名镇。

早些日子，听说日本人要打来了，陆安州即将沦陷，蛾眉镇的老百姓跑了大半。

世豪中学校长庄临川决定提前放假，让学生各寻生路，老师则去留自便。老师们大多跟着学生一起走了，物理教员周介于是自愿留下护校的，他对庄校长只说了一句话："我不能走。"除了周介于，化工教员蔡捷丰和其他几个教员也请求留下来护校。两个血气方刚的年轻人没有家室之累，成了庄校长的左膀右臂。传说鬼子们青面獠牙，在江淮境内烧杀抢掠，所到之处血流成河。他们都不信这个邪，想见识见识这杀人恶魔、中国世仇的真面目。

师生离校前夕，周介于和蔡捷丰专门召集学生们到操场上一起学唱一首名为《中国男儿》的歌曲：

中国男儿，中国男儿，要将只手撑天空。
睡狮千年，睡狮千年，一夫振臂万夫雄。
我有宝刀，慷慨从戎，
击楫中流，泱泱大风，
决胜疆场，气贯长虹。
古今多少奇丈夫，
碎首黄尘，燕然勒功，
至今热血犹殷红。

两百多名学生一边唱着歌曲，一边抹着眼泪，个个热血沸腾，他们振臂高呼："抗日！抗日！""打鬼子！打鬼子！"

校长庄临川也来了，他面色凝重，登上了操场前面的高台。看着操场上那一张张青春英武的面庞，他大声说道："同学们，日本鬼子是有备而来。咱中国有句老话：'留得青山在，不怕没柴烧。'国难当头，要之在保全实力，切不可以卵击石。大家赶紧散了吧。"

二

日军进驻蛾眉镇有十天了。

在这十天里，周介于注意到，这群鬼子竟然不施暴，不扰民，更没在蛾眉镇动过一枪一弹，而是用《安民告示》和架桥修路的所谓亲善之举，向全镇居民申明是皇军是"仁义之师"，并周知天皇陛下"大东亚共存共荣"和大日本皇军建设"王道乐土"的战争宗旨。镇公所的屋顶上插了一面日本人的太阳旗，朱漆大门两边的青砖墙上还用白灰分别刷上了"共存共荣"和"王道乐土"八个颜体的大字标语。

还没来得及逃走的蛾眉人望着高高飘扬的太阳旗，觉得这天真的是要变了。然而日本人的行为又让他们倍感纳闷，这是传说中的鬼子吗？周介于也百思不得其解。凭直觉，鬼子兵不开杀戒的反常之举，其中必有其叵测之居心。

周介于没有离开蛾眉镇，因为他的身上负有使命。

这位邻县的乡村师范生，自被推荐上省城的国立师范学院理化系的那一刻，就立志"要将只手撑天空"。毕业那年，周介于原打算投笔从戎，到陆安城里找国军183团，或去别茨山找刚刚成立不久的新四军第四支队，谋个军械师之职。但在离校之际，他向最赏识他的大一国文老师李振甫辞行时，李先生的一席话打消了他从军的念头，转而安心到世豪中学应聘为物理教员。李先生说："方今中国，危若累卵。日寇犯境，时局日艰。然中国之事，存亡之道，既在戎旅，更在教化。世道人心，教育为本。若能兴教重学，则可保我国祚不灭。"

世豪中学是蛾眉首富裴世豪捐建的一所完全中学。按照裴世豪同政府签订的协议，该校收录了蓼蓝县南部三镇四乡的青年学生。办学二十多年来，世豪中学桃李遍布江淮，具有非凡的文化名望。蛾眉镇也因坐拥世豪中学而更加声名远扬，成为江淮沃野上一颗耀眼的文化明珠。周介于以其娴熟的专业技能和炽烈的教育热忱，成为世豪中学的一员。他谨记李先生的教诲，在世豪中学致力于推广新学。课堂上，周介于每每以甲午国殇启迪学生，倡导"唯真理之是求"，要求学生潜心实际，熟习技能，用热情、勇气和牺牲精神，成为国家建设的栋梁。

这样一个卓有学识和见地的进步青年，引起了新四军四支队政委戴明珏的注意。部队成立不久，缺枪少炮的，亟须周介于这样的专业人员。戴明珏特意派出一个叫张选的侦察员，专程赶往蛾眉镇找到周介于，希望这位精通物理的中学教员能够效命新四军，帮助四支队修枪造雷，以阻击越州过县即将来犯的日军。

其时恰逢世豪中学庄临川校长要遣散师生，周介于也无书可教了。是去是留，他有了自己的主张。

周介于郑重地对张选说："本人夙愿，就在投军报国。如今鬼子大举来犯，国军本干城之具，却望风披靡。我听说183团已经南撤至桐城了，而新四军却奋身而起，不但成立了四支队，还派人到陆安州各县和各乡镇发动抗战，真是令人钦佩。我周介于若能成为一名光荣的新四军战士，实乃三生有幸啊。不过，大战在即，人心涣散。修枪造雷固然重要，教化人心更是大事，我想先留在蛾眉镇参加庄校长的护校行动，还可趁便帮你们侦测鬼子队伍的虚实。如蒙有托，我周介于甘愿赴汤蹈火。"

戴明珏同意了周介于的请求，让他担任四支队蛾眉联络站联络员，随时待命。张选是他的单线联系人，若新四军有任务分派，张选自会前来告知。

三

　　听说日本人并没有在蛾眉杀人放火，原先背井离乡的一半人家，多数又回到了自己的祖宅，集市恢复了往日的热闹。

　　每天晨曦初起，天光熹微的时候，蛾眉镇人都能看到妆台上一队队日军和"皇协军"持枪使炮操练的情形。声声的市井叫卖依旧如常，但"咿里哇啦"的鬼子口令提醒着人们，蛾眉镇早已不再是过去那个蛾眉镇了。

　　日军驻屯蛾眉的最高长官河岸中佐，一吃罢早饭，就会带着翻译官贾宜昌和一干人等，从妆台驻地出发，跨过汲河上新修不久的石墩木板桥，到蛾眉主街上转街。

　　河岸约莫四十来岁，脸上一副金丝边眼镜，又总是一副笑眯眯的样子，让人觉得文质彬彬，与传说中的青面獠牙大相径庭。此人是个中国通，据说青少年时代曾随父在大连生活过，对中国的经史著作有过一番精研，普通的交谈无须经由翻译官贾宜昌。碰上种菜的，捕鱼的，开饭馆的，卖茶叶的，篾匠、铁匠、木匠，河岸有时高兴了还会主动打声招呼，并竖起大拇指，连叫"你们是良民，良民，天照大神会为你们祈福的！"镇上的人远远地看着，不知道日本人葫芦里卖的是什么药。

　　突然有一天，河岸中佐特意换了一身长袍马褂，一大早就带着翻译官贾宜昌和皇协军团长张贵，一路谈笑风生，过了汲河桥。他们先是到了镇子的西头，再走到镇北，最后就到了镇东的十字街口。

镇公所的一干人等在镇长袁芦轩的率领下，早早等候在十字街中心。见到河岸等人，这群人满脸谄笑，急忙鞠躬作揖。

河岸也是笑容可掬："袁镇长，鄙人初来乍到，听说贵镇的世豪中学名闻遐迩，可否导引前往观摩？"

袁芦轩说："世豪中学乃本省模范，江淮英杰多出于此。还望中佐阁下以后能够给予多多关照。"

河岸哈哈大笑："怀柔亲善，无上神圣，此项事业有赖于教育，而教育乃百年大计，本人愿意为世豪中学的教育做出贡献，进行模范试验，这也是本部推进怀柔政策、建立大东亚共荣的核心内容。"

一行人边走边说，不觉就来到了世豪中学高大的校门前。正在门房值更的周介于被袁芦轩叫过来，让他赶快向庄临川校长通报大日本皇军麾下河岸中佐来校视察观摩之意。

周介于却推托说："庄校长有事不在，学生们也都放假在家，偌大的校园里空无一物，还是等庄校长回来再说吧。"

河岸中佐那天终于没有进入世豪中学。折返回去的路上，他在离学校大门还有二十几步的地方停了下来，久久凝望着门楣上镌刻的"国立世豪中学"几个黑色大字，若有所思。

傍晚的时候，庄临川校长召集周介于、蔡捷丰等几位留校教员开了一个碰头会。

庄校长扬了扬手里的一封信说："是祸躲不过啊。日本人今天见不到我，又派人送信来，说什么将'恪守尊重教育之原则，推动亲善怀柔之政策'，希望与本校精诚团结，早日建成所谓的'王道乐土'。你们怎么看？"

蔡捷丰一拍桌子，愤然说道："我看他们这是'黄鼠狼给鸡拜年——没安好心'！"

其他几位教员也七嘴八舌地议论着：

"日本人在南京一口气杀了我同胞三十万之众，哪里是要建什么'王道乐土'？！"

"听说鬼子们在邻县的黄泥村杀人放火，已经是十室九空了。一个好端端的村子，因为掩护新四军四支队的伤员，竟然一夜之间被夷为平地，这群强盗太没有人性了！"

庄校长看着沉默中的周介于，说："小周老师，你有什么高见？"

周介于眼皮抬起，目光如炬："日本人亡我中国之心由来已久。他们在本镇的所作所为，必然有其阴谋。兵法云：'用兵之道，攻心为上，攻城为下；心战为上，兵战为下。'也许鬼子们是想通过对本镇的怀柔攻心，以达到其不可告人之目的。"

庄校长赞道："小周老师说得好！我权且回信给他，只说中日两国同出孔孟，尊师重教，万代不磨。教育圣地，理应避免刀光剑影，河岸先生明此道理，世豪中学师生甚为欣慰，云云。咱们静观其变吧。"

四

在化工教学实验室，蔡捷丰向周介于透露了自己的设想。他慷慨说道："鬼子一到咱蛾眉，就像到了自己家里一样。我看咱俩得联手造几个定时炸弹，趁天黑鬼子们死睡的时候放到汲河桥墩上，狗日的河岸、张贵们一上桥，就炸他个稀巴烂！"

其实这段时间周介于也一直在琢磨，鬼子人数不多，又驻扎在妆台，同主街隔着一条小河，如果四支队派人埋伏在街南的小树林里，等鬼子官儿过桥的时候，干掉一个两个，肯定能刹刹日本人的威风。不过，戴明珏并不同意他的鲁莽做法。他让张选捎话给周介于，说蛾眉镇离陆安州的松冈联队不远，加上鬼子装备精良，特别是汲河桥的建造，使鬼子的机动能力大幅提高，一旦出现意外，将给蛾眉镇带来灭顶之灾。张选还说，据可靠情报，日军来到蛾眉镇，是想实施一个名为"樱花计划"的想定方案。至于鬼子"樱花计划"的真正意图，四支队的侦察员们正在四处打探。戴明珏让周介于见机行事，鬼子如有异动随时报告。

当周介于听到蔡捷丰说要造定时炸弹炸鬼子，他就劝蔡捷丰不要再搞了："不是我不帮你，定时炸弹的原理我很清楚，可是我到哪儿去给你弄那些个关键性的弹簧啊！而且弄得不好，还要连累学校，我们得想个万全之策。"

蔡捷丰勃然大怒，骂道："你就是个胆小鬼！前汉亡了有后汉，你们不干我来干。你等着瞧！"

望着蔡捷丰气冲冲的背影，周介于苦笑着摇了摇头。

庄临川校长到县里购置教具，偷偷捎回了几张新四军的报纸和传单，上面详细报道了日军西进南下征战中的种种暴行，鬼子们烧杀奸淫，无恶不作，其残忍之状，令人发指。

世豪中学的留守教员们看后，对河岸所谓的"日中亲善"有了更为深切的认知，他们纷纷为之扼腕：

"日本弹丸之国，难道我堂堂大中华就只能任其欺凌吗？"

"中国国力孱弱，民心涣散。听说在华北战场上，八个日本兵就能征服一座县城，唉！"

庄校长把报纸、传单仔细折好收起，说："我在县城还得到一个消息——日本人要在我们蛾眉镇全面推行日式教育。近期他们就要派日语老师到世豪中学来办日语速成班，全镇上下无论老幼都要说日本话，熟知所谓的'日中亲善史'。"

众人听罢，又像炸了锅一样纷纷议论起来：

"日本鬼子狼子野心，昭然若揭。"

"难怪日本人在我们蛾眉镇又是修路架桥，又是送米给糖，原来真把我们蛾眉镇当成他们小日本了啊！"

"这不是明着往我们世豪中学贴汉奸标签吗？太可恨了！"

"狗日的想让我们蛾眉人数典忘祖啊，真是欺人太甚！"

蔡捷丰义愤填膺："真要是这样的话，老子情愿和他们同归于尽！"

周介于拍拍手："大家静一静，我们得想办法让日本人的阴谋不能得逞。国军183团撤走，陆安州沦陷以后，新四军四支队不是一直在别茨山周边活动袭扰鬼子嘛。能不能与四支队合作，来个里应外合，把这股鬼子杀他个片甲不留？"

庄校长站起来，抚了抚长衫上的褶皱："各位，国难之际，切莫意气用事。清人龚定庵云：'欲要亡其国，必先灭其史；欲灭其族，必先灭其文化。'日本人想让我们亡国灭种，我们绝对不能答应。刚才小周老师所言极有道理。共产党的四支队来无踪去无影，小周老师就多费下心，看这几天能否找到他们的长官通报此事。日本人行事周密得很，兹事体大，大家千万不要声张。"

五

戴着金丝边眼镜的河岸中佐又一次来到了世豪中学。只见他军装笔挺，马靴锃亮，腰间斜挎着一柄长长的日本军刀，令人望而生畏。更让人惊恐不安的，是他手上牵的那只威风凛凛的东洋金毛大狗——翻译官贾宜昌称之为"瀑布"——个头接近河岸的腰腹，两眼闪着凶光，一条长长的舌头伸出嘴外，不时滴淌下黏黏的唾液。

庄临川校长忍着满心的厌恶，带着周介于、蔡捷丰等护校教员把河岸一行迎候到学校西厢的劝学堂，又让校工来沏上茶水。

河岸望着中堂上悬挂的大字《劝学篇》，高声吟诵起来："积土成山，风雨兴焉；积水成渊，蛟龙生焉；积善成德，而神明自得，圣心备焉。故不积跬步，无以至千里；不积小流，无以成江海……"吟到会心之处，他忍不住开始摇头晃脑，并频频颔首。

庄临川示意河岸坐下饮茶："中佐阁下，请。"

河岸啜了一口茶水，对庄校长说："圣人之教，历久弥新啊！庄先生，日中两国，一衣带水，渊源颇深。只可恨西洋坚船利器叩关，泰西之学渐炽，中华文化不振久矣。我大日本帝国崛起于明治，以大东亚共荣为目标，以复兴华夏为己任。此次前来贵校，鄙人带来了两千余册书籍，大体涵盖了贵国常说的'德先生'和'赛先生'，以期开启民智，重振纲纪。下个学期，按照大日本皇军江淮驻屯军总司令部的指令，陆安州所有中小学要加开日语课程。贵校誉满江南，理当成为革新教育之楷模。请庄先生务以教育兴国、共存共荣为要，使天皇陛下之圣恩普照蛾眉。以此类推，则天下安定如一，必将指日可待。"

庄临川拱拱手："中佐阁下，值此兵荒马乱之岁，教育兴国，谈何容易！何况鄙校师生已经星散大半，此前盛誉，断难接续。庄某老朽，实不堪任，唯有请辞了。"

河岸脸色一沉："庄先生何出此言？我部自进驻蛾眉以来，秉承天皇陛下之圣谕，军纪严明，秋毫无犯。短短十数天，政通人和，市井繁华，百业兴隆，蛾眉小镇俨然如一'王道乐土模范镇'。过几天就是贵国的七夕节了，节庆之欢，阖家共度。皇军准备举办一个'模范镇'的揭牌仪式，各国记者将云集于此，届时还有劳庄先生您发言致意呢。"

话音甫落，就听见蹲伏在劝学堂外的东洋大狗"瀑布"发出"嗷"的一声咆哮，一团金色的影子刹那间如离弦之箭一般射向操场一角。突然，远处如火山爆发式地传来两只狗的扑打声和撕咬声，令人惊心动魄。其中一只的声音是雄浑的、炫耀的，显然是"瀑布"；而另外一只的则沉郁而压抑，大家还没有反应过来，蔡捷丰就连声大叫起来："是'茉莉花'，'茉莉花'啊！"

"茉莉花"是世豪中学的看门狗，体格健壮，全身漆黑，只鼻子至上额处花斑点点，令人啧啧称奇。白天它有些蔫头耷脑，爱趴卧在操场上吊挂校钟的大槐树下面，一动也不动，连眼皮都不眨一下，一声呜咽也不发出，像一尊沉黑的大理石雕。到了晚上，它恍若脱胎换骨，目光炯炯蹲坐在校门边，如果有生人走近，这狗就黑毛耸立，口中"呜呜"低响，声音仿佛能够穿透人的五脏六腑，令人为之胆寒。正因为如此，贼人从来不敢光顾世豪中学。"茉莉花"成为乱世之中世豪师生最大的宽慰。

人们跑出了劝学堂，看见远处滚滚尘埃之中，一黄一黑两只狗在地上腾跃翻折。金黄的"瀑布"步步进逼，漆黑的"茉莉花"则以退为进，两只狗好像势均力敌。然而不到一袋烟的功夫，咆哮声、呜咽声都停歇下来，地上的一团金黄恍若一堆被人废弃的干稻草，只有漆黑的一团还在大槐树下低吠挣扎。众人走近一看，只见"茉莉花"匍匐在地上，伤痕累累，大口大口地喘着粗气，一只耳朵被撕裂到唇边，两只眼睛里沾满了鲜血和黄土。而"瀑布"则侧卧着，黄毛零乱，奄奄一息，脖子上现出一个大窟窿，一股暗血从窟窿处汩汩涌出，泥巴和狗血把它的肚皮浸染得分外肮脏。起先肚皮还一起一伏的，慢慢地，连起伏也没有了。谁也不曾料到，河岸中佐那高大威猛的东洋大狗"瀑布"竟然被一只蛾眉土狗"茉莉花"给活活咬死了！

蔡捷丰快步上前，伏身蹲地抱着"茉莉花"，脸贴着它那只裂开的耳朵，眼泪滴滴答答地流淌下来。

随同河岸前来的中野中尉怒不可遏，他愤然一把扯开蔡捷丰环抱着"茉莉花"的手，又恶狠狠猛地一推。蔡捷丰猝不及防，一下子摔倒在地，额角磕碰到大槐树下的一块石头上面，鲜血顿时洇湿了他的面颊。

中野忽地又掏出了手枪，在众人一片惊呼声中，只见他冲着"茉莉花"一阵连射，"啪、啪、啪、啪"四声枪响过后，"茉莉花"躺倒在血泊之中，再也没有了声息。

所有的人都惊呆了。

这是蛾眉镇人第一次听到日本人的枪声。

看着体无完肤的"茉莉花"，世豪中学的教员们眼睛里都燃烧着仇恨的火焰。

"八嘎！"河岸狠狠地扇了中野一记耳光，黑着一张脸，带着手下若干人等，匆匆离开了世豪中学。

六

正当蛾眉镇人还在大讲特讲"茉莉花"传奇的时候，一队鬼子兵搭乘两艘日本小火轮从安峰渡口到了汲河桥头。他们接管了妆台的防务，并在汲河桥上布置了岗哨，凡过桥者都要仔细查验良民证后才能予以放行。

"山雨欲来风满楼"。在周介于看来，凡此种种，多有古怪，且暗含危机，说不定蛾眉镇真的要大祸临头了。难道这跟鬼子"樱花计划"有什么关联吗？他想方设法联络到张选，让他赶快把情况报告给四支队的戴政委，请首长们定计决策，拿出可行性方案，以挫败日本鬼子的罪恶阴谋。

张选摸了一把脸上的汗水，说道："周老师，我也正准备来告诉你，敌人'樱花计划'的全部底细我们已经全部摸清楚了。"而所谓的"樱花计划"，当真是十分歹毒，周介于听后惊出了一身的冷汗，他使劲地挠着头皮，陷入了沉思。

随着西进南下战线的不断扩大，日军在军事战场上的兵力已经到了穷尽的边缘。河岸中佐率部进入蛾眉之前，就细致研读过《陆安志》，知道蛾眉地界虽小，但在江淮地区却有着举足轻重的影响。如若皇军在此地怀柔安民，并广而告之，蛾眉镇人和其他州县的人自会改弦易辙，顺命归化。皇军兵锋所及，支那人的抵抗就会被极大地削弱，这岂不是"不战而屈人之兵"？

河岸在给日军江淮驻屯军总司令部的报告中指出："凡得国须得民，而得民须得人心。若欲得人心，非得借推广大和式教育、普及日语之力不可——此乃同化之首要、必要之手段。"为此，他建议皇军在占据蛾眉之后尽快实施"樱花计划"：首先，皇军要做出保境安民的姿态，在蛾眉镇揭牌"大日本帝国东亚共荣共存王道乐土模范镇"，对部分蛾眉镇亲善者授予"王道乐土共荣良民"的荣誉称号，并发放诱人奖金；其次是在世豪中学开授日语，普及日本历史和文化，让陆安学子了解其作为帝国臣民的名誉与幸福，以尊崇大和文明为尚，尽忠天皇，信仰神道，改变其国家认同和民族认同。最后，如上述努力遭到支那人的坚决抵制，拒绝成为帝国善良之臣民，皇军不能达成四海同化之目的，则有权随时处置蛾眉镇，必要时帝国炮兵可将其夷为平地，以示惩戒。

"瀑布"大斗"茉莉花"惨败后，蛾眉人的议论和表情，使河岸感到一种可怕的力量正在凑聚孕育，而活动在蛾眉镇周边的除新四军四支队之外，街市上又有了"蛾眉纵队"的传说，他不得不按照"樱花计划"的第三条方案先期做好准备。

张选们获知，日军河岸部除了准备在蛾眉镇举办一场盛大的揭牌仪式，还打算在揭牌之后请军部宣传队来拍摄一部所谓"日中亲善"的影片向全世界放映，以期颠倒黑白、混淆视听。待一切工作完毕，他们就要血洗蛾眉镇了。

七

这天日上三竿的时候，庄临川校长收到了河岸派人送来的致歉函。信上说，"瀑布"之死令帝国军人蒙羞，而中野中尉的暴虐之举更让人心存愧疚，军部已经对他进行了责罚。日中亲善，天鉴昭昭。睦邻共荣之事，在蛾眉镇颇有可观。七夕之日，"大日本帝国东亚共荣共存王道乐土模范镇"将正式揭牌，地点就设在世豪中学的劝学堂，陆安州的松冈联队长将率部出席。河岸希望他胸怀天下，与皇军精诚合作，让世人见识什么是真正的"王道乐土"。

庄临川愤然把信团成一团，猛地掷到地上。

这时，校长室的门被敲响了，庄临川轻声应道："请进。"

周介于推开门走了进来，他望着庄校长紧锁的眉头和地上的纸团，大惑不解："庄校长，您这是……？"

庄临川抚膺长叹："河岸这只狡猾的狐狸，他哪里是致歉啊，他是想让我做中华民族的千古罪人啊！让我与日本人合作，简直是痴心妄想！对了，小周老师，联系四支队的事情有结果了吗？"

周介于走近庄临川，压低声音说："庄校长，四支队派人来了。"

他走到门口一招手，一个精壮的汉子走进校长室，一抱拳："庄校长，久仰。我是新四军四支队的侦察员张选。情况我们都知道了，首长让我来告诉你，鬼子的阴谋不可怕，我们不妨将计就计，来它个瓮中捉鳖，将鬼子驻陆安州的头头脑脑一举歼灭，打掉日军兵临江淮的嚣张气焰。"

庄临川一脸愕然："如何将计就计，如何瓮中捉鳖？"

张选哈哈一笑："庄校长，您不必过虑。等到揭牌仪式的那天，鬼子高官都会前来捧场。我们四支队派人先行进入贵校隐蔽待命，若能择机击毙敌酋，即刻炸毁汲河桥，并趁乱散入街南的小树林里。

等小鬼子们清醒过来，他们只能在别茨山里面瞎转了。到时我们再给他们布个口袋阵，打他个人仰马翻。"

庄临川脑子里灵光乍现，忽然记起当年修建世豪中学的时候，为了防备匪患，他向裴世豪提议并亲自监工建造的那条逃生秘道。地道从劝学堂东侧的实验楼下去，一直通到镇上薛家裁缝铺的水井里。如果四支队的人事先隐蔽在地道里，等到鬼子揭牌仪式一开始，他们迅速从地道上到实验楼二楼楼顶，在那里直接狙击敌寇，打他个猝不及防，这岂不就是将计就计，瓮中捉鳖！

想到这一层，庄临川把地道的秘密告诉了张选，让他回去挑选几个身形灵巧，且英勇善战的军人，只等七夕节那天好大显身手。

周介于关切地说："庄校长，兵燹无情，日本人不会善罢甘休的，您还是今晚先离开蛾眉镇吧。"

庄临川慨然道："介于啊，老夫我一介书生，乱世求生，心神俱疲。国家到了如此地步，除我等为其死，毫无其他办法。揭牌之时，若有不虞，也是势所必然，庄某只求为国一死。只要我等能本此决心，我们的国家及我五千年历史之民族，决不致亡于三岛倭奴之手。你和蔡捷丰等青年同人，都是贤才俊彦，国家栋梁。去吧，叫上蔡捷丰等护校诸同人，你们今晚就跟张选走吧，投奔新四军，练好本领杀倭寇，早日把这群强盗赶出中国去。"

"庄校长，实不相瞒，我已经是四支队的人了。"周介于说道。

庄临川望着这个一脸坚毅的年轻人，并没有表露出惊异的神色，好像一切都顺理成章。

"'国家兴亡，匹夫有责。'庄校长，我和捷丰也早有捐躯赴死之心，愿与蛾眉共存亡。何况鹿死谁手还不一定呢。"周介于沉着而又决绝地说。

既然如此，庄临川也就不再勉强了。

送走张选后，庄临川让周介于把蔡捷丰等人叫来，大家一起商量彼时的任务分工：周介于熟悉实验楼的结构，任务是在行动前十分钟，带领四支队的潜伏人员从薛家地道口进入劝学堂东侧实验室楼顶。蔡捷丰和其他老师等在十字街接应撤退人员。

八

七夕节到了。

日本人没来之前，每年的七夕节这一天，蛾眉镇上都是车水马龙，人流如潮。女孩们穿着艳丽的新衣，成群结队在街市上穿行，她们呼朋唤友，喜笑颜开。比照平日，真是肆无忌惮。到了夜晚，家家户户，妇人女孩，煎汤沐发，穿针斗草，还要参拜织女，忙得不亦乐乎，穷巷深宅里都回响着她们银铃般的笑语欢声，嬉闹至午夜方息。

如今日本人来了，就与往年有了大不同。为了"王道乐土模范镇"的顺利揭牌，河岸中佐调兵遣将，周密部署，以世豪中学为圆心，周边百米之内屏绝闲杂人等。特别是劝学堂周边，更是布置暗哨，严防有人捣鬼添乱。尽管是七夕节，街面上多了许多巡弋的日本兵。如果不是河岸强迫要求开市，镇子里也许早就关门闭户了，妇人女孩更是噤若寒蝉。

上午九点，从陆安州方向驰来一行车队，车前插着的太阳旗在初秋依然炽烈的阳光下显得异常刺眼。

车到世豪中学，日军高官依次下车。河岸邀请来的那些个镇公所和维持会头面人物一面鞠躬致礼，一面摇起了手中的各色彩旗和太阳旗，嘴里面大声叫喊着"欢迎，欢迎！热烈欢迎！"河岸的军乐队也适时奏响了《君之代》。松冈联队长对河岸的前期工作十分满意，他满脸堆笑，与迎候在外的河岸中佐、皇协军团长张贵、镇长袁芦轩等人一一握手致意。日本人在前，中国人在后，他们鱼贯而入，走向劝学堂外早就布置好的那个升旗台。台上两名日军旗手已经做好了升旗的准备，旁边一个基座上大红绸缎覆盖着的就是即将授予蛾眉镇"大日本帝国东亚共荣共存王道乐土模范镇"的巨幅匾牌。

河岸一挥手，众人鸦雀无声。他"咿里哇啦"说一句，翻译官贾宜昌就转述一遍，原来是请大日本皇军陆安州驻屯军松冈联队长发表讲话。

松冈站起身来，转向众人，颇有些气宇轩昂。

他说："贵国孙逸仙先生有句名言：'世界潮流，浩浩荡荡，顺之者昌，逆之者亡。'大东亚一体，共存共荣，乃天下大势，是天皇陛下赐予我们的无限荣耀。蛾眉镇乃皇军建设'王道乐土'的典范之作，今天的揭牌仪式，必将镌刻进日中亲善的历史丰碑，给江淮大地带来化雨春风。在今天这个特殊的日子里，让我们一起分享天皇陛下的隆恩吧！"

河岸发出指令："升旗！"

话音一落，《君之代》再度奏响，太阳旗缓缓升起，人们的掌声也响了起来。谁也没有注意到，劝学堂东侧实验室楼顶隐蔽之处，三只枪管从三个方向悄然伸出。

一片喧嚣之中，只见松冈訇然倒地，河岸捂着胸口慢慢仰卧到升旗台边。镇公所和维持会的那些达官贵人们惶惶如丧家之犬，只顾四散奔逃。皇协军团长张贵满脸是血，他急慌慌躲到了大槐树后面，抖抖索索掏出手枪，弓腰抬头向着实验室楼顶方向一阵乱射，又踉踉跄跄往校门口方向跑去。

群龙无首，鬼子兵们像热锅上的蚂蚁，嘴里面"哇哇哇"地乱叫着。一时间，枪声四起，世豪中学里乱成了一锅粥。

——初稿于 2015.8.7 凌晨
定稿于 2015.8.9 上午

蔡静平

　　蔡静平，男，1969年10月生，湖北谷城人。解放军艺术学院文学系史论教研室副教授，解放军军事文学研究中心办公室主任。著有《明清之际汾湖叶氏文学世家研究》《中国战争诗话》等。

十字街之光

张志强

一

一大早，袁芦轩就叫管家李宝山把蛾眉镇的头面人物们都请到了袁府，他急着要商量个办法。一队东洋鬼子昨天后半夜悄然驻进汲河南岸的妆台，袁芦轩猜测，鬼子没有立即进到蛾眉镇的核心地带来，是因为还不摸镇上的底细，等查清了情况，他们很快就得过河，所以，得趁着他们过河之前想个应对办法。

头面人物们愁眉苦脸的，蛾眉镇前途未卜，他们自己的前程更不明朗。日本人来镇上干什么？正像豆腐坊老板张家恒分析的那样，蛾眉镇这地界，从来就不是个打仗的地方，没有任何军事价值，要是日本人想把这里当成个要地，那真是一点眼光也没有。这地方平坦无奇，打起仗来连个遮掩的地方都没有，方圆百十来里地，都是河、湖、农田。人口不多，虽说不愁吃穿，能自给自足，却是个落寞封闭之所，对于军队来说，可真没什么利用价值。

凤翔布庄的老板吕上清也掰着手指给大家算，从三国时候起，到太平天国、八国联军，民国初期奉系、桂系混战蛾眉镇都是毫发无损，最多不过是从这里弄点粮草也就走了。这里是鱼米之乡，粮食还是比较丰富的。可是，这地方不大，总共 421 户人家，不到两千人，想弄太多东西也不现实。这里不穷，可也不能算富。

有一点是蛾眉镇比较自豪的，那就是这里出读书人、出秀才。前清的时候，年年都有考上秀才的、三年一次的举人考试也偶尔会有蛾眉人考上，清末，蛾眉还出过一位进士。民国以前，不大的蛾眉镇上却有十多家私塾，不仅本镇的孩子，就是邻近镇上的孩子也都愿意到这里来读书。民国以后，举办新式教育，蛾眉镇首富裴世豪开办了"世豪中学"，大名鼎鼎，远乡近邻也都愿意把孩子送到这里来上学。

蛾眉镇还有值得夸耀的就是这里的民风，人们知书达礼，谦恭贤孝，路不拾遗，夜不闭户。镇长袁芦轩常常站在自家门前高高的台阶上，边抽着大烟袋，边疼爱地望着镇上来来往往的顺民们，很轻松地自夸，我这个镇长就是家长，不用我说，都很明理，只要我说，一呼百应。

但是，突然，蛾眉来了一队日本人，这里的平静被打破了。镇长沉不住气了，大小他都是这里的父母官，不能让蛾眉镇出事。他让管家李宝山把镇上几位说话有点分量的头面人物叫到自己的府上，商量着提前做个准备，别等日本人进了镇子再商量那就来不及了。

袁芦轩问大家，你们说这东洋鬼子是路过呢，还是想长期驻守在这里呢，这里既没有国军也没有共军，有拨儿土匪还有很多年也不见了，没什么值得他们大动干戈的呀？

茶庄老板徐克俭眯着眼说，我看哪，八成是要长期在这住下去。他们选择妆台，那是裴世豪的宅子，条件好，深宅大院的，就不像要走的样子了。

你的意思是说，他们不会到河这边来了？

那倒不一定，住在裴宅那是个点，也可能到镇上来。

许甲撸着袖子瞪着眼说，那咱们把汲水河上的小桥给炸了，不让他们过来，断了他们的路，不就成了。

张家恒也响应着，对呀，把桥断了，没路了他们就来不了了。

徐克俭反对，炸炸炸，你们以为像杀头猪，做块豆腐那么简单吗？一旦咱们先动了武，那就是捅了马蜂窝。炸了桥，他们还有船。甚至你把那几个鬼子也炸了，那就会有更多的鬼子来了，那就不仅仅是到蛾眉镇上来住住那么简单了。他们会烧、杀、抢、夺，把女人们弄走了、男人们该杀的杀该抓的抓，那就是一场劫难，不能惹火上身哪！

徐克俭的话说得许甲直吐舌头，那样，我们不就成了蛾眉的罪人了吗？

吕上清说，我看，还是主动示好，主动向他们表示欢迎之意……

张家恒不悦了，"欢迎"？我们欢迎他们？一群不怀好意的鬼子？

许甲又帮着吕上清解释，不过是演演戏，求得一时的平安嘛。

私塾先生邱先生捻着几缕胡须若有所思地说，蛾眉镇历来是个礼仪之地，战争与这里无缘。想那日本鬼子，不过是南下西进，咱这地界，只要不去招惹，想必他也不会自找麻烦。咱们以礼相待，也招惹不了什么是非。

袁芦轩问，你的意思是，不理他们？等着他们找上门来？

邱先生点头，正是，正是。他们来了，我们彬彬有礼，他们不来，我们也不去招惹他们。

见多识广的吕上清摇着头说，日本鬼子才不跟你讲什么仁义礼仪呢，很牲口，他们走过的地方没有不遭难的，吃的喝的、粮食房子，男人女人，没有幸免。虽然到蛾眉镇的日军并不多。据说，那队伍也就十来个人，是从汲水河上坐船来的。

邱先生说，把自己家的女眷们看好，别让出门。

徐克俭忧虑地说，把女眷们关在家里也不是个办法，得想办法把他们转移到陆安州上去。

袁芦轩担忧地说，就连咱们这样一个小镇子都进驻了日本人，我看，陆安州也不是个什么安全的地方。

徐克俭说，那究竟还是个大地方，人又多，倒霉的事也不会那么快就落到咱们身上吧？

邱先生摇着头，已经来不及了，日本人已经到了蛾眉地界上，现在再动家眷，会被日本人认为咱们不配合他们，还是静观其变吧。

吕上清见大家也没有一个统一的意见就说，日本人已经来了，蛾眉镇的日子还得过。东洋鬼子也是人，是人就恋财贪色，咱们不能把镇上的女人送去，可是咱们可以给他们送东西，送钱，把他们哄好了，他们不到这镇上来就行。花钱买个平安。我看没有钱办不到的事儿，送点"保护费"是可以的。为咱们自己，也为了镇上这一千多个老少爷们儿、姑娘媳妇。我算了算，蛾眉镇不到 2000 人，共计 421 户人家，每家出三块大洋，也能凑个一千二百六十三块大洋。这可不是一笔小钱哪，能办很多的事。送上去他还能不要吗？

袁芦轩提出疑问，光这些钱还是少了点吧？

吕上清想了想，按理说一千多块的大洋也不能算少了，只是单薄了点儿。

袁芦轩听了吕上清的意见觉得还是比较实际，日本人远途来到蛾眉镇，缺的就是钱粮供给，送钱能解决一些实际问题。

然后，袁芦轩用征询的目光望着大家，我看吕先生的意见不错，要是一千二百多块大洋少的话，我看就从大户人家里多抽点份子算了，给他们送些粮食、送头猪、送点布匹、茶叶什么的。

许甲又来了精神，他接着出点子，然后，咱们组织个队伍，推着拉着，给他们送过去，日本人一见咱们这么明礼懂事，兴许真就跟咱们和平相处了呢。然后，咱们再把那些个保护费奉上，千把块钱的保护费，就是图个平安无事。

袁芦轩看其他人也不反对就说，这事就这么定了。

二

贾宜昌昂首挺胸地走在蛾眉镇的青石板路上。

阳光透过绿树间的缝隙洒在他红红的脸上，眼里布满了血丝。

为了犒劳前一夜行军疲劳的队伍，日本人中午加餐，贾宜昌也就跟着喝了些酒。作为日本最高指挥官河岸中佐的翻译官，他有点飘飘欲仙的感觉。他从汲水河的那座简易的小木桥上摇摇晃晃地就走到了蛾眉镇大街上来了。皇军说了，不急着一下子都涌到蛾眉镇上来，如果吓着了镇民们，"樱花计划"呀什么的就难办了。

过了小桥没走多远，贾宜昌就看到了贴在街上的要每户出三块大洋的告示。上面写得很清楚，大洋是给大日本皇军的"保护费"。贾宜昌撇了撇嘴，三块大洋？大日本皇军会看得上你们那点儿钱？想了想，他觉得也就是做个姿态，讨好皇军，这表明他们是没有恶意的。不像有些地方的人，日本人一进去就不断地想办法破坏这破坏那的。蛾眉镇的大名贾宜昌早就听说了，不愧是个书香礼仪之地，不动粗的，还想跟皇军搞关系。这就叫聪明，识时务者为俊杰。

走到十字街也没见多少人，可看见了不少杂色狗，都在闲逛，有些孩子偶尔跑出来逗逗它们。十字街是蛾眉镇的核心，东南角、西南角、东北角、西北角各有些店铺，但没几家开着的，有的紧闭大门，有的半开半掩。街上的行人也不多，有时走过三三两两，看见贾宜昌这个陌生面孔也就远远地躲开了。他好不容易叫住了一个汉子问，镇长住在哪里？汉子说，往北走，快到尽头的地方，有个深宅大院就是。贾宜昌本来想让他带着自己去，可是，这人说完头也不回地就走了。贾宜昌嘟哝着骂了一句。

贾宜昌走过许甲的猪肉铺，走过张家恒的豆腐铺，再走过徐克俭的茶叶庄，走过世豪中学，一边走一边观察着蛾眉镇。他身后有时出现几条在街上踱着步的狗们，跟这里的民风相似，那些狗完全一副与世无争的样子，懒洋洋，爱答不理。它们偶尔也吼两声，也没有目的，就是扬着脖子，朝天发出个声音，似乎只是喉咙痒痒而已。

贾宜昌倒是很喜欢这个镇子。他心想，可真是个过日子的地方，懒懒散散，无欲无求，无忧无虑，神仙般的镇子。他很庆幸自己未卜先知把家眷也带来了，一开学把儿子放到世豪中学，老婆在这里侍候着，很不错。要是日本人不走就好了。

想着，走着，就来到了镇子的边缘了，老远他就看到一座大宅子，贾宜昌就想，这肯定是镇长的宅邸了。看上去很气魄，高墙深院，绿墙红漆大门，门前两个石狮子。

打眼一看，门前还站着两个人，旁边立着一条高大的狼狗。走近了，其中一个穿着长袍子的男人满脸堆着笑意走上前来，拱了拱手，贾翻译，您来了！里面请！狗也摇着尾巴，在贾宜昌的身上嗅了几下。

贾宜昌心想，消息够快的，这一定是镇长袁芦轩了。他也堆上了笑脸，是镇长大人吧？

袁芦轩假笑着，哪里哪里，就叫我老袁吧。恭候多时了，里面请。这是我的管家李宝山。宝山见过贾先生。

李宝山鞠躬，贾先生！您吉祥！

三个人走进袁宅，转过影壁墙，里面是个大院落，种满了绿树，布着假山流水，很是幽静。

一迈进中堂，贾宜昌就看见里面站着不少的人。袁芦轩高声地说，贾先生到了！

中堂里立着的是蛾眉镇上的头面人物们，纷纷拱手作揖，欢迎贾宜昌的到来。

大家落座之后，贾宜昌先开了口，我是奉大日本皇军河岸中佐先生之命来跟你们联系的。大日本皇军希望蛾眉镇不要因为我们的到来而发生变化。你们要照常的生活，不要有任何的骚动，你们要是不害怕，不逃跑，蛾眉镇就不会有大的波动。我看出来了，你们都是有钱有势的大户，你们要是不紧张，其他的人也就不会慌乱，大日本皇军并不是要占领这个地方，而是想与你们和平相处，所以，我们昨天后半夜来了，悄没声地住在河对岸，都没直接进到镇上来，就是不想让你们惊吓着。

袁芦轩有些迷惑地问，那……皇军这次来是路过呢，还是……

贾宜昌说，我们这次来就是要在你们这里建立"王道乐土""大东亚共荣圈"，行日本帝国先进的文化，"日满支一体"。

袁芦轩小心地问，那你们什么时候走？

贾宜昌看了看袁芦轩，镇长啊，大日军皇军一没抢二没杀，刚到蛾眉镇你就想着我们走了？

袁芦轩一听连忙解释，您误会了，误会了。作为一镇之长，我得考虑皇军在这个地方待多长时间，好准备补给啊。

贾宜昌像是突然明白了袁芦轩的意思，噢！原来是这样。好，好！

袁芦轩向贾宜昌摆起了功，是呀，大日本皇军来到这里是蛾眉镇的大事，你看，我们正在征集物资、钱粮、布匹，想去慰问皇军——

袁芦轩还没说完，贾宜昌就站起身来，拍拍袁芦轩的肩，嘿嘿地笑了两声，袁镇长，你们想得很周到，很好！皇军会很高兴的。我来就是想告诉你们，皇军来这里就是想建立王道乐土、"大东亚共荣圈"，我们要在蛾眉建立一个中日友好、和谐相处的典范之镇。

袁芦轩慌忙站起身，望着贾宜昌不解地问，那，皇军要我们做什么呢？

贾宜昌一边向院子里走，一边说，河岸中佐先生是个文人，他带的队伍也是文明的队伍，只要你们听话，配合，就不会发生强迫你们做什么的事情。你们要做的就是安心、安定地过你们的日子。一句话，你们——该干什么干什么，不要离开蛾眉镇，不要计划跟皇军过不去，皇军需要你们的时候，你们不要找这个借口那个借口。

袁芦轩点着头，那是那是。他似乎明白了一点。

那些头面人物们都恭敬地跟在贾宜昌的后面，小心地陪着他向外走。走到院子里，贾宜昌问袁芦轩，听说，你们这里的世豪中学不错？河岸先生想找个时间去看看，向世豪中学捐赠些礼品。

袁芦轩连忙说，谢谢大日本皇军。不过，世豪中学是独立管理，跟蛾眉镇没有关系，是本镇富人裴世豪出资建立的。我们有约在先，蛾眉镇出地，裴世豪出钱，学校的一切镇上是不干涉的。

贾宜昌并没有理会袁芦轩的解释，继续按照自己的思路说下去，视察的那天，要是能把裴世豪先生请来，陪着河岸先生……

袁芦轩摇着头，他很多年没有露过面了，他是个大买卖家，忙啊，我们都快忘了他长什么样了？也没有他的消息。

贾宜昌问，那谁在当校长呢？

袁芦轩说，现在是庄临川先生在当校长。

他是什么来历？

他呀，原来当过几年的县长，后来干不下去了，就到这里当了个孩子王。

贾宜昌站住了，回头望着身后跟着的头面人物们提高了声音说，大日本皇军河岸中佐先生派我来的另一个意思是，请蛾眉镇的镇民代表去会餐！就在今天晚上，八点钟，你们——

贾宜昌指着面前的众人说，你们都去！

然后贾宜昌又转头对袁芦轩说，也请世豪中学的庄校长一起去！

三

袁芦轩真成了大忙人了。他左手端着烟枪，右手摇着芭蕉扇，指挥着管家李宝山跑前跑后。晚上八点就要到妆台去见日本人，就几袋烟的功夫，必须把孝敬日本人的东西备好了。

袁芦轩的想法是，既然要向日本人示好，那就干脆搞得像个样子。上午头面人物们研究的方法都采纳，421户人家各出三块大洋。再由大户人家出些粮食、许甲杀头猪、张家恒做几担豆腐、徐克俭出些茶叶、吕上清出几匹布料……袁芦轩想了想觉得还是有点轻了，他突然一拍脑袋，再搞点儿大烟土！他高声叫着，宝山！宝山哪——

李宝山一溜烟地跑过来。袁芦轩就说，咱们的烟土存货还多不多？李宝山痛快地答，多，够您老用上一阵子了。

袁芦轩就说，有多少拿多少，都带上！

李宝山不情愿地说，给日本鬼子？！老爷，您自己不是还得用嘛，要是都给了日本人，那您还抽什么呀？

袁芦轩大方地说，不用管我了，大不了到吕上清那拆借一点。都带上！

李宝山根据袁芦轩的吩咐，把邱先生和吕上清提前请了过来。袁芦轩知道这么大的一个事儿他一个人有时不会都想得严密，也忙不过来。吕上清见多识广有主意，想得周全。邱先生知书达理，持稳中庸，不会干过分的事，他们两个在这里把着关，就不会出岔子。因此，邱先生、吕上清两位早早就到了袁宅。

两位先来的头面人物都穿着新装。吕上清特意穿了套灰色的西装，邱先生戴着顶新瓜皮帽，穿着新的绸缎马褂，一副富有的乡绅模样。

还不到时辰，袁家大院里就聚集了一大批人。镇上的那些头面人物们都换了新装。互相开着玩笑，日本人请咱们吃饭，得打扮得清爽一些，不能给咱们蛾眉镇丢人呀。伙计们，放开肚子，好好糟蹋一下东洋鬼子，多喝、多吃、多抽……

你以为真的是日本人请咱们呀——有个人指着面前乱哄哄的运输队说，看了吗，都是咱们自己带去的，日本鬼子才不傻呢，他们请客，咱们自己带吃的！

不对，另一个聪明人说，要是拉过去现做，还吃个屁呀，人家确实是诚心想请咱们。听说，桂山饭店的厨子们老早就被叫到妆台去了，都是一流的手艺，别往歪了想了。

袁芦轩看看时间差不多了就说，宝山你整理队伍，拉个先后，得走了，别让日本人等着啦。

就在这时，世豪中学的老师蔡捷丰突然闯进了袁家大院。

袁芦轩一看世豪中学来了人，高兴起来。本来差李宝山去送信，请庄临川到场他是一点把握也没有的。他知道庄临川清高、不合群是出了名的，日本人请客，他去的可能性不大，但是，他也告诉李宝山，庄校长要是不来，派个老师代表也行啊，这样就全面了。见蔡捷丰走进院子，袁芦轩心里乐了，庄校长还是给我这个镇长面子的，派了个代表来。

可是，一见蔡捷丰的神态，袁芦轩却失去了喜悦之情。

只见蔡捷丰手里攥着块白布，怒气冲冲地走进喧嚣的大院。他站到一个高处，把那块白布打开，原来是一块条幅。他高高举起条幅，上面写着几个大字"不做亡国奴！"

蔡捷丰大声地对众人说，乡亲们！你们不能当亡国奴呀，你们怎么能够给日本人送东西，去参加日本人的宴会呢？！日本人请你们去你们就去？你们还有没有一点廉耻！他们是侵略者，他们是不安好心哪！乡亲们，你们这样会被蛾眉子孙后代唾弃的！

刚才还吵吵嚷嚷的袁家大院一下子安静下来。大家都被蔡捷丰的声音给震住了，他们望着蔡捷丰不知道如何是好。这时，袁芦轩给几个年轻镇民使个眼色，几个强壮的后生就冲到了蔡捷丰的身边，把他生生的拉了下来。

蔡捷生被几个年轻人推搡着离开了众人。可是，刚才热热闹闹的人群被蔡捷丰的几句话戳到了痛处，是啊，我们为什么要去参加日本人的宴席呢？我们是不是正在以集体的名义干见不得人的丑事啊？

袁家大院沉默了。

李宝山问，老爷，怎么办？

袁芦轩转过头来望向吕上清和邱先生。吕上清低声说，事已至此，必须做下去！否则……

邱先生沉静地望着远处，然后慢悠悠地说，蔡老师这话说得有理啊，读书人要有气节，做人要有骨气。日本人是侵略者，我们是被侵略者，我们能就这样去吃这些侵略者的饭吗？

邱先生说到这里停了下来，他盯着袁芦轩看了看，又无奈地摇摇头，可是……如果不去，那个后果也是可以想象的呀。

这可把袁芦轩弄迷惑了，你的意思是去，还是不去？

邱先生叹了口气却不说话了。

袁芦轩急得在原地转了几个圈，狠狠地抽了几口烟袋，最后才下了决心，挥着大手叫道，宝山，拉起队伍，走！

于是，滞留在袁家大院的这只浩浩荡荡的赴宴队伍走到了街上。

走在前面的是袁芦轩、吕上清等峨眉镇的头面人物。差不多全都到了，个个新衣新裤，绅士派头。后面紧跟着四个年轻人推着一辆手推车，车上放着两个木盒子，都用红绸子绑着。这是李宝山找木匠现做的，一个盒子装着按户收上来的一千二百六十三块大洋，另一个盒子就是袁芦轩贡献出来的几公斤烟土。虽然东西不沉，但装到小车上，再这么一装点，就像个样子了。

小车后面跟着支小乐队，是镇上办喜事、丧事用的。这是许甲提出来的意见，他说，既然日本人想跟咱们套近乎，热闹热闹，咱们也决定去糊弄一下，那就假戏真做，带上咱们的鼓乐班子。乐队的后面是驮着粮食、猪肉、茶叶等物品的驴、马。这阵势，有点像峨眉镇富人娶亲时的样子。

不过，经蔡捷丰一折腾，大家的心情却没有刚才那会轻松了。乐队成了哑巴，没有人敢奏响，似乎蔡老师那一振臂高呼，惊醒了梦中人，唤起了羞耻心。大家心情复杂地低着头，不由自主地跟着队伍安静沉默地慢慢向汲水河简易的桥头走去。

四

第二天一大早，袁芦轩被自家的大狼狗的叫声惊醒了。昨晚上在妆台折腾了很久，喝得痛快。走的时候被蔡捷丰一搅和，心里很不顺，就喝得挺多，中间还吐了，他也想不起自己是怎么回到家的。

揉了揉还有些隐隐疼痛的头，扭身向外看去。袁芦轩看到从影壁墙外走进一个人，家丁在前面高兴地引着路，点头哈腰地介绍着什么。快走到中堂了，家丁高声地叫着，老爷，老爷！少爷回家了！少爷回家了！

袁芦轩一听心中大喜，一边向外张望着一边伸出脚来划拉到鞋子，然后，从床上跳下来，大声地喊道，宝山，宝山！

李宝山昨天夜里一直陪在东家身边，虽然他没沾酒，可是回来后还干了一阵子活儿，睡得比东家晚。袁芦轩一叫，他一下从床上蹦了下来，一边揉着眼睛一边答应着，哎！来了。

袁芦轩也不看李宝山一脸睡不醒的样子，兴奋地吩咐着，快，少爷回来了，给他准备些吃的。

李宝山说，老爷，坏了！咱们昨天晚上不是说好了今天上午那几位头面人物来咱们府上商量那笔钱的去向吗？我看时间不早了，也快来了，要不叫人通知他们今天就别来了？

袁芦轩愣了愣想起来了，照旧，这可是大事。

那谁陪着少爷？

他？还用陪？对了，叫少爷也一起参与，他已经大了，也该参与些事情了。

这时，袁芦轩的儿子袁耀祖走进来了。西装、大分头，皮鞋锃亮，瘦高个，精神英俊，一脚跨进中堂，爹，我回来了！

随后给袁芦轩深深地鞠了一躬，爹，我给您请安了！

甜言蜜语让袁芦轩喜不自胜，但还是装出一副威严正经的神态，挺着胸脯，一派家长样板，脸上虽然带着笑意，嘴上却说，你小子，长见识了！会来事了！

李宝山左手端茶具，右手拿着袁芦轩的大烟袋走进来，也高兴地说，少爷您回来了？不知道您今天回，要不就去接您去了。

袁芦轩接过烟袋点上烟，坐到八仙桌左手的太师椅上，一手抚弄着蹲在他脚边的狼狗，一边说，也不捎个话，怎么突然就回来了？是不是缺钱了？

袁耀祖坐到右边的椅子上有些嗔怪地说，爹，您看，我就不能有别的事儿？就不能是因为想您？我回来就是要钱啊？再者说，现在放假了……

袁芦轩恍然道，噢，我把这件事给忘了，净忙着对付日本人了，把你们放假这事给忘了。

袁耀祖兴奋地说，对了，对了，这次我回来就是为了帮助你们对付日本人的。我听说，咱们蛾眉镇也来了日本鬼子，我就回来了，要不，我还会在省城待一阵子。蔡老师叫人捎话给我，说蛾眉镇的人不抗日，还跟日本人搞在一起，甘愿做亡国奴。

袁芦轩瞪大了眼睛，什么？你你你跟蔡捷丰搞在一起？

袁耀祖肯定地说，是啊，在世豪中学上学的时候他就欣赏我，在省城我们也有联系，他是进步的、爱国的，是我们学生心目中的英雄。

袁芦轩一脸的紧张，低声地问，你还参与抗日活动？

袁耀祖痛快地回答，是呀，国家兴亡，匹夫有责，我读书是为了什么，除了光宗耀祖，就是报效国家呀，这是您从小教育我的，儿子时刻记在心上。

袁耀祖天真地望着父亲，是啊，日本人已经侵略到了我们国家的许多地方，作为中国人怎么能坐视不管呢？不把日本鬼子赶出中国，我们怎么能有一个安静的学堂，怎么过上好日子？

袁芦轩没想到儿子出去才一年多，就变成了一个"爱国人士"了，这让他有些措手不及，他低头点燃了烟袋，边听着儿子的高论，边吸了两口烟。

耀祖啊，东洋人到中国是个复杂的事情，很多人都搞不清楚是怎么回事，我想你也不一定搞得清楚，你还是不要过于积极参与，咱们好好地上咱们的学，过咱们的日子……

袁耀祖一听父亲这话就激动起来，爹，我最恨这种腔调了，国家如果都不存在了，哪里还能有什么"咱们的日子"，我们哪还能"好好地上咱们的学"的事？

这时，蹲在一边的狼狗突然叫了起来，并一下窜了出去。家丁在院子外面叫道，老爷，吕先生、许先生到了！

袁芦轩叹了口气无奈地摇着头，你呀——请两位爷进来。

吕上清、许甲一前一后走进中堂，袁芦轩站起身。吕上清一眼看到了袁耀祖就惊喜地说，哎呀，大少爷回来了，这是放假了吧？

吕上清对袁芦轩说，要不我们改天再谈吧，少爷刚回来。

袁芦轩先是迟疑了一下，而后摆了摆手，耀祖也老大不小的了，早晚还不得参与到镇上的事来？也让他听听。

许甲呼应说，对啦，少爷在省城上学，见过大世面，也让他出出主意。

话还没说完，镇上其他几位头面人物也纷纷到了，邱先生、张家恒、徐克俭等人，三三两两。

中堂中间用四台八仙桌摆出一个长条的议事台子，上面铺了一块白布。袁宅的中堂被临时布置成了一个议事厅。李宝山和几个下人早早准备好茶水、烟土。

袁芦轩先谈了自己的感想，日本人不要烟土我是早就想到了，可是连大洋都不要，这是我没想到的。

茶商徐克俭说，你们看看，我就说，日本人没那么坏嘛。咱们跟他们远日无冤近日无仇的，人家干什么要跟咱们过不去呢？人家对咱们客客气气，虽然把粮食、肉、菜、布料什么的都收下了，可是，钱人家就没要嘛！咱们要是不带那些物资，人家也不会有意见。看出来了吗，日本人是想跟咱们搞好关系。

邱先生说，依我之愚见，他们是另有所图，钱不要了，是不是会要我们别的？

徐克俭说，我们？能有什么所图？

袁芦轩点着大烟袋眯着眼，慢悠悠地说，既然东洋人不要这笔钱，我们就商量个处理办法。

吕上清端起盖碗茶打开盖子吹了吹上面的浮茶，但是没有喝就放下了。芦轩兄，我的意思还是退还给各家各户算了，咱们是多一事不如少一事，要是以后镇上的人提起这笔钱，我们也理直气壮。

袁芦轩张了张嘴，想说话却停下了，吸了口烟袋，低下头去。

吕上清想找个同盟者，就对旁边的许甲说，老许，你也是咱们蛾眉镇上的头面人物了，说说你的意思吧。

吕上清从骨子里看不起许甲、张家恒这些人，他心里想的是，一个是杀猪的，一个是做豆腐的，虽然手里都有点钱，可是下贱的命不是有点钱就能改变的。跟他们说话，声音里就含着居高临下的口气。而许甲最讨厌别人对他发号施令、被人小看，吕上清的那种口气让他不舒服。

许甲气哼哼地说，我算什么头面人物？我一个杀猪的，哪敢对你们这些大财主说意见？

袁芦轩吐出一口烟，许老兄，自从有了蛾眉镇，就有你们许家了，这镇上的底细你比谁都清楚，你的意见很重要——

这话说得许甲很舒服，既然镇长这么信任我，我就说说我的想法。我的意思是不能退回去，收上来的钱哪有还回去的道理？再者说了，要是日本人反悔了呢？要是他们变着法子想动用这笔款子呢？这些钱对于一个家庭来说，也就是三块大洋的事，穷不了富不得，出都出了，把钱留下来，咱们就用这笔钱干点事，用在镇上。

这是袁芦轩最关心的问题，他紧接着就追问，干点什么事？怎么用呢？

张家恒说，我看这笔钱就留在镇长这里吧，要是将来蛾眉镇来个天灾人祸、兵荒匪患什么的，也可以拿这笔钱应个急嘛。要是日本人要这要那的时候，也可以用这笔钱给他们办呀。

袁芦轩一听直摇头，他把已经不冒烟的烟管放在桌上。家恒你想得简单了，我是一镇之长，钱要是放在我这里，百姓知道了，怎么看我？我这是私吞了还是公用了呢？说不清呀。我虽然赞成钱不退了，可是，咱们得想个好法子用好这笔钱。

吕上清见自己成了少数派，也倒向多数意见了。那样的话，我看也成，东洋鬼子这葫芦里卖的是什么药呢？要是在过去，他们连抢带夺，不把你弄个倾家荡产不住手，可这回，咱们主动送钱给他们，他们竟然不要，还退给咱们。

一直坐在一旁默默听着的袁耀祖突然站起了身，他对蛾眉镇的这些老爷、先生们的话早听烦了，他压抑着内心的火气。各位大爷、叔叔们，我听了半天才听明白了，你们一直都在说对付日本人，而实际上你们从一开始就在想办法讨日本侵略者的欢心，给他们送东西，给他们捐款，讨他们高兴。你们还是不是中国人？！你们还有没有中国人的骨气，家园被占了，土地被蹂躏了，你们却在想着法子维护这群恶魔的欢欣。

几句话说得袁芦轩浑身颤抖。他有些央求地对袁耀祖说，小祖宗！不能这样说呀，你这是受那个蔡捷丰的蛊惑太深了，一旦日本人知道了，那是要满门抄斩的呀。

邱先生却沉稳地说，或许耀祖的话有道理，我们想听一听他的意见。既然，我们已经收上了这一千二百六十三块大洋，要是耀祖你来处理的话，你会怎么办？

袁耀祖兴奋地盯着邱先生说，给蛾眉纵队！买枪，把侵略者赶出去！

吕上清疑惑地反问，蛾眉纵队？哪有什么蛾眉纵队？都是哄人玩的，你也当真？都是蔡捷丰他们造的谣言。

袁耀祖说，不，这不是一个虚假的组织，茉莉花，茉莉花就是蛾眉纵队的一员！还有很多爱国的、进步的青年……

许甲嘲讽地说，那条狗吗？你用这些钱犒劳那条狗，给他杀上一头猪，也花不了几个钱呀，这事就交给我吧，我卖剩下的那些骨头下水什么的，弄一点就足够它吃的了，犯不着浪费那么些大洋。让他吃饱了坐在世豪中学门口就是抗日了？我看你这书也没念明白。

不。袁耀祖固执地说，蛾眉镇上的人们要是都能像茉莉花一样勇敢，我们国家就有希望了。它是我们的榜样！你们没听说过吗？蛾眉镇上有近两千人，如果人人都勇敢地站出来，那就是一个纵队，我们就用这笔钱武装蛾眉纵队！

袁芦轩紧张地望了望院子，这是谁说的？要是被日本人听到了，杀头之罪呀！

袁耀祖不满地斥责父亲，爹！十多个日本人就把您吓成这样了，要是蛾眉镇上驻满了日本鬼子，我们就不活了吗？这是咱们的镇子，怎么能说让人占就占了呢？

邱先生说，我看耀祖这话说得有道理。做人不能失去气节。我开始就不同意你们去给日本人送钱，可是，这事既然已经做了，就让它向好的方向发展吧。

一直在听着大家议论的徐克俭吃惊地问，什么？你说，在咱们蛾眉镇真有一支武装组织活动着？

袁耀祖肯定地说，实话跟你们说吧，我就是受蛾眉纵队的委托，劝说你们把给日本人的钱转赠给蛾眉武装，打日本，保护我们的家园。

袁耀祖转过头来对袁芦轩说，爹，那笔钱就用在买枪上，蛾眉纵队要是组织起来，也有您的一份功劳啊。

袁芦轩反驳儿子，什么话？！人家东洋人根本就没有跟咱们来硬的，你看，你爹我少胳膊了，还是少腿了？你看咱们家，被抢了还是被夺了？相反，人家东洋人把咱们送给他们的钱还退了回来，还好茶好酒地请咱们喝呀吃呀……

爹！您糊涂！这是收买人心！比什么都危险。这是麻痹你们，让你们心甘情愿！

吕上清放下茶盏，开口对袁耀祖叫了声"袁老弟"，语重心长地说，袁老弟，你是有所不知呀，这些到蛾眉镇上来的日本人不但没干什么坏事，还给咱们蛾眉镇做了不少好事呀。我们不能恩将仇报。

吕上清掰着手指头数着，你看，汲水河上那座桥，多简单啊，来来往往很不方便。你知道吗，昨天东洋人说了，要重新修一座桥，虽然活儿得咱们出人干，可是，修桥的钱人家日本人说了，他们出呀。你看，世豪中学，那么大一所学校，怎么样，还不是缺钱吗？人家日本人说了，要给很大一笔款子，还要捐赠一批物资、书本。现在已经准备了不少的书了，这几天就会送过去了。人家那个河岸中佐还是个官，自己就说要给学生们上课，多么好的事儿呀。

袁耀祖急得直跺脚，你们这是真的被他们蒙蔽了，你们，你们被他们收买了，他们的目的达到了！完了！你们这是被侵略者卖了还在帮着他们数钱呢！

袁芦轩生气了，放肆！你个没经过世面的东西！

五

夜里，起风了。窗棂被风吹得哗啦哗啦响。袁芦轩躺在床上唉声叹气。他想起大老婆临走时的那句话，儿子大了不养娘，现在耀祖已经完全不像小时候那么听话了，他居然跟世豪中学的那些老师搅和到一起，这可怎么办呢？

更愁的是，作为镇长手里攥着全镇的份子钱，也是块烫手的山芋呀。袁芦轩很后悔没有听吕上清的话，要是把这笔钱挨家挨户地都退回去，也就没有这么多的麻烦了，现在为这笔不大不小的钱还得商量、打架，伤了父子感情。唉，这又是何苦呢？

袁芦轩躺在床上唉生叹气、翻来翻去。他躺在床上伸手去摸烟袋，想抽袋烟。

突然，袁芦轩看到月光下的窗棂上映出几个人影，揉了揉眼睛，不是梦。狼狗居然没有吱声！他吓得一骨碌爬起来急问，谁？！

窗外的人影也不答话，一闪就到了卧室门外。然后门开了。

慌乱中袁芦轩想，门是闩着的呀，怎么会这么容易被打开了。正想着，一个人已经来到了他的床前。一把黑洞洞的枪口对着袁芦轩的头颅。黑暗中，一个低沉的声音，袁镇长，你是明白人，我们来，就是奔着那笔钱来的，交出来吧。

袁芦轩紧张地瞥着来人，他想看清他的脸，但是，那人的脸却蒙着，只露着眼睛。袁芦轩问，你是……胡三爷？

"胡三爷"是多年前到蛾眉镇抢劫过的土匪头名字，可是，这只土匪队伍已经有七八年不在镇上出现了，怎么会突然……

蒙面人用枪触了一下袁芦轩的太阳穴，少废话！要命还是要钱？

袁芦轩心想，要是把钱给了他们，怎么跟镇上的人说得清楚呢，就硬着头皮说，钱，钱钱不在我这里。

蒙面人厉声说道，袁镇长，你是躲不过的……不要耍滑头，我们什么都知道。你要是交出钱来就没事，否则——你看着办！

突然，街上狗叫声四起，枪声也响起来。有人大叫着，有土匪！有土匪呀！

就在这时，一个身影喘着粗气慌慌张张地跑了进来，大声地叫着，不好了，日本鬼子来了，带着不少的人呢。

蒙面大汉立即收起枪，狠狠地对袁芦轩说道，你他妈私通日本人！你个卖国贼！咱们以后算账！

袁芦轩委屈地辩解，他他他，不是我勾结他们呀，我根本就不知道……

话还没说完，几个劫匪已经不见了。

这时，李宝山才跌跌撞撞的提着盏马灯跑进来，老爷，老爷，没伤着吧？

后边跟着的是中野中尉，翻译官贾宜昌，还有两个士兵。

袁芦轩已经从惊吓中回过神来了，见日本人来了，就说，快给客人倒杯水，到中堂去吧。

贾宜昌有一搭无一搭地问，受惊了。是什么人？认识吧？

袁芦轩摇头，蒙着脸，没看出来。他们也没有说是什么人。奔钱来的。幸亏你们及时赶来，否则……

贾宜昌说，河岸中佐先生让我们来救你的，你是蛾眉镇的当家人，你可不能出事呀。

其实，日本人并不知道袁芦轩遭了劫。是赶上了。他们本来是奉河岸中佐的命令，趁夜色想去世豪中学转转。世豪中学是河岸中佐的一块心病，也是他到蛾眉镇完成"樱花计划"的目的地。中野带着新到的军犬川芎，由贾宜昌陪着熟悉这一带的情况。他们刚走到镇中心，就听到了李宝山在街上喊叫，被惊魂的四邻，还有蛾眉镇的那些狗乱成了一团。一问才知道，说是袁芦轩遭了劫。就这样，他们朝天上开了几枪，镇上的人一乱，他们就奔袁芦轩这里来了。这也算给袁芦轩个面子。

袁芦轩堆着笑脸请他进中堂坐着喝茶。中野不会说中文，在贾宜昌耳边叽咕了几句，然后一边抚摸着川芎，一边四下打量着袁芦轩的房子。

贾宜昌替中野说，河岸中佐听说镇上来了土匪，特意让中野先生来救你的。中野先生问你，有没有什么损失。

袁芦轩一边点头一边竖起大拇指，皇军大大的恩人，皇军大大的恩人！要不是你们来得及时，那些土匪就得手了，幸亏皇军来得及时呀。

贾宜昌问，他们来想要什么？

袁芦轩叹口气，唉，也不知道他们怎么得到消息的，他们知道，皇军退回来的那一千二百六十三块大洋，他们就是奔着这笔钱来的。

贾宜昌问，他们得到了吗？

没有，正在节骨眼上，皇军来了，他们吓跑了！

六

河岸中佐的队伍来到蛾眉镇一个多月，人们才搞清楚他们的目的：他们选择蛾眉镇这个风景秀丽、知书达礼的纯朴中国村镇是想拍一部电影，向世界展示中日亲善友好、和谐相处、共同建立美好的"大东亚共荣"的景象，他们把这个称为"樱花计划"。

当贾宜昌翘着二郎腿，吸着李宝山给点上的大烟枪把这个最终目的说出来的时候，袁芦轩才恍然大悟，嗨，原来是这么回事呀。

这之前，蛾眉镇上的人们像猜谜一样推测着日本人来镇上的目的，始终不得要领。他们想不明白的是，日本人怎么会选中蛾眉这样一个不起眼的小镇子当据点，地形、人口、位置从哪个方面说蛾眉镇都不具备重要的战略价值。贾宜昌一说，袁芦轩才松了一口气。

贾宜昌说，大日本皇军给你的任务是明天，也就是"樱花计划"这一天，组织好镇上的人到世豪中学参加电影拍摄。穿得利落一些。

袁芦轩点着头，这个没有问题，我们还可以组织个鼓乐班子，热闹热闹。

贾宜昌厌恶地皱着眉头，你以为这是农村过年吗？这是严肃的升日本国旗、奏大日本国国歌的场面，怎么能吹喇叭敲破鼓呢？太不讲究了吧。

那，我们还能干什么？那我们杀上几头猪，再弄上几十块豆腐……组织镇上的男女老少，排着队伍，举着旗子。

贾宜昌直叹气，你们真是些土财主！

贾宜昌吩咐袁芦轩，在"樱花计划"之前，皇军给你们个任务，配合日本记者拍摄些祥和的照片。

袁芦轩问，好啊，这个，没有问题。

按照日本人的想法，在"樱花计划"之前之后搞一个宣传，拍一些日本皇军跟蛾眉百姓"亲切"友好、和谐相处的照片。取景地有两个，一个是蛾眉镇的十字街，一个是蛾眉镇的菜市场。袁芦轩原来想，这个事情简单极了，随便拉几个行人在街上一站不就拍了吗。菜市场更容易，菜贩子们卖他们的菜，来几个日本皇军，上前问个价，那边咔嚓咔嚓一拍就结束了。

可是，事情却没有像袁芦轩想象的那么简单。当他带着日本记者在蛾眉镇的十字街一出现，原本有说有笑的行人一下紧张起来，他们见日本人手里拿着"摄魂炮"，后边跟着一群武装协防的"皇协军"就四下散去。袁芦轩可能忘了，蛾眉镇的人是谨小慎微、胆小怕事的。平常人们对袁芦轩都是恭顺尊敬的，镇上叫干什么就干什么，只要他们还能能够承担，他们愿意当顺民。可是，任何事情他们也是尽量地躲着，不做出头鸟，不做出面人。他们的底线是，只要不是被迫的，多一事不如少一事。

蛾眉镇人一见袁芦轩带着一群人站在十字街头拦人就慌乱地跑了。不但如此，消息很快传开，大家都关门闭户，连孩子也被关在家里不让出来了。这下可好，不仅十字街头的和谐画面拍不到了，就连菜市场也人去场空，干干净净。

找不到人这可怎么办？急得袁芦轩在十字街头转了好几圈，还敲了几家街头店铺的门，可都是门户紧闭，没有人愿意开门。

袁芦轩都要哭出来了，他对贾宜昌说，真没想到，关键的时候出这个岔子，这可怎么办呢？这可怎么办呢？

贾宜昌狠狠地瞪了他一眼，你不是很自信吗，还说简单！

可是，我没有想到，这么点事，要是平常，不是个事儿呀。

贾宜昌心里明白，这件事必须得办成，否则，不仅袁芦轩，就是他本人也是没办法交代。他想了想说，这样吧，人不需要你找了，你去把菜市场布置一下，像平常一样，都摆上菜，选择些新鲜一些的，摆整齐了，好看些。

袁芦轩问，可是没人卖，也没人买，那还成什么菜市场啊？

贾宜昌自信地吩咐，你只要把菜按照平常的样子摆到那里，人就自然有了。

袁芦轩狐疑地看着贾宜昌，心想，我这个在蛾眉镇混了几十年的镇长都没有办法把那些人的门敲开，就凭你一个新来的汉奸？

不过，贾宜昌还真是让人吃惊。当袁芦轩把菜市场的事办完返回十字街的时候，一群地道的中国老百姓正微笑着与日军拍照。按照摄影师的要求，他们摆着各种姿势，或亲切交谈，或微笑握手，或勾肩搭背，一派祥和友好气氛。

袁芦轩都看傻了，他不得不佩服贾宜昌，他心想，真是小看了这个狗汉奸了，还真是有两下子，可是，他是怎么做到的呢？

袁芦轩站着看了一会儿才看出问题来，他发现这些友好的、憨厚的农民他几乎一个都不认识！怎么可能？！蛾眉镇不到 2000 人的居民，421 户每家他都熟啊，每家几个孩子、几个老人，长得什么样，如数家珍，可是，眼前的这些人他却一个都不认识，这不是见鬼了？

就在他疑惑不解的时候，贾宜昌叼着香烟慢悠悠地踱着步子走到袁芦轩身边，你那边准备得怎么样了？

袁芦轩赔着笑脸，好了，准备好了……不过，贾先生，我不明白……

袁芦轩用眼睛扫视了一圈正在兴致勃勃拍照的那些人，这些人……

贾宜昌得意地笑了，你看，你办不到的，我就能办到。

贾家昌边吐着烟雾边说，很简单，这些活蹦乱跳的中国"老百姓"都是脱了军装的"皇协军"士兵。皇协军嘛，本来就是农民，他们被抓壮丁前不是种地的就是卖菜的，脱了军装不就是老百姓了吗？我就跟张贵团长打了一个招呼，选了些个看上去更像农民的老兵，让他们换上便装，你看，这些人一穿上老百姓的衣服就成了老百姓了——多像！

那边日本摄影师忙得不亦乐乎。随后，贾宜昌让袁芦轩带路，到蛾眉镇菜市场去。日本摄影师想象的主题是，大日军皇军到中国的菜市场买东西，不拿不抢，中国老百姓不仅不害怕，反而跟日本人有说有笑，场面感人。当然，这些卖菜的蛾眉镇人也是由那些"皇协军"装扮的。不过，拍摄效果令人满意。第二天"樱花计划"主席台旁的照片展板上就挂了一排日军与蛾眉镇老百姓亲切攀谈、问寒问暖、友好谦让的照片。那些照片的背景上，菜、肉、鱼、蛋水灵、整齐、品相好看，一派歌舞升平、欢乐祥和。日本摄影师拍完之后高兴地直咧嘴，好！大大的好！

第二天，世豪中学被早早地布上了岗哨，由"皇协军"团长张贵负责。日本人对"皇协军"不放心，让皇协军主要负责外围的警卫工作，日军自己人带着狗里里外外不知道搜查过多少遍了，他们要确保现场无任何危险。这可是影响到日本帝国形象的大行动，不能出差错。

仪式在学校的操场上举行，操场中间戳着两个旗杆，一个杆子上悬挂着太阳旗，一个杆子上悬挂着由一位中国古人的简笔肖像画构成的世豪中学的校旗。旗杆旁边的空地上临时搭建了一座不高的主席台，主席台上悬挂着几张日本皇军与中国老百姓"友好相处"的照片。留声机里反复播放着东洋音乐，几位日本士兵直挺挺地戳在一边。

袁芦轩站在蛾眉镇绅士们的最前面，他们整齐地排成一排队列等待着河岸中佐和那只摄影队的出现。

就在这个时候，李宝山匆匆忙忙地挤进人群，找到袁芦轩低声地说，老爷，出大事了！

虽然李宝山的声音不大，但是袁芦轩身边的头面人物却都听到了，他们围上了李宝山问，出了什么事？

李宝山说，街上打成一团了！就咱们跑了的那30条狗又回来了！跟那几条日本狗打起来了。

张家恒问，结果，结果怎么样？

李宝山有些痛苦地说，咱那些狗……都死了！还有茉莉花呀，真是条好狗！

许甲急着问，那些日本狗呢？

李宝山说，没有占着便宜，好虎还架不住十只狼呢，都伤得不轻。

许甲攥着拳头发着狠说，好，好啊！就这几条狗也能把个"樱花计划"搅个一团糟。日本鬼子也会有今天！

听许甲这样说，张家恒有些不屑地说，给日本人捐款，送东西的时候可没见你这样慷慨陈词。这回把日本人给吓着了，你才站出来说这种话……

许甲当然不高兴，你不也很积极地给日本人准备豆腐、豆皮的吗。袁芦轩制止两个人的斗嘴，谁也别说谁了，人不如狗，这就是咱们蛾眉镇。他们硬了咱们就软，有人给咱们出气了，咱们就豪言壮语。

邱先生说，也不尽然，我看世豪中学的庄临川校长，还有那个叫什么蔡捷丰的，都是有气节的人。庄校长对河岸中佐是不卑不亢，软硬不吃，蛾眉镇要是多有几个庄临川或者蔡捷丰就好了。

许甲说，还有袁耀祖啊，那孩子也不错啊。

袁芦轩直摇头，不提他了，这孩子跟着蔡捷丰学坏了，不听话，老给我找事儿。儿子大了不养娘啊，连爹也管不了了。

吕上清不像袁芦轩他们几个人那样抽烟袋，他吸的是香烟。他盯着眼前冉冉升起的烟雾，袁兄，我看你是过虑了，耀祖那孩子是有出息的。

他们正在议论着，河岸中佐带着有些狼狈不堪的队伍走进了世豪中学。袁芦轩低声说，小心着点！

这时，日军的军乐队敲响了军鼓，吹响了《君之代》，全场立即肃然，仪式正式开始了。

就在这时，突然，随着三声不大的枪响，河岸中佐、摄影机和那条叫"雄狮"的狗几乎同时倒下了。世豪中学立即乱作一团。人们向四下里跑去。袁芦轩也跑向校门，后面紧随着提着长袍马褂的头面人物们。

他们一口气就跑到了十字街，看着空荡荡的街道，袁芦轩突然停下了奔跑的脚步。他站在街头，望着前方被阳光照得光亮的青石板路对吕上清说，上清兄，你说，河岸中佐都被打死了，祸患被除掉了，我们还跑什么呢？

吕上清也如梦初醒般地说，对呀，蛾眉镇又能过上安静的日子了，这是好事啊！

许甲也说，这是大好事啊！再也不用担惊受怕的了。

袁芦轩的情绪被调动起来了，那就庆祝一下，宝山，宝山！

哎，哎，老爷！

袁芦轩掩饰不住轻松的口气说，我看，时辰不早了，宝山，你去桂山饭店订桌饭，大家都去那里。咱们要庆祝一下！你们都去。

袁芦轩指着蛾眉镇的头面人物们。然后他说，我先回去换件衣服，马上就到。

吕上清也指着过于正式的衣服说，是呀，穿着别扭，我也回去一下。

许甲、张家恒、徐克俭、邱先生等人也都纷纷说要先回去一下。袁芦轩笑了，那就让宝山先去订桌子，一个时辰后，咱们都到桂山就行了。

李宝山轻声地问，老爷，那钱……出在哪儿？

吕上清替袁芦轩回答了，当然就从咱们捐给东洋人的那笔大洋中出了，咱们当初捐钱就是为了买个平安，现在平安了，就不需要这笔钱了。

李宝山小心地问，可那……

袁芦轩挥了挥手，还啰嗦什么呢？！听吕爷的就是。他还不如你清楚吗？！

就在这时，似乎是在听从着某个号令似的，突然十字街的店铺所有的窗户都瞬间打开了。空旷的十字街头，还没有来得及散开的人们不由自主地扬起头来。

远处，一种神奇的、魔幻般的声音渐渐地向十字街的广场上空传来。阳光热烈的天空中，一种清脆的、金属般的声音飘然而下，随着声音，在蓝得如同宗教般的天空中，纷纷扬扬地下起了"金元雨"。

张志强

张志强，男，1965年9月生，内蒙古赤峰市人。解放军艺术学院文学系创作教研室主任。中国作家协会、中国报告文学学会、中国电影文学学会会员。创作长篇小说、报告文学20余部约800万字，创作影视剧作、话剧作品多部。获解放军文艺新作品奖、中国作家"剑门关文学奖优秀作品"、中国文联文艺评论奖等军内外文学奖多项。

合　唱

周雨青

一

　　日本人在任何事情上都愿意表现得挑剔而吝啬，用他们的话说，这就是秩序。

　　既然蛾眉镇已经是日本人的天下了，日本人的秩序当然也是要遵守的。所以，皇军要搞"王道乐土模范镇"的揭牌仪式，要一队学生当礼仪队、上去唱歌献花，镇长袁芦轩也只得照章办事。

　　皇军要挑选的礼仪队学员的年龄必须是十四岁到十七岁的少年，哪怕是十七岁刚冒个尖儿也不成。至于长相，基本的底线是眉眼周正。身高则分为三个档次，170厘米，165厘米，150厘米，同一身高档次的差额不多于0.5厘米。同时也保证，礼仪队里个头最高的孩子不会超过此地最高军事主官河岸中佐，让中佐先生尴尬。此外，在仪式上，向皇军献花的最好是个女孩，漂亮的女孩，漂亮而且声音甜脆、知书达理的女孩，这样就更合"秩序"了。

　　层层筛下来，二十个少年很快就凑了个齐。不过这少年易得，才女难求，蛾眉镇不崇新风，女子抡锄头比拿笔要利索得多，河岸中佐又要求苛刻，相貌、身条、嗓音、才华，像去机械工厂订购一台机器，务求严丝合缝，半个零件都不允许出错。

没闺女的人家闻讯都大松一口气，谁家要是有适龄的闺女，恨不得挖个窖藏起来。豆腐坊老板张家恒当着袁芦轩的面说，谁家的好闺女愿意送到日本窝子里去？到时候门一关帘一拉，到底是谁给谁"献花"就不好说了。

当然这是风凉话，他家生了两个，都是小子，最大的才九岁，他乐得嚼个舌头。

袁芦轩绕镇一圈，硬是没找出来个像模像样的女孩。本来他相中了薛裁缝家的薛二妹，第一天去说和，薛裁缝打着哈哈，说再商量，再商量。等袁芦轩隔天一去，薛裁缝就耷拉个脸坐在外间，一问才知道，薛二妹居然哑了嗓子。

袁芦轩急了，说，老薛，你这闺女可是要去跟日本人献花的，还要领唱，怎么就突然哑了呢？

薛裁缝把本就小的眼睛眯得更狠了，紧缩的眼皮几乎能夹断苍蝇腿，说，谁晓得呢？她一觉起来就变成这样了，你去问问日本人。要是不叫她去就算了，硬要她去，我把她绑着去。

袁芦轩又气又急，知道自己中了缓兵之计，可也只能认了，转头问一直跟着他的贾宜昌，这女的实在不好找，要不然问问皇军，找个清秀点儿的男的，涂点脂抹点粉，保证看不出来。

贾宜昌去问了，又趾高气扬地回来，说，河岸中佐说了，你们中国人在猪肉里面掺老鼠肉、麻雀肉就算了，这神圣的仪式录下来后，不光放给外国人看，还要放给天皇看。搁在几十年前，你敢拿男人充秀女蒙皇上？杀头诛九族都便宜你了。

袁芦轩觉得后颈脖嗖嗖发凉，只好又找了一圈，一无所获地找上了河岸中佐，说，河岸先生，我找到了一个，不认识字，可聪明得很，您看……

河岸中佐皱眉说，世豪中学里还找不到知书达理，通四书五经的女生？

袁芦轩赔笑脸说，世豪中学里就从没收过女学生。

河岸中佐思索一番，道，中国俗话说，腹有诗书气自华，若不识字，难免气质流俗。

这就是不行的意思了。袁芦轩垂头丧气地出了日军驻扎的妆台，迎面对守在门口的贾宜昌说，不成，不成。

贾宜昌哼哼地冷笑着说，袁镇长，你怕是没敢说，那姑娘脸上有斑子吧？长得跟苍蝇屎似的。

袁芦轩想乜他一眼，不过想想也就算了，他摸出鼻烟，手往鼻子上一按，说，那要怎么办？要是我有那本事，不如拃土造出个来。

二人边说边行，一转眼来到了蛾眉十字街，见从林大拿的饼铺里走出个十五六岁的女孩，手提着一整张葱花煎饼。她并不急着走，就近蹲在屠夫许甲的店门口，取了一把小刀，利索熟练地把油饼从中间划了两道，取下一块长条饼，又依样画葫芦，在剩下的两块半圆形饼的中央齐齐斩下一截来。一张大号煎饼变成了四片小号油饼，还能拼成一张。她把重新拼回圆形的饼放回纸袋，剩下的统统塞进了嘴里头，三嚼两不嚼的，就起身准备往西街走。

袁镇长认识这女孩，来蛾眉两年了，之前好像跟着哪个破落戏班混过五六年，后来不知怎么就到了蛾眉，在张家恒的豆腐铺里当个磨豆腐的小徒工。

许是这两天找女孩找的，袁镇长只要看到一个雌性，就把她从头到脚号上一遍，看能不能撞着头死耗子。这回这一看，他就走不动步子了。

别说，这女孩长得还真有那么几分小模样，虽然她的头发没怎么打理，看上去发蔫发黄，可她胜在皮肤白净，滑溜得像是刚磨出的水豆腐，一双大眼更是明亮得会发光，两片嘴唇不画而红，端的是个眉清目秀的小美人儿。

他走上去，拉住要走的女孩，问，小囡，哪儿去？

女孩坦然说，张家的俩小子就爱吃口林家做的煎饼。

贾宜昌看着这女孩嘴角挂着的葱花屑，心里一万个瞧不起，对袁镇长说，老袁，太君要什么也不会要个小偷子儿。

女孩这才想起要毁灭罪证，抹抹嘴角，说，谁偷了？我冤枉。

贾宜昌冷哼，对袁镇长叹道，太君要知道治下居然有这样手脚不干净的，非要生大气不可。袁镇长，你这是治理无方啊。

被盖棺定论的女孩自然不服，脱口道，怎生糊突了盗跖、颜渊！

贾宜昌被这一段词儿给整蒙了，回头问女孩，你说的啥？

女孩干脆地说，这是《窦娥冤》里窦娥唱的，我跟窦娥一样冤枉。

袁镇长追问，你识字不？

女孩搔搔头，说，我大字不识一筐，一碗倒还认得。不过我听会了二百多个戏本子。

袁镇长登时笑得像是看到了打瞌睡时送来的枕头，亲切地说，跟我走，我给你找个活干，包你比豆腐铺挣得多，来吗？

女孩挺干脆，说，有饭吃就行。

但贾宜昌颇有微词，抓住袁镇长说，不成不成，难道要一双偷油饼的手给太君献花？太君的威严何在？尊严何在？你这是欺瞒，是……

袁芦轩从袖口里排出五块大洋，贾宜昌立即住了嘴，喜笑颜开地接过，放手里掂了掂，又吹一口气，听了个响，就不再多言语。

二

于是，一批符合日本人严苛要求的少年，共计二十个，外加一个女孩，都被运到了蛾眉南街的妆台。这是日本人在蛾眉的大本营，是蛾眉的人和狗都敬而远之的地方。

这二十个少年都沉默地束手立着。袁芦轩在来之前就跟他们交代了不知多少遍，少说话，少办事，保不齐哪句话就能捅着日本人们的肺管子。尤其是对那女孩，袁芦轩几次交代，说河岸中佐喜欢知书达理的女孩，她说话的时候一定要悠着点，说得玄之又玄，弄得女孩也快快地没趣。于是一群人安静地站着，接受着负责揭牌仪式的加藤少佐的检阅。

他检阅少年们的眼光如同屠户许甲检阅猪肉，踱着和河岸中佐同样步幅的步子，时不时抹抹少年们的领子，用手指敲打他们的肩膀，比较在他们之中有没有人长着大到影响观瞻的脚，检查他们的皮肤上有没有碍眼的痦子。

少年们安生得如同一匹匹乖巧的小狗，而女孩也是落落大方，并无不妥，这叫跟随而来的袁芦轩心中甚慰，只等着河岸中佐来和自己交接清楚，他的任务便算是完成了。

十分钟后，河岸中佐便踏入了这片特意开辟出来的训练室。而加藤少佐早就听到了河岸铮铮的鞋底声，从河岸进门的十几秒前便整装待发，站定了脚，身体半面朝向门口，微微前倾，保证在门被推开的刹那，他能以最好的状态面对这位他尊崇的长官。

河岸中佐进门的时候，满意地看到了加藤少佐标准的军礼，听到了鞋跟叩击另一只鞋跟的震耳脆响。更让他满意的是中国少年们下意识地齐齐拔高挺直的脊背。这种服从和无意识的跟随，叫河岸发自内心地舒畅起来。

他的目光首先落在了女孩的身上，这是屋里唯一的雌性动物，又生得不错，自然惹眼。外貌这一关算是过了，河岸中佐对她的印象不错，踱到她面前，问，多大了？

女孩几乎是张口就来，小尼姑年方二八，正青春被师傅削去了头发。

袁芦轩一个激灵，赶忙往回找补，说，河岸先生，她是在尼姑庵教养长大的。

河岸中佐又问，叫什么名字？

女孩说，小尼，赵氏，法名色空。

河岸中佐问，读过什么书？

女孩差点捏起昆曲手势来，可关键时刻还是收敛住了，照本宣科说，《多心经》，都念过；《孔雀经》，参不破，唯有《莲经》七卷，是最难学，咱师傅在眠里梦里都叫过。

河岸对中国文化虽有涉猎，可谈不上中国通，对昆曲更是全无兴趣，所以他愉快地接受了袁镇长的说法，说，很有韵味的少女，讲话有滋味，单就这名字不好，色，空，不好，得再起一个。

说着他抬手摸了摸女孩的头，算是默许了女孩的加入，再一转头，他把这默许变成了明示，说，袁镇长，你还跟我开玩笑，这不是有合适的人吗？下次可不能骗我了。

话音未落，河岸中佐就听身后女孩用湖南花鼓戏的调子低低地唱了一句，日本子我把你的妈好有一比，比作那土戆狗罗。

这夹杂着方言和歌调的句子，河岸还没法理解，倒是跟随河岸出巡的皇协军团长张贵、贾宜昌和袁芦轩顿时炸出了一身白毛汗。

河岸中佐扭过头去，问贾宜昌，她刚才唱了什么？

贾宜昌张张口，这女孩经了自己的手，就跟自己有脱不净的关系，再说又白饶了五块大洋，他略思忖一下，便笑哈哈地说，太君，她恭祝您远在日本的母亲生活愉快。

张贵挑挑嘴角，最近皇协军被皇军支使得像狗似的，他对河岸也有意见，顺着贾宜昌的话就说，没错，她说祝您母亲生活愉快。

加藤少佐不懂中文，女孩刚说话的时候，他瞧袁芦轩们的脸都变了，就知道女孩说的不会是什么好听话儿，可见诸人解释后，河岸中佐并不像生气，反倒点头微笑，只好把心里的疑影儿压了下来。

为了把他的注意力从女孩的身上转移开，袁芦轩引着河岸来到一个面相俊朗的少年面前，介绍道，栗居安，世豪中学的学生。

这个头衔成功地引起了河岸的好感，世豪中学一直是河岸心里爬不过去的一个坎儿，现在有世豪中学的学生加入他的礼仪队了，他不由地冒出了一股愉悦的快感。

袁芦轩趁热打铁，说，栗居安可是世豪中学里成绩最好的学生，年年第一，还写得一手好毛笔字。对了，他的家就在蛾眉镇，他的父亲是做生意的，得了日本人不少好处与照顾，所以一听日本人要帮忙，麻溜着就叫孩子来了。

河岸中佐听到栗居安国学成绩好，更觉欣慰，说，好好，国文好。我说过多次了，中华民族的文化博大精深，还需要有人继承发扬下去才是。

栗居安听河岸这样说，像是有同感似的点点头，问，您也如是认为？

河岸得到一个知音，矜持地微笑着说，是。中国的文化灿烂辉煌，是几千年来的老祖宗留下的珍宝。而日本人则把中国创造的文化发扬光大，这就是合作，这就是共赢，这就是大东亚共荣圈的精髓。

栗居安摸了一把还没有生出胡须的下巴，说，您言之有理。不才小生出身书香世家，家父弃文从商后，祖父曾有一言，与您所言甚似。他说中华文化乃是千金不换之珍宝。为着护藏珍宝，祖父还亲自为我起了表字……表字是什么，您可明白？

女孩一旁听着，很是佩服栗居安的才学，即使她没能听懂。为了引起他的注意，她插嘴道，婊子？我明白。

女孩的插话没能引起河岸的注意，这有赖于中华民族文字音调的博大精深。他听到栗居安讲话与一般人不同，家学渊源又如此深厚，肃然起敬，说，我明白。起表字，表其德。我很愿意听听你祖父对你的期望是什么。

栗居安淡然道，小生不才，字鹏举。

一个鹏举，叫河岸中佐的心一下堕到了谷底。

岳飞，字鹏举，抗金名将，民族英雄。但在场的其他人，不管是张贵还是袁芦轩，都没想到这一层，所以没人出来帮栗鹏举打个圆场。

河岸中佐捺捺火，绅士地笑道，鹏举，好字，和岳飞一样的字，看得出来你的祖父很希望你将来能成大器。我也很敬重岳飞，不过岳飞戾气太重，也未能有一个好结局，希望你的结局不要学岳飞。

栗居安却并不恼，他像那些老派的读书人一样，礼貌地对河岸拱了拱手，不再说话。

河岸中佐等了半天还没等到他的下文，才意识到谈话已经被栗居安单方面终结了。

袁芦轩看出河岸中佐面色不虞，总算醒悟，插了进来，指着站在第二排的一个清秀少年，说，河岸中佐，这也是世豪中学的学生，叫虎阳，成绩也还不错。

有了台阶下的河岸不甘地把目光转向了虎阳。还好，他看上去很文静，低眉顺眼的，并没有他名字中弥漫的杀气与霸气。

一直与河岸中佐同行的贾宜昌抓住机会，也插了进来，指着和栗居安同样站在最后一排的一个瘦弱少年，谄媚地笑道，河岸中佐，您看，这是犬子贾玉壶。我从华北跟着您的时候，他和他娘就跟着我一块来的。

贾玉壶看起来是个有些木讷的孩子，以往的河岸一定会喜欢这样的中国少年的。因为木讷基本可以与顺从画上等号，顺从是河岸所赏识的中华民族的优良传统之一。

但是因为一个表字，河岸中佐的兴致完全被败坏了，虽然不如那条世豪中学的狗败坏得更多，也叫他像喉咙里卡着根刺，用中国话说就是如鲠在喉。

他想狠狠把这个栗鹏举收拾一番，但他的身份摆在那里，让河岸无法下手。他河岸收服不了世豪中学的老师，收服不了世豪中学的狗，若是连世豪中学的学生都收服不了，就太失大日本帝国军人的身份了。

于是，临走前，河岸中佐下了两道令。第一，把自己珍藏的钢笔赠给栗鹏举，第二，那个女孩既然入了红尘，就不能再叫法号，暂时起名，叫个樱子吧。

三

河岸中佐走了，袁芦轩也擦着汗走了。训练马上开始，时间紧迫，耽搁不得，贾宜昌做指挥兼教歌，加藤少佐负责维护纪律。

歌词和曲谱发到手里，每一句日文后头都用中文标注了读音，照着中文唱行行。除了樱子，所有人都认字，所以当加藤一脸庄严地唱着日本国歌《君之代》，而其他人都在磕磕巴巴地跟着读唱的时候，樱子就直愣愣地盯着少佐看。

一曲终了，贾宜昌对少年们说，鼓掌啊，都听美了，忘了鼓掌了？

几个人刚稀稀拉拉地鼓了几下，樱子就直眉瞪眼道，这是人话？

加藤少佐听不懂中国话，所以贾宜昌立刻代以训诫，用手中的厚木板一下敲中了樱子的头，喝道，说什么呢？当心皇军拉了你的舌头！

樱子直冲冲地说，像给死人听的，还不让人说。

有人牵头，少年们的胆子也大了点儿。有人说，就是，不能换首吗，跟唱丧似的。

贾宜昌突然挺庆幸加藤少佐不懂中文，好不容易凑齐这么一拨子人，贾宜昌可不想再出去找另一批。于是他虎着脸，吼道，叫你们唱就唱，哪里来的这么多话！这歌是艺术的结晶，你们多学着点儿！

于是大家都学起艺术的结晶来。尽管所有人都觉得这像是哀乐，好在是个短哀乐，一天时间，少年们就能对着曲谱一字一字唱下来了，就连樱子也能哼个调调。

结束训练后，少年们就要正式入住妆台了。但在樱子的住所上，大家有了争议。少年们住在平房的通铺里，她因为是女孩，日本人特意为她准备了个独门独户的帐篷住，但樱子不同意，一指帐篷，说，半夜里有人进来怎么办？

贾宜昌撇撇嘴，说，谁会进来？你把自己当香饽饽了？

144

樱子不理贾宜昌的话，说，我要跟他们一起睡，我怕黑。

贾宜昌还没发言，栗鹏举倒先说了话，男女授受不亲，不可。

樱子反倒跟栗鹏举怄上了，一指他，说，我要跟他挨一起。

栗鹏举可唬了一大跳，摸摸下巴，急道，这可不乱了男女纲常？绝不可！

樱子说，你不乱就有别人乱。给你的便宜你还不占？

贾宜昌说，别出么蛾子，给你的恩典就好好受着，少给自己找不痛快啊。

正僵持间，虎阳开口说了话，贾先生，这樱子其实是我远方的一个表亲，她既然是怕，不如就让她住进来和我挨着，也少给日本人添麻烦。

贾玉壶从樱子刚加入他们的时候，一有闲就瞅住她不放，也帮腔说，是啊，爹，让她住吧，她唱歌不行，我还可以教教她唱。

樱子哼道，我学了二百多本戏，几句鸟语还学不会？用不着你教。

贾宜昌自己做不得主，跑去如是这般地对加藤少佐一讲，加藤少佐批准了，于是樱子抱着铺盖乐颠颠地进了男生住的通铺，一进门就说，番王小丑何足论，我一剑能挡百万兵。不让我住我偏住。那个叫婊子的住哪个床？我睡他旁边。

住宿的问题解决了，茅房的问题又来了。少年们是礼仪队的，身份比一般中国人高贵，可以和日本士兵共用一个茅房，另有一个茅房，就开在男茅房边，可樱子进去转了一圈，噘着嘴出来了，说，里头都是狗粪。

贾宜昌说，日本狗是讲文明的，这是特地为它们设的厕所。要知道，这是中尉级别的厕所，叫你上，是皇军对你的爱护，是对中国女性的尊重。你不愿上，就去男厕所，或者露天上也行。

樱子不情不愿地回了通铺间，把事情一说，栗鹏举就摇着头说，人犬共用一厕，不知是看轻人还是抬重犬。

樱子说，不管，我要去上男茅房。

栗鹏举又急了，这成何体统？小小女子，怎能如此不知廉耻！

樱子总算从头到尾地听懂了栗鹏举的一句话，骄傲道，反正狗茅房留给狗上。我瞧今天那个姓贾的就挺适合的。

贾玉壶一听骂到了自己爹头上，嘟囔了起来，我爹不上那个厕所。

樱子斜了一眼贾玉壶，说，你爹那么像狗都不上，我凭啥上？

栗鹏举打断了樱子，少说些话。大家都是炎黄子孙，须得精诚团结……

樱子却说，炎黄屁，都是炎黄子孙，凭啥他就能打我？

栗鹏举摇头不悦道，果唯女子和小人难养也。你若真有如此骨气，大可不食其嗟来之食。

樱子好奇地问，什么意思？

有人帮樱子翻译，他叫你别吃日本人的饭。

樱子不屑说，哼哼，你有本事也不吃饭，别来这里啊。

栗鹏举说，家父有命，不得不从。可对日本人俯首称臣，恕难从命。这是读书人的风骨，你一介女子怎懂民族大义？

虎阳一看情形不对，立即笨拙地拉开话题，你今天干吗要骂那个长官？

樱子说，别提那个老日本子，当年在戏班里，那个班主就摸着我的头说，来，半夜来我屋里睡，我照他裆下一脚就跑了。我最讨厌别人碰我的头，像摸狗似的。

少年们一听，纷纷上来摸樱子的头，被樱子笑骂着赶开，不愉快的气氛很快便消散了。

到了大半夜，樱子起夜，迷迷糊糊地爬起来，朝茅房走的时候，突然觉得身后窸窸窣窣的，像是有人在跟着，她就带了几分警醒，绕进了女厕所兼狗厕里，蹲在门口等了一会儿，没听到什么动静。灵机一动，"哇"地一声喊叫起来，果不其然，门口的阴影里顿时扑出了另一个影子，奔着厕里就进来了。樱子顺手捞住了那影子的衣领，二话不说就用膝盖顶上了他的裆，接着就摸出身上的一样东西，专拣着脑袋戳。戳了四五下后，她就拖着那人绵软无力的身子，拖死猪似的往粪池走去。

在樱子把他的脸浸到粪池里前，听到响动的日本宪兵闯了进来。

拿灯一照，跟踪者贾玉壶的脑袋被戳起了好几个包，不幸中的万幸是他脸上没事儿，就是胳膊肘儿和拨棱盖儿擦伤了，一穿衣服也看不出来。

贾玉壶嗫嚅着说，我不是有坏心，我是怕她一个人去厕所出事儿。

樱子当然是不信的，她拿着今天河岸中佐刚刚送给栗鹏举的钢笔，理直气壮地说，要不是我拿了这个东西防身，保不齐他会对我做什么呢。就是这玩意儿真不好用，盖不好拔，否则非戳他几个血窟窿不成。

不仅如此，樱子第二天拉起了其他的少年们，说，贾玉壶是个淫棍。而且说不定还是个长了眼睛、专挑不该看的东西看的淫棍。以后有事儿可得避着他点儿。

四

三四天后，大部分人就把《君之代》的词儿背了个滚瓜烂熟，虽然谁都不知道为啥这鸟语拼拼凑凑的，就成了一国的国歌，可好歹任务完成了大半。贾宜昌也懒了，索性把练歌的任务交给了学得最好的儿子贾玉壶和虎阳，自己则乐得清闲。

这样一来，除了练歌以外，少年们的时间被全权交给了加藤少佐。他给少年们排合唱的队形，同时教樱子，上台献花的时候该怎样像个日本女人一样小步小步地走路。这是加藤少佐个人的审美趣味。出乎他意料的是，樱子乖巧得像个小猫崽，任凭他怎么揉搓，她都没有二话。樱子只会在贾宜昌不在的情况下，端出最乖巧的微笑，冲加藤少佐说，日你个红太阳。

加藤中佐听不懂，所以他对自己的训练效果颇为得意。但贾玉壶却吃了苦头，每次樱子在加藤这儿吃亏，她都要在贾玉壶身上找补回来，抢他的饭，用饭勺敲他的脑袋，唾他。贾玉壶也真像是个锯了嘴的闷葫芦，半点儿都不带反抗的，这也叫樱子颇为得意。

　　河岸中佐下令抓狗的事儿，和排练的事儿同步进行着。听说全蛾眉镇九十六条狗，有三十条没了影子，其中就有那条仅仅凭一狗之力，就一口气连日了河岸中佐两条军犬神驹的茉莉花。

　　只要茉莉花不死，关于河岸中佐被狗日的言论就不会死。樱子挨了几下子后彻底学乖了，决不在贾宜昌在场的情况下发表任何不当言论，也不在加藤少佐教导她的时候犯怵，可只要贾宜昌和加藤一走，她就兴致勃勃地开始指点江山了。

　　河岸中佐手下的日本狗被中国狗摔烂半张脸的时候，樱子可是在场的，她不止一次地向大家描述那一瞬间的画面，眉飞色舞地讲，你们可不知道，那一摔，那狗的脸立马就变得跟西瓜酱似的，骨头直挺挺地戳在外头，狗宝估计都摔烂了。啧啧啧，当时那河岸中佐的脸可比那狗的脸还难看。

　　奇怪的是，这件事少年们都听樱子讲过不止一遍，可大家都还是爱听，而且听完之后讨论得特别热烈，每个人脸上都带着兴奋的光。

　　不过今天樱子加了一句话作为自己的结语，她这样说，蛾眉镇的男人，真不如一条狗。

　　这叫少年们十分不服气，但事实摆在眼前，除了茉莉花，还真没什么像样的人去给日本人添堵，所以大家也没法说什么。

　　樱子损了他们一通后，神清气爽地出门来，想随便转一转遛遛腿，碰巧看到两条大狗站在女厕所旁，正在闭目养神。它们膘肥体壮，毛色油光滑亮，尾巴也不像蛾眉镇的狗，夹在屁股沟沟里，走起路来一扭一扭的，而是像狼似的竖着。似乎是察觉有人在看着它们，它们齐齐地转过脸来，两双眼睛里盛着淡漠的光，淡淡地看了她一眼，就转过了头去，像是根本不在意樱子，但又像是诱敌深入的伎俩。

樱子果然中了计，好奇地走过去，在离两狗不到三四米的地方，狗们却像是约好了似的，后腿蹬地，竟似离弦的箭似的直跳了起来，要撕咬樱子的喉咙！

她惊跳了起来，喊了一声妈呀，掉头就跑，一口气跑了十来米，掉头一看，发现狗们还在原地，刚才的杀意好像只是一个再普通平常不过的玩笑。她再一看，它们脖子上都系了条大粗铁链子，才大松了一口气。

她四下瞅了瞅，拾起一块土坷垃，挪近些，一下砸中了其中一只的头，不过它并不在意，抖了抖毛，一副不与樱子一般见识的架势。

樱子胆气更壮了，又狠狠地扔了一块，土坷垃在另一条狗头上炸开了花，那狗竟也不恼，回头来，冲樱子咧了咧嘴，像是在冷笑。

樱子还没反应过来，就被一股巨大的力量按倒在地上。

樱子喊了一句救命，被按得直弯下了腰去，正逢栗鹏举出门，见樱子被按倒，急忙上前说，二位如此对待一位弱女子，未免不妥吧。

中野和五郎建二，一人一边地把樱子提了起来。二人的爱狗纷纷赴了黄泉，上头又新送来了这两头，雄狮少尉和狂飙少尉，他们吸取教训，照顾得愈加精细，谁想到上个厕所的功夫，就有人敢对少尉动手！

中野粗通中文，生硬道，这是大日本帝国的少尉，是长官！她袭击我们的军官，该受到惩罚！

樱子说，它们刚才还想咬死我呢！

中野说，那定是你冒犯了它们！

樱子说，我就看了一眼！

栗鹏举见中野与樱子争执不休，又看了看二狗，嗤笑了一声，道，早听闻贵国狗与人同等尊贵，人狗不分，今日总算得见了。

中野听懂了人狗不分，怒喝一声，八嘎！

听到院里有争执，虎阳探头出来看了一眼，发现是日本人，下意识就缩了回去。

虎阳是被母亲带大的，长相仿母亲，性格也相近。从小不惹事不生非，小时候即使被小伙伴欺负得七荤八素，跑到河边洗洗伤口也就算了。他算账算得很精，就算自己打回去，把对方打出个好歹来，他也没钱赔，倒不如忍了。所以遇事儿他习惯性地就躲。不过回了屋，他还是告诉了其他人外头发生了什么，大家呼地一下都出去了，他则待在了屋里，隔着窗户打量外头的情况。

最后，这困局还是贾玉壶解的。他学着父亲的模样，点头哈腰说，这是要在揭牌仪式上给皇军献花的姑娘，不能伤着，要是伤着了，跟河岸中佐也不好交代不是？

中野和五郎建二一听樱子就是那个献花的女孩，也不敢造次。他们心下清楚，要是她出了什么事儿，河岸中佐必定要狠狠发落。于是，中野不情愿道，既然如此，她给我们的中尉跪下道歉即可。

樱子睁大了眼睛，可还没来得及说什么，贾玉壶就一脚踹在了她的腿弯上，她顺势就跪了下来。

中野和五郎建二见状，只好心有不甘地走了。但被踹跪在地的樱子爬起身来后，就咬着牙哭着劈头盖脸捶了贾玉壶一顿，回去更是哭了个昏天黑地，一边哭一边说，贾玉壶这个狗崽子，自己当狗不算，还要拉着她一起当。日本人的狗凭什么就金贵，就了不起？杀了一煮都是一顿狗肉火锅！

蛾眉镇的男人就是不如狗，她在贾玉壶这里找到了实在的佐证。

五

又隔了两天的下午，河岸中佐来了。

他总算是抹消了"鹏举"给自己带来的阴影，且他并不知道樱子与狗的龃龉，所以少了一桩可供烦心的事。再加上贾宜昌没命地在他面前夸奖自己的儿子，说贾玉壶可算是礼仪队里最用功练习的，每晚回家了都在唱《君之代》，让河岸中佐的心有了些许安慰。

不过，更让他感到安慰的不是贾玉壶，反倒是虎阳。不仅是因为他唱得和贾玉壶一样好，更因为他是世豪中学的学生。征服世豪中学里的东西，不管是老师还是学生，还是那条下落不明的狗，都会让河岸中佐身心愉快。毕竟近来烦心事太多，蛾眉镇的居民们似乎对皇军隐藏在揭牌仪式后的"樱花计划"有所察觉，每日都不缺来借机窥探的人，就连皇协军里的人也蠢蠢欲动，不知在打什么鬼主意。熬在这地方，还要演着笑脸相迎，演着将心比心，叫河岸中佐很是疲累，他需要找一个安慰。

所以，来到排练室后，他点名，让栗鹏举和虎阳一起唱《君之代》。

栗鹏举唱得有些打绊，但还是规规矩矩地唱了，虎阳则是一路顺畅地唱了下来，听得河岸中佐大悦，指节敲打着桌角，为二人击节伴奏。

一曲唱完，河岸中佐鼓了两声掌，先朝向栗鹏举，说，你家学深厚，可知这歌词是什么意思？用白话文就是，吾皇盛世兮，千秋万代；砂砾成岩兮，遍生青苔。日本的音乐配上中国的词，绝美，绝配。

栗鹏举咬咬牙，可又说不出樱子那样的粗豪之语，只文绉绉地顶道，见仁见智。

河岸中佐并不介意这酸话。中国人就是这样，想做个中庸的人，可又不安分，又不想去冲破点儿什么，这种毛病，岳鹏举再世也治不了。

河岸中佐想着，又转向了虎阳，微笑道，你唱得非常好。听说你的母亲生病了，是肺病，可对？我这里碰巧有些治疗肺疾的西药，比中药见效要快得多，你一会儿跟着贾宜昌去拿就好。认真的孩子应该受到奖励。

虎阳却并没有受宠若惊，他惊了。

他只是想好好唱歌，不惹事，少叫母亲担心，也可以拿些钱，治疗母亲的病。但他不想成为一个特殊的人，不想像贾玉壶那样，自从被樱子记恨上了后，就明里暗里地被嘲笑挤兑。被个女孩子取笑，他光想想就受不了。

沐浴在河岸中佐和蔼的笑容下，如芒在背的他突然想起了那条蹲踞在世豪中学门口的狗，茉莉花。

它老僧入定一般蹲踞在原地，闭着眼睛，像在诵念佛经，像是世间的一切都近它不得。

世豪中学放假后，他最放心不下的除了生病的母亲，就是那条叫做茉莉花的狗。

十分莫名地，自从见了茉莉花第一面，虎阳就觉得这狗不一般，带着一股子特殊的气，像是人气儿，而且是虎阳自己没有的人气儿。就是这股气吸引着他，总忍不住想多跟茉莉花见见，好像见得多了，那股气儿就能渡到他自己身上来一样。

他记得，自己以前想接近茉莉花，就拿着粮食去喂它，谁晓得茉莉花根本一口不动他给的食物，直到姚独眼出现，问他在干什么。

他说，我要喂狗。

姚独眼说，它也不爱吃别人给的东西。一狗不吃两家饭。

想起那时姚独眼说的话，他突然很希望成为那样的一条狗，而不是做这样一个人。

然而药还是拿到了，河岸还特许他在今日排练完后回家送药去。

排练一结束，樱子就好奇地凑过来，说，这是个什么呀，说是药，怎么闻着没个药味儿？

虎阳把药往身后藏了藏，被樱子强行抢了过来，在里头翻捡了两下，丢了一片在嘴里，咂咂嘴，说，日本人净骗人，这哪是药，是甜的呀。

话还没说完，樱子的脸就一变，呸呸地把药吐了，苦着脸说，外头是甜的壳儿，仁儿是苦的！

贾玉壶立刻捧了水过来，说，是药三分毒，怎么能乱吃呢？

樱子把水接过来，漱漱口，就往贾玉壶的脚背上吐。

栗鹏举看不惯樱子跑去在虎阳身边捣乱，对虎阳说，回去看看也好，令堂的病无人服侍，也甚是可怜。不过如果你有空闲，烦请给我父亲带个话，说不孝子在此一切都好，勿挂勿念。

虎阳心里乱成一片，听着每个人的话都像是话里有话，咀嚼了几遍，却品不出来什么别样的滋味，只好诺诺地答了是。

樱子又开口问：对了，为什么他们单单给你药？还让你出去？

这问题弄得少年们一阵沉默，有人突兀地开口说，因为他狗叫学得最好听。

说这话的人立刻被旁边的人拉了袖子，虎阳总算听到了他最怕听到的话，低头说了声我走了，我会去你们家挨个带一遍话，就急匆匆地跑了出去。

河岸赠的药，反倒把虎阳与日本人之间划出了一道之前所没有的鸿沟。

虎阳大步地跑出了妆台日军司令部，穿过十字街，瞅见了一辆潲水车，上头正摆着两桶开了盖的潲水。他如获至宝，拿着药包就走向了潲水车。

可他总觉得不对劲，回头一看，顿时觉得满大街的人都长得像日本人。

他立刻打消了丢药的念头，蹲在街边，苦恼地直抓头发。

蹲了一会儿，他才下定了决心，拎着药，一气儿跑开了，跑过稻田，踩过油坊桥，顺着河岸一直朝前跑，直到了一个河湾，才喘息着停下，寻了个僻静无人的地界，把一袋子药都给埋了。

埋完后，他的心跳得有点儿快，坐在地上稍作休息，四下看了看，突然发现有片地不大对劲，走过去一看，竟发现地上有一大片狗爪子印儿。

他心下一颤，想起来，河岸中佐不喜欢蛾眉的狗，他的那条军狗据说被世豪中学养的狗给日得不轻。前一段时间他刚下令，为防止狗瘟，要捕杀全蛾眉的狗。从那时开始，茉莉花就带着几十条狗不见了影踪。

再看看这些构成了一个奇怪方形的狗爪印，虎阳一阵心慌，像是发现了什么不得了的秘密，忙把能看到的爪子印儿都给抹了。

在抹到一半的时候，他在狗爪方阵最前方的正中央发现了一个奇怪的爪印，深深地楔进了土地里。那印子看起来发着黑色的淡淡油光，十分奇异。虎阳急忙抹了它，爬了起来，拍拍身上的土，一溜烟儿地跑开了。

谁想到，第二天一大早，虎阳就被河岸中佐叫到了他的办公室。在他办公室的桌子上，虎阳看到了一包熟悉的药，袋子上还有星星点点的新鲜泥土。

他心里清楚自己是被日本人跟踪了，一个哆嗦加一个脚软，险些摔倒在地。可河岸中佐并不生气，把药包往前一推，笑容满面道，看来虎同学不大放心西药的疗效啊。

他拍拍手，贾玉壶被领了进来，他显然还没弄清楚眼下是什么情形，敛声屏气。河岸中佐微笑着取出一颗药，说，这真的是有疗效的，也不会有毒，不信的话就叫他吃给你看。

说着，他把药往贾玉壶的方向一送，贾玉壶打了个冷战，本能地怀疑这真是毒药，但还是在河岸中佐的笑容和贾宜昌的瞪视下，接过药，把药片干咽了下去，噎得直瞪眼睛。

河岸中佐对鼻尖沁出汗珠的虎阳笑道，这下虎同学可以放心了吧？

虎阳不答，河岸中佐就转向了身旁的中野少尉，说，中野，陪虎同学再回一趟家，让虎同学的母亲服药。治病可是大事，马虎不得。

中野脚跟一并，响亮地答了一声是，便朝向虎阳，说，走吧。

见虎阳僵硬地被中野少尉带出门去，贾玉壶觉得卡在自己喉咙眼的药片在缓慢地融化，苦得他想吐。

虎阳被中野再领回来的时候已是中午了，他不声不响地往通铺上一倒，蒙进被子里，不再动弹。

樱子一回来看到这情况，推推他，问，干什么？捂痱子呢？

栗鹏举也问，有何不妥？

贾玉壶盘腿坐在虎阳旁边愣神，冒了一句，怕，他怕。

樱子哼了一声，他怕什么？怕你坐他边沿，天上的雷劈他不劈你？

贾玉壶抬手神经质地抓了抓自己的喉咙，没有言语。

而蒙在被子里的虎阳唯一觉得庆幸的是，他在埋药的时候抹掉了狗爪的印子。

六

听栗鹏举和虎阳唱过一曲后，河岸中佐的心就安定了许多，更有一种征服的快慰感席卷了他。

虎阳虽然不肯接受皇军的好意，对皇军不抱有信任之心，颇叫河岸中佐不满，不过虎阳的母亲吃了药，还是中野少尉亲自送去的药，虎阳即使不敬，也该怕了。知道怕就好，怕会教人学会服从。

心里安定了，他就常去排练室看排练，那些少年的一举一动都被训得如中国字般横平竖直，中规中矩，已有大日本帝国青年的风范，这叫河岸中佐欣慰不已。

但是，他很快听到了某些不好的消息。

某天夜里，贾君去找自己的儿子说事儿，谁知道听到房里头喊喊喳喳，少年们都在替虎阳抱不平，有人说，既然日本人逼人太甚，他们干脆学薛二妹，当个哑子，站到台上不开口，气死小日本佬。

这个消息引起了河岸中佐的担忧，但贾宜昌前来报告的时候，是带着主意来的。他拍胸脯拍得当当响，打包票说这事儿交给他，他保证办得妥妥当当。

第二天中午，一木桶饭和几样菜照例摆上了排练室的桌子，照例是樱子帮忙打下手，可大家还没上桌动筷子，几个日本兵就跑了进来，叽里呱啦地说了一通，谁都没听明白是什么话，后来又冲进了几个皇协军，又把饭原模原样地抬了回去，要少年们并樱子都待在屋里，不经允许不许出来。

这下大家心里都犯起了嘀咕，人一出门，就都叽叽喳喳地议论起来。

消息傍晚才传到大家伙耳朵里，这菜里下了吃一口就能叫人嗓子变哑的毒，下毒的人一定是那些在街面上传播皇军谣言的人，他们意图破坏皇军庄严的揭牌仪式，让皇军与天皇蒙羞，一定要彻底地查，狠狠地查。不查的话，下一次搞不好下的就是砒霜。

一听这话，大家俱是出了一身大汗，可栗鹏举不解道，为何我们昨日刚刚议论过想变哑，这药今日就下了？难不成是我们之间的人下的？

立即有人提出了怀疑对象，贾玉壶？

这话一出，说话人倒先出了一身汗，四下找贾玉壶的身影，虎阳说，别找了，不在。上次樱子说要避着他，大家就什么事儿都不当着他商量了。昨晚上也是，他去上茅房，我们才拣空儿说的话。不会是他吧？

有人说，就不兴他听墙角？

虎阳皱眉道，就算他听墙角，可他下毒是为着什么呢？

有人说，别是因为我们都远着他，他要报复吧？小汉奸，心都长得偏日本人，啥干不出来？

栗鹏举心细，笃定说，这也不对。今日他一直在你我身边，若有异动，我们该察觉才是。他可碰也没碰饭菜一下。

不知是谁提了一句，樱子倒是打了下手来着。

这句话一出，樱子自然引起了大家的关注，但今天的樱子格外沉默，被大家盯了老半天，才懵懵地问，看什么？

栗鹏举盯着她说，你可有做有违良德之事？

不等樱子问是什么意思，就有人主动自觉地当了翻译，他问你有没有下毒。

樱子一下炸了，说，你你，错勘贤愚枉做天哪。那饭压根儿没毒！做什么要赖我？

大家不信，都问，你怎么知道没毒？你吃了？

没想到，樱子点头道，我吃了啊，我运饭进来的时候悄抓了一把，日本人眼瘸没瞅见。

栗鹏举沉吟半晌，抓住樱子问，你以前可有偷食？

樱子脸上有点儿挂不住，羞恼说，可不能说偷！运进来也是被我吃，有什么不一样？

栗鹏举与虎阳对视一眼，在场大半人心下都明白了，小日本这是贼喊捉贼呢，他们不知从哪儿知道了大家想集体变哑的计划，又知道樱子爱偷吃饭，就在樱子偷吃过后，称饭里有能叫人变哑的毒，意在敲打他们，叫他们知道，他们的一切活动都在日本人的眼皮底下，警告他们要安分。

不过到底是不是贾玉壶告的密，还有待商榷。

只有樱子还不明就里，埋怨道，要是捉不到凶手，下次真下砒霜怎么好？

无人接话，不过少年们不是有意无视樱子，而是都在想樱子这话背后的可怕。

贾玉壶的进门中止了大家的谈话。大家各干各的，心里不是没有惧怕，可在这惧怕外又生着隐隐的不服，正如鲜花边生着野草，虎视眈眈地要夺走花的一切。

总之接下来的几天都很平静，至于这平静下翻涌的暗潮也无需再提。但一波未平，一波又起，孩子毕竟是孩子，闲是闲不住的，一旦好了伤疤就又忘了痛。农历初一的夜晚，闲着无事，大家又背着贾玉壶商量起来，这事儿不能就这么算了，这小日本居然敢威胁他们，当他们是一条狗，踹一脚就安分了吗？偏不！

上次他们讨论集体静默，这回他们讨论起要编一首骂小日本的歌。

在这方面樱子最有发言权，先起了个头，矮脚虎，个子小。

栗鹏举被樱子用胳膊肘撞了一下，才续上了后半句，逞恶风，弹丸岛。

樱子撇嘴说，连X他姥都不敢说，没劲。下一句从灭……灭……小日本哪个镇排起来算老大？

虎阳说，是东京。

樱子作指点江山状，随手一指虎阳说，就你了，从灭东京开始讲。

虎阳吭哧了半天，硬是没讲出来个四五六来，樱子不满道，灭东京，X他姥。抓天皇，砍他脚……

话还没说完，贾玉壶就哐当一声推门进来了，吓了樱子一跳。他在大家沉默的注视下，一语不发地拿了几样东西就准备出门，却不防被樱子伸出的脚绊了一个趔趄，差点摔个狗吃屎。

他站稳后没停留，匆匆地出去了。

樱子恨恨地骂，妈的吓我这一大跳。

被贾玉壶这么一打断，大家突然都有点意兴阑珊，樱子也觉得忒没意思，跑到贾玉壶的铺上，朝他的枕头倒了大半杯水。

正倒着，就有人问，咱到时候真唱啊？

樱子顿了顿，含糊道，到时候再说……再说，现在就编个畅快就成！

可没人有樱子那样的天赋，而樱子自己说了这话后，也没再继续编下去。这一夜就沉寂着过去了。

七

谁料到，第二天，贾宜昌就拉着张脸站在大家面前训话，大意是，既然吃着皇军的粮，就要为皇军做事，忠心耿耿的要有，背地诋毁的不要。如果放下碗就骂厨子，良心就大大的坏了。

这一通训话弄得大家蔫头耷脑，好不扫兴，即使训练早早地结束了，大多数人也没有多高兴。回到通铺里，气氛还是很紧张，大家都闷不吭声地坐着，谁都觉得好似有什么大事要发生，但谁都说不清楚自己为什么会这么想。

在一片静谧中，贾玉壶低头划拉自己的枕头，弄出细碎的声音，这声音招恼了樱子。她拔高嗓音叫道，好你个贾玉壶，你个碎嘴子跟老太太的裤腰带似的！我非好好给你紧一紧不可！

一多半坐在樱子附近的人一听她高声嚷叫，纷纷上来捂她的嘴，可樱子是个人来疯，越折腾她骂得越起劲儿，戏词和骂词儿一股脑地往外捅，你瞅我一瞅，黢了你那额颅；扯我一扯，削了你那手足！……你爹裤衩子没遮严给你放出来了……这厮睁着眼觑我骂那死尸；觍着脸着我咒他上祖！……

虎阳急得一头大汗，到处找栗鹏举，想让他来训一句樱子，樱子肯定听，可这当口他偏不在屋里头。

贾玉壶咬牙恨道，不是我！

说罢，他一指正拦着樱子叫骂的虎阳，略有心虚道，他娘吃过日本人的药，说不准……说不准是他呢。凭什么都说是我？

虎阳一阵错愕，不禁恼道，我还没说你呢，你倒攀咬起旁人来了！上次下毒的事，这次编歌的事，都是你告密的吧？不是你会是谁？

贾玉壶憋红了一张脸，费了好大劲才挤出一句，就不是我！

虎阳从送药那天起就积攒的怒火一下冲着贾玉壶全发了出来，从床上几步跳到贾玉壶的铺上，说，你不提那件事就算了，你不是还被日本人当试药的狗！你还不如狗！茉莉花还一口气日了日本人两条狗！

贾玉壶猛地一拳挥过去，虎阳跌倒，他摸摸被揍疼的胳膊，扑上去就和贾玉壶滚成了一团，翻翻滚滚，上上下下，其他人都在一边干看着，直到栗鹏举进门来，喝了一声干什么，两个人才气喘吁吁地分开，气怒地盯着对方看。

贾玉壶抹了抹嘴角，发现嘴唇被磕破，见了血，更像是斗急了的牛一样，脚趾紧绷绷地扣着床单，发狠的声音里都带了哭腔，你才是狗！你们都欺负人！告诉你们，你们都得死！日本人就没想你们活！

通铺顿时一片死寂。

贾玉壶从未享受过这样的待遇，没人要发声打断他的发言，没人骂他，他不大适应，一时居然忘了怎么说话，停顿了几秒，他才咽咽口水，谨慎地跳下床，拉开门确认了一下外头，确定没人被自己的喊叫声引来，才冲大家招了招手，让大家靠近些。

大家没再骂他，就连樱子也听话地贴近了些，少年们并樱子围成了一个紧密的圆，贾玉壶是圆点。

贾玉壶盘着腿坐着，小声地说，这是我爹说的。日本人狠得不像人，明天拍完后，他们就要撤退，封街，一通乱炸，一个人都活不了。他们亲善，就只亲善到咱们拍完他们要的电影为止。

有人问，电影？不是说是什么揭牌……揭牌仪式吗？

说话的人被自己的口水呛了一下，咳嗽起来，马上就有人去捂他的嘴。

贾玉壶咬咬牙，说，什么揭牌不揭牌的，我跟你们说，我们给日本人唱了歌，献了花，他们要把这些拍成电影，放给外国人看，说咱们和日本人可亲善了，然后转头就要灭了整个蛾眉镇！

虎阳睁大了眼睛，说，那不就是把咱们当枪使？

樱子急了，说，那咱们跑啊？

贾玉壶说，来不及了，就是明天。

樱子傻了眼，不是说七夕吗？

贾玉壶蔫蔫道，那是糊弄人呢，障眼法。把时间提前，悄没声把电影拍了，拍完了好封镇。

他说完，大家还是静成一片，有人在抖，有人在喘气，有人扒着枕头看着贾玉壶的方向，半晌后，樱子才问，你没骗人？那你会不会死？

贾玉壶惭愧地垂下了头，没再言声。

栗鹏举很快就冷静了下来，捻了捻空荡荡的下巴发了话，嗯，那就没错了，我觉得今日不对，日本人比往日紧张了许多，就去查探了一二。果不其然，这些外族蛮夷，言而无信。若有岳飞再世，必杀尽这些乱臣贼子。

这一番话让心里一片慌乱的大家顿时找到了顶梁柱、主心骨，纷纷问该怎么办。有人又提出要跑，栗鹏举仔细想了想，反对说，跑？此乃日本人之妆台，如何跑？再者说，俗语有言，跑得了和尚跑不了庙，我们若是跑了，父母该如何自处呢？

这主意不成，又有人冒出了新想法，说要在身上藏些个家伙事儿，趁明天办仪式，替蛾眉纵队把这帮小日本子给了了得了，干他个痛快。可栗鹏举摇头道，此言差矣，一是我们无处寻趁手武器，二是上了台，一有暴动，我等都将成为活靶。不妥。

一筹莫展之际，虎阳吞了口口水，说，倒不如……我们给他们捣乱，等临场的时候，我们给他唱个别的，叫他拍不成？

这个主意好，引了数票赞同，栗鹏举在仔细思忖后，也点下了头。

樱子见栗鹏举赞同，也立刻表态举手，说，上次那歌没编完，这次可以编全了！

一提到歌，有人想起了另一个问题，说，那到底是谁告的密？贾玉壶，是你吗？

既然都把底儿兜出来了，所以这个秘密的揭露更是无关紧要，贾玉壶痛快地说了，是我爹。我老看他趴门缝偷听，可他不叫我跟你们说，还叫我躲远远儿的。昨天我忍不住进来了，出门还被他一通臭骂，说我脑袋里头生反骨。

大家一听，虽然心情都沉重得很，可还是都笑了。樱子边笑边说，你爹脑袋才生反骨。你说你爹都浑蛋成那样儿了，你咋不发发狠革了他的命？

贾玉壶一本正经道，不行，那我可不就没爹了吗。

樱子不依不饶地说，对啦，你有那个爹，就不用死了。

贾玉壶被樱子一激，凭空生出好些英雄气概来，说，我现在跟你们是一帮的，要死一起死！

樱子说，呸呸，谁要和你一起死？我还没忘呢，你叫我给狗下跪，赶明儿你得给我跪回来！

贾玉壶见樱子总算对自己有了好脸，激动道，成！要是咱们做成了大事儿，我给你磕一万个都成！

被贾玉壶和樱子这一引，大家也都热血沸腾起来。虎阳激动得舌头都有点儿打绊，说，既然这样，那……我们就按我说的，唱一个……一个恶心日本人的歌，叫他们拍不成！咱们也能落个痛……痛快！

八

虎阳的提议，点燃了大家的热情，或者说大家不想讨论死不死的问题，也不想讨论会不会有人神兵天降来救他们于危难之中的问题。

有人提议说唱《好一朵茉莉花》，立刻被否决，说唱这歌软绵绵的，不如唱个热血激昂的，而且有人听过，姚独眼拿这歌来唤过茉莉花，大家可不想唱唤狗的音乐。

又有人提议唱中华民国国歌，《三民主义歌》，但又被否决了，有人还说，三民主义三民主义，国民党他们倒是来支队伍来贯彻一下救民于水火之中的主义啊。

栗鹏举提议，干脆不唱了，诵读岳飞的《满江红》，激情豪迈，壮怀激烈，却被樱子顶了回来，说那河岸鬼子不就说他们那哀乐好听吗，念什么诗，就用唱歌恶心他，最合适不过了。

讨论来讨论去，大家都没什么头绪，直到贾玉壶又开腔，说，索性就什么都不唱，反倒干净。

这和大家第一次的捣乱计划不谋而合，而大家也都在等待这么一个折中的答案，既能好好气一把日本人，又不至于气得太狠，把他们给杀了。虽然说到底都是个死，可死和死又有不同，谁都想选得死得轻一点儿。

栗鹏举最后一锤定音，说，不唱也是唱。一曲无字歌，唱我蛾眉魂。

商定要唱什么歌后，大家就畅想起来，会怎么死，死的时候是被乱棍打死还是被枪射死，谈这谈那，都很兴奋，没有一个退缩的，都觉得自己是在做大无畏的事情，又没见识过死长什么样儿。樱子还主动请缨，等到她献花的时候，她要往花里吐唾沫。为了攒够足够的唾沫，她决定从现在开始，就不再说话了。

大家絮絮地议论着，突然有人说了一声嘘，顿时整个通铺都安静了下来，还以为有人在外头。

那发出嘘声的是虎阳。他沉默了一会儿，说，你们听，外头什么声儿？

大家就都侧耳细听。少顷，有人不确定道，是下雨了？

虎阳立刻反对，下雨不是这动静。

樱子眨眨眼，说，听着像下雹子。

大家一窝蜂地拥起来看，都悄悄地，生怕惊着外头的鬼子。少年们井然有序地挨个来，扒在屋中唯一的窄窗里往外头看，没有一个人争争挤挤，每个人的脸上都是难以掩饰的惊喜。

栗鹏举小声道，七月天下冰雹。

樱子对道，六月份天飞雪。

说完，她扭头冲栗鹏举笑，骄傲道，我总算对上一句了。

不再有人说话，但外头像是有人在讲话，嘈嘈切切，叫人听不真切，少年们并樱子只能看到大珠小珠落玉盘，滚满一地的冰珠发着淡蓝色的幽光。

大家一直看到冰雹停止，才不约而同地回到了床上，望着天花板发呆。

农历初三的凌晨，一夜未睡的礼仪队被强拉了起来。大家心照不宣地装作迷迷糊糊的模样，不断询问要去哪里，日本人没多理会，只叫他们快些洗漱整理，一会儿就要出发了。

等到排成一队，沿着街道向世豪中学进发的时候，一股死亡将近的恐慌感才逐渐把大家笼罩起来。有人嘴里面偶尔哼哼两句变调的《君之代》，被同伴瞪上一眼，立刻闭上嘴，心中又生出些慷慨赴死的豪情来。豪情以一个稳定的数值，在二十一个人中此消彼长。

樱子走在最前头，凭她的见识，她弄不大清楚，自己只是去大街上买了个煎饼，偷吃了两口，怎么就到了这里，就弄到了要死的地步。不过正因为她闹不清楚这个因果，她反倒不那么慌了，只专心积攒口水。

贾玉壶跟在樱子后头，他望着泛白的天色，嘴里发着苦，又发着甜，自己和大家不一样，可到头来又变得一样了。他说不出来是好是坏，但这让他又困惑，又兴奋。

栗鹏举在想岳飞，在想他的风波亭和他的"天日昭昭"，想为他提字"鹏举"的祖父和为他起名"居安"的父亲，他想得全身发热又发凉，他想当岳飞，想精忠报国，现在这个梦想实现了，他要和岳飞一样要去赴刑场了。只不过上刑场前不能大声念一首《满江红》，着实令人遗憾。

虎阳的想法就很乱了。他想当英雄，但英雄不会连扔个药都要背着人；他想当孝子，但孝子不会想着把日本人给母亲的药扔掉。他想起走在他身前三尺远的栗鹏举，想起火爆的樱子和一鸣惊人的贾玉壶。他想起，他现在要去做的事，不像条狗，像个人。

在行到十字街的时候，前行的队伍突然停了，礼仪队随之站住脚步，一片议论嘈杂。虎阳看不到前头，但他清楚地听到了狗叫，像是前面有一片正在互相撕咬互相搏斗的狗海。

日本人在叫，狗在叫，尽管声音嘈杂，虎阳还是想起来了某些被他暂时忘记了的事儿。

自己在扔药的时候，看到了一群密集的狗的脚印，其中有一对，油亮亮地发着黑光，一看就知道不寻常，一看就知道，它是首领，是将军，是茉莉花。它帮蛾眉人日了日本狗，也让他虎阳，让蛾眉人，做个不想输给狗的人。

虎阳听着狗叫声，突然觉得心安，他觉得在蛾眉上空有一股莫名的流在涌动，他有种直觉，今天要出事儿，出大事儿，日本人也许并不用他们恶心，还有人要对日本人做些什么，这突然冒出来的狗就是预兆，就是信号。一向不那么胆大的虎阳并不觉得害怕，他只是有些遗憾：大家就像是岳鹏举，壮业到底没能做成，倒让狗先做了英雄。

周雨青

周雨青，女，1994年8月生，河南郑州人。解放军艺术学院2012级本科学员。两部电影剧本《久好》与《沉默南京》分别入选第五期、第六期广电总局"扶持青年优秀电影剧作计划"。

雄狮中尉的风花雪月

任如玉

枪响前的一瞬间，台下的雄狮突然狂叫起来。

"有情况，快卧倒！"河岸中佐边喊边顺势趴了下去。

枪响了，原本朝着河岸中佐飞去的子弹失去了目标，向着他后方还没来得及卧倒的随行官冲去，这短命的随行官没来得及反应，就一命呜呼了。

四周枪声大作，逃过一劫的河岸中佐迅速转移到安全地带，开始组织反击。

"中野君，带领一小队绕到礼堂后面，切断他们的后路！"

"五郎君，你率二小队从正面进攻，逼他们往中野那条后路走！"

"北川君，你带领三小队攻他们的侧翼！"

……

趴在地上的贾宜昌看着河岸中佐有计划地组织进攻，心里犯起了嘀咕：怎么回事？中佐好像知道要发生这些似的。

"看来河岸对于这场战斗胜券在握，妈的，"眼看着战斗快要结束了，贾宜昌心里暗想："我得找个时机立点功，要不到时候又要挨骂了！"可是头上密集的子弹吓得他根本抬不起头来。只听河岸中佐在远处朝他大吼："贾桑，我把雄狮少尉交给你了，它要是有半点差错，我就如你所愿让你变成皇军的鬼！"

贾宜昌吓得一激灵，赶紧应了一声："是！小的明白！"他环顾四周，发现雄狮就在自己的不远处。作为一条身经百战的军犬，大日本帝国的象征，雄狮本应随着先头部队冲锋陷阵，可这次，雄狮全然没有了往日的风采。它用两只前爪牢牢盖住头部，身体像筛糠一样不住地抖，看起来可怜极了。

　　这孙子也有今天！贾宜昌心里得意。可不能表现出来，现在皇军就是他的再生父母，别说是人了，就眼前这只畜生，他也得把它当亲爹供着。

　　他尝试着向雄狮伸出手去，谄笑着说："太君，小的……抱您出去？"雄狮的身体还在抖，看了一眼贾宜昌，哼了一声转过头去。

　　妈的，这畜生！看着雄狮对他不屑一顾的样儿，贾宜昌心里虽然不忿，但为了活命只得好好保护好它。他低声说了句"得罪"，便匍匐到了雄狮的身边。

　　贾宜昌非常紧张，生怕雄狮咬到他。虽然他家里也养了三四条狗，但那些都是用来看家护院的，若是不听话或咬人，打它们一顿就好了，让他这么温柔的对待一条狗还是第一次。出人意料的是雄狮虽然不屑，但对于贾宜昌伸过去的手并没有排斥。他尽量轻手轻脚地去抱雄狮，但还是不小心碰到了它的伤口。

　　"呜……呜！"雄狮发出了非常不满的声音，吓得贾宜昌赶紧道歉："对不起，太君对不起，小的这就抱您出去。"虽然头上不时有子弹飞过，贾宜昌还是心一横眼一闭，抱着雄狮冲出了礼堂。

　　战斗很快便结束了。三名刺客被击毙了两名，一名重伤在逃，卫兵们正在打扫战场，河岸中佐把贾宜昌叫到身边。

　　"贾桑，雄狮少尉呢？"

　　"报……报告太君，"没见过这种战斗场面的贾宜昌还有些后怕，"我已经把雄狮少尉送去了医务室治疗，估计没有什么大碍。"

　　河岸中佐满意地点了点头，拍拍贾宜昌的肩膀："嗯，很好。"

　　"是太君指挥有方，小人只是尽了自己的本分。"

　　"很好，"河岸中佐转了转身，看着躺在院子中央的两具尸体，

"雄狮少尉在这次战斗中立了大功，是皇军忠诚的士兵，我打算向松岗大佐报告，为它进行表彰，等它伤好了，就召开表彰大会。"

贾宜昌捉摸不透河岸中佐到底什么意思，按说皇军内部的表彰与否和他没有关系，河岸突然说起这个，一定有他背后的含义，为了保险起见，贾宜昌只能模棱两可地回答：

"太君的安排自然是好的，相信雄狮太君听到以后也会很高兴的。"

"那是自然，"河岸中佐看上去很骄傲，"为我们大日本帝国办事，自然是论功行赏。"

"是……是……"

"走，我们去看看那两个袭击皇军的到底是谁。"说着率先往院中央走去。

贾宜昌只能跟上去，当看到躺在那里的尸体时，他很是惊讶：

"姚独眼？"

河岸显然对于贾宜昌的反应非常满意，"没想到吧？"

"太君，他不就是个学校打钟的吗，怎么可能是游击队？"

河岸的心情看来很好，所以罕见地跟他解释了几句。

"贾桑，他们的计划我们早就知道，在请示过大佐阁下之后，我决定将计就计，要把他们一网打尽。可惜啊，终究还是跑了一个，不过他腿受了伤，跑不了多远。"

"太君真是运筹帷幄神机妙算简直如诸葛孔明再……"

"贾桑，"河岸中佐打断了他的话，"我们大日本帝国的军人不像愚蠢的支那人一样，我们不喜欢听这些奉承的话。还有，我跟你说这些的意思是，谁若不忠于大日本帝国，这就是他的下场，嗯？"

"明白明白，小人明白。"贾宜昌赶紧附和，身上冷汗都淌下来了，没想到这次马屁拍到了马蹄子上。都说女人心海底针，这鬼子的心思，也不好猜啊。

"报告！"一个日本兵打断了贾宜昌的奉承，"那个受伤的刺客有接应人，跑了没多远就被他们救走了。"

"真是一群废物！"河岸中佐很生气，"要全城搜捕，务必将他们抓住，明白了吗？"

"是！"

然后又转过头来对贾宜昌说："贾桑，好好干，皇军不会亏待你的。"

贾宜昌点头哈腰："是，是。"看着河岸离去的背影，贾宜昌咽了口唾沫。

这天，河岸正在办公室交代贾宜昌事情，突然医务兵进来报告，说雄狮不配合治疗，病情恢复得很慢，已经用了很多办法，医务兵们也不知该怎么办了。

"贾桑，你也跟我来。"说着河岸中佐和医务兵走了出去，贾宜昌赶紧跟在后面。

走进为雄狮特设的病房，贾宜昌就看见雄狮无精打采地趴在床上，几个医护人员围在它的周围，有的拿着吃的，有的拿着药片，可它谁都不理，还时不时发出"呜呜"的低吼，像是要咬人一样。

河岸中佐快步走上前去："这是怎么回事？"

拿着药片的医生，已经满头大汗，他说："报告中佐阁下，我们正在为雄狮先生治疗，可它非常不配合，不肯让任何人接近，我们很难办。"

"行了，你们先下去吧。"河岸中佐挥挥手。

那几个人如释重负般的赶紧退了下去。河岸中佐蹲下身子摸着雄狮的毛，低声和它说着什么。这时站在床边的贾宜昌拿起给雄狮的药看了看，刚想放下，本来垂着头的雄狮突然抬起头来，看了一眼贾宜昌，轻蔑地哼了一声。

河岸中佐一看，说："贾桑，你来帮雄狮把药服下去。"

贾宜昌吓得连连摆手："太君，我哪有那个本事，皇军都没有办法让雄狮少尉吃药，我更不行了。"

"你不用害怕，试试看。"河岸说。

贾宜昌硬着头皮把药放在雄狮的嘴边，喏喏地说："太君，求求您，把药吃了吧。"

没想到雄狮慢慢地把嘴凑到他的手边，伸出舌头，把贾宜昌手里的药吃掉了。

"吃……吃掉了？"贾宜昌惊愕，抬头发现河岸中佐的表情跟他一样，但很快又化为狂喜："很好！看来雄狮还是对你这个救命恩人很亲切的嘛！这样吧，雄狮以后就交给你了，照顾好了它，也算你为大日本帝国立了一功！"

就这样，贾宜昌由河岸中佐的随行翻译官，变成了名副其实的"狗奴"。说是"狗奴"一点都不过分，雄狮是一只军犬，再加上河岸中佐非常关心它，这让它的地位比人都高，尤其对于贾宜昌来说，伺候自家祖宗都没这么费心过。

在贾宜昌的陪伴下，经过两个多月的调养，雄狮的伤终于痊愈。它腿上的伤，经过治疗很快恢复了。但怪就怪在，雄狮的鼻子出现了问题，闻不到任何气味。找了很多专家会诊，指出关键在于雄狮的鼻腔受到了伤害，想要恢复，还需要漫长的复健过程。

作为一条军犬，嗅觉的好坏直接影响到它们能否继续生存下去。但当兽医院打电话来询问是否留下这只嗅觉退化的狗时，河岸中佐不假思索地坚持留下了，说它是捉拿叛乱分子的功臣，吩咐不惜代价都要恢复雄狮的嗅觉。

出院后的雄狮，已经和两个月前不可同日而语了。它的毛发更加油亮，头更加挺了，只不过鼻头抽动的频率比普通的狗更快，腿上的伤疤虽然没有了毛发，但这丝毫不影响它的威风。

在雄狮治伤期间，河岸中佐已经向松冈大佐报告，说雄狮是皇军忠诚的士兵，带伤尽职，在最紧要关头发出预警，及时避免了皇军惨重的伤亡，应该受到表彰，松冈大佐也同意了。

表彰大会定在雄狮回来后的第二天。贾宜昌也接到命令，和雄狮一起参加。

第二天的格斗场，气氛十分隆重。

雄狮穿上了新的绸布裤子，虽然掩盖不住腿上的伤疤，但这并不影响它的气度。经过了那场战斗，雄狮像浴火重生了一样，变得从容不迫，高视阔步，从排成一列的士兵面前走过，宛如正在散步的骏马，连带着跟在身后的贾宜昌也不禁挺胸抬头了几分。

"噗……"有人按不住笑了起来。听到笑声，贾宜昌的冷汗瞬间流了下来，他知道人们笑的是他，笑他那副狗奴才的德行。贾宜昌从没有觉得这段路有这么长，用劲儿攥了攥手里牵着的狗绳，引来雄狮抗议的"呜呜"声，贾宜昌又赶紧将狗绳放松一点，雄狮这才满意地继续向前走。

终于到了领奖台前，贾宜昌长舒了一口气。河岸中佐在讲台上对雄狮的所作所为大加赞赏，他已经不想听了，只想赶紧结束这场表彰，场上人的视线让他如芒在背。

一阵掌声响起，将贾宜昌的思绪拉了回来，他听到河岸中佐说："下面有请雄狮少尉登台领奖！"他知道该他上场了，赶紧整了整衣服，扯扯绳子，小声说："太君，该上场了。"哪知一直趴在地上的雄狮起身伸了伸懒腰，自顾自地往台上走，根本没理他。

贾宜昌很尴尬，但也很无奈。外面都传他是人仗狗势，他自己也明白，事实的确是这样。从他把雄狮抱出礼堂开始，他注定要与这条狗联系在一起了。雄狮就是他的衣食父母，是他得以继续为皇军效力的保证，离开了雄狮，他什么也不是。在那些日本兵看来，他只是一个懦弱愚蠢的支那人，命如蝼蚁一般。

雄狮受到了表彰，得到了吃点心的特殊权利。松冈大佐亲自奖励的点心，被装在一个精致的提盒里，交给了贾宜昌，嘱咐他这是皇军专门奖赏给雄狮的点心，要每天服侍好它。得到奖励的雄狮比起之前来更加盛气凌人，茉莉花死了，狂飙也在狗战中玉碎，蛾眉镇已经没有能够抵挡雄狮的狗了，这让雄狮愈加地不可一世。

作为大日本帝国在蛾眉镇的代表之一，雄狮自然每天都去镇上巡视一番。之前瀑布巡视时，四周还有中国狗在取悦瀑布，而如今，大老远看到雄狮，反应快的早就跑没影了，反应慢或者没来得及跑的，也都趴在地上，向雄狮表示它们的尊敬。每当贾宜昌在后面看着雄狮那骄傲的屁股一扭一扭时，总在想，这他妈到底是人还是狗？

可是渐渐地，贾宜昌越来越受不了了，雄狮变得更加傲慢。之前它放个响屁都难得，现在屁不仅放得响，还随地大小便，有次甚至趁贾宜昌不注意尿在了河岸中佐的办公室里，所幸他及时发现打扫干净了。

随地大小便也就罢了，最要命的是它到处闯祸。对于军犬来说，扑咬是必不可少的技能，可雄狮现在咬的东西可不止是训练用具：今天咬死了一只鸡，明天哪位的太太抱着死猫过来讨公道了……毕竟它是狗，所以罪过都落在了贾宜昌的头上，挨了中佐不少的骂。

一开始贾宜昌还会认真听河岸中佐的教训，回到狗舍之后再好言相劝雄狮不要这样，但却丝毫不见成效，雄狮根本不搭理他。似乎在它看来，贾宜昌的作用就是伺候它吃饭，至于其他，贾宜昌根本没有什么资格。

贾宜昌从一个中佐的随行翻译官，变成了一个养狗的，不对，应该是伺候狗的，心里别提有多憋屈了。他恨得牙痒痒，一只狗都能骑在自己头上，这是什么道理！

人为财死，鸟为食亡。贾宜昌来投靠日本皇军，说到底也就是为了个"钱"字，但这些天雄狮闯的祸，都要贾宜昌自掏腰包来赔偿。这还不够，还要伺候它好吃好喝，看着那些松冈奖励的点心，贾宜昌嘴里也流口水：妈的，老子这辈子还没吃过这么好的点心，倒让个畜生给糟蹋了。

一天下午，贾宜昌照例去给雄狮拿点心，回去的路上，看着盘里那香气扑鼻的点心，他忍不住了，手也不自觉地伸向了盘子。趁着没人，他挑出一块月饼形状的点心放在了嘴里，真香啊！贾宜昌不禁睁大了眼睛，仔细回味着嘴里的味道：嗯这是蜂蜜，咦还有虾仁，还有他从来没有吃过的像是花瓣的东西。原来这只狗的生活这么好，这是我一辈子都没吃过的东西啊！可是贾宜昌不敢多吃。

回到狗舍的贾宜昌将盘子放在了地上，边赔笑边说："太君，您吃，您吃。"雄狮慢慢踱过来，闻了闻盘子，却没有吃，只是抬起头来看着他。

雄狮的眼睛不大，但像口古井一样幽深，它一动不动地看着贾宜昌。做贼心虚的贾宜昌脸都快笑僵了，后背直发毛，他甚至觉得雄狮知道他偷吃了点心。

盯着贾宜昌看了一会儿，雄狮终于低头吃点心，贾宜昌也长舒了一口气，简直像从鬼门关遛了一圈，他自己也想不明白，为什么雄狮给了他那么大的压迫感。

渐渐地，贾宜昌对雄狮采取了放任的办法：它吃点心，那就给它吃，反正自己也能偷吃两块何乐而不为；它随地大小便，那就跟在屁股后面打扫便是；它到处闯祸，那就赔点钱就好了；中佐把贾宜昌叫去训话，他也只是敷衍地听着，压根没往心里去。

在贾宜昌的纵容之下，雄狮变得愈加张扬，在镇上横行霸道。毕竟是皇军的狗，镇上的人也不敢说什么，最多也就是在背后戳贾宜昌的脊梁骨。只是有一点很奇怪，雄狮坚决不踏进学校半步，走到学校附近的路口，就掉头，比来时气焰更加嚣张地往回走，怎么叫都不回头。

说到学校，贾宜昌想起庄临川一行自从狗战之后很久都没有露面了，有传言说世豪中学的校长老师都怕死逃跑了，还有的说庄校长宁死不屈，日本人一气之下把他们都枪毙了，总之谁也没有再见过他们。只不过每到晚上，镇上的人总能听到熟悉的歌声：天边的风，雨间的云，荷叶上的冰凌，腊梅上的蛙鸣，麦子熟了，麦子熟了……

雄狮最近有些反常，或许是到了发情期，跟镇上的一只母狗玩在了一起。别的狗都怕它，只有那条母狗不怕，甚至还咬它的耳朵从它嘴里抢食物，雄狮也近乎宠溺，从来不冲母狗叫，甚至每天近乎巴结地跟在母狗的后面到处逛荡。它俩老爱往稻田里钻，经常一溜烟就不见了影儿，怎么叫都不回来。不过一到傍晚，它俩准时从稻田里钻出来，一个往司令部的方向走，一个往学校的方向走，满嘴的油光，嘴上还叼着些东西，有时是块肉，有时是根骨头，总之鲜有空嘴的时候。按说作为一只军犬，是不能随便叼东西回来的，可没有皇军的监视，贾宜昌也懒得管它。一开始贾宜昌还在稻田旁边等着，后来看雄狮次次安全回来，也就由了它，白天把狗舍的门敞开，傍晚回来后再把狗舍的门关起来，倒也省了不少事。或许在贾宜昌的潜意识里，他巴不得雄狮有什么意外。

这天，雄狮比以往更早地从稻田里回来，嘴里叼了一只烧鸡，那香味，引得全镇的狗都抽动着鼻子，可谁也不敢上去跟它抢，就连那只母狗，也只是凑上去闻闻，舔舔嘴回去了。雄狮就这样昂首挺胸地叼着鸡，穿过大大小小的街道，回到了河岸中佐的办公室。

河岸中佐正在和一些军官们开会，追在雄狮屁股后面赶来的贾宜昌也来到了办公室门口，他知道此时进去抱狗不是时候，可看见雄狮趴在地板上啃着烧鸡，弄得地毯上满是油，他也不知道该怎么办了。

"还愣着干什么，还不赶紧进来把它弄走！"对于雄狮的这次闯入，河岸中佐并没有像之前那样纵容它，而是极其不耐烦的样子。

"是，是。"贾宜昌赶紧走上前去想要抱狗离开，可是雄狮一点都不配合，叼着鸡到处跑，弄得办公室里一片狼藉，甚至还对河岸中佐摆出了进攻的姿势。

眼看会议被雄狮打断，办公室里又被弄得乱七八糟。那几个日本军官嘴里乱嚷："跟着支那人，狗也变得不斯文了。""支那人的食物，又脏又差，真不知有什么可吃的……"在一旁的贾宜昌听着，拳头握了几握，可是他不能与他们理论，作为一条走狗，有什么资格抗争呢？

河岸中佐被雄狮气得火冒三丈。自从它伤好之后，性情与之前相比那是差了十万八千里，贪吃贪玩贪色，没有一点作为军犬的自觉自律，虽然救过自己的命，但也对雄狮的所作所为越来越失望。"罢了，罢了，"河岸中佐说，"畜生就是畜生，吃完这只鸡，就让它为天皇尽忠吧。"又对贾宜昌说："贾桑请回吧，这段时间辛苦你了，大日本帝国不会忘记你的。"

这句话却让贾宜昌不停地颤抖，是说自己没用处了？要杀人灭口？

在雄狮撕扯鸡腿的时候，从嘴里吐出了一个铁环，"叮当"的声响，吸引了河岸中佐的注意。他凑近一看，原本轻松的脸上写满了狐疑，"这是什么？"他又从雄狮的嘴里夺下了烧鸡，扒开烧鸡肚子，脸上变得满是惊惧，瞳孔突然放大，大喊一声"八嘎，有炸弹！"

"砰！"炸弹响了。

远远望去，司令部办公楼上空升起了浓浓青烟，整个司令部陷入了一片火海。

这时，从稻田里又传来熟悉的歌声：

天边的风，雨间的云，荷叶上的冰凌，腊梅上的蛙鸣，麦子熟了，麦子熟了……

任如玉

任如玉，女，1993年6月生，山东莱芜人。解放军艺术学院2012级本科学员。在《北京晚报》《人民法院报》《四川法制报》《山东青年杂志》《莱芜日报》、搜狐媒体、网易新闻中心等多家报纸、媒体上发表作品。

一片柳絮

钱　榕

一

　　姚独眼相信，茉莉花出现在世豪中学大门前的铁钟下，绝非偶然。

　　当河岸中佐正同校长庄临川大谈天皇陛下赋予的神圣使命时，姚独眼远远看到纹丝不动地坐在大铁钟下的茉莉花，拳头忽地攥紧了。

　　茉莉花一如往常耷搭着耳朵，眼睛只管看向虚无的远方，对河岸中佐以及他身边雄赳赳的军犬瀑布，置若罔闻。

　　"嗷"的一声，这条平日威风嚣张的日本神犬居然掉头就跑，甚至将试图阻拦它的士兵咬出了十几道伤口。

　　河岸中佐回头看着狂奔而去的烈犬，瞬间变了脸色。

　　在河岸转头的刹那，一片柳絮飘进了姚独眼的独眼里。

二

贾宜昌一瘸一拐小心翼翼地跟在河岸中佐的身后，大气不敢出。他知道，此时任何人上前搭讪，都只会讨个没趣。几年来，他学到的唯一法宝，便是不该出声时必须保持绝对沉默！他之前的两个翻译，皆因嘴没把严而丧了命。

几年前，在抗日将士挖地道、囤枪火，商议联手抗敌的时候，贾宜昌由人推荐，当了日本人的翻译官。

说是翻译官，人们背地里都呼他们汉奸，贾宜昌不是不知道人们的看法，但他有自己的小九九。汉奸就汉奸，总得有人当这汉奸吧？你不当他当，日本人有的是后备。况且依他当时的情势，当这翻译官几乎是唯一的选择。老母病重，娇妻待产，需要钱不说，保证她们的活着最要紧。他亲眼见过日本人屠城时的凶狠劲儿，每想到此，全身都不寒而栗。但老母和娇妻受不了邻人的白眼，偶尔也会对他说，我们的命不要紧，不能短了骨气啊，要不咱还是不当这翻译官了吧？贾宜昌就很激动，涨红了脸说，别听那些人胡说，去战场上送死还不容易么？！和鬼子硬拼，毫无胜算。爱国不能光靠血性，鲜血总会有流光的时候，不长久！我这是曲线救国！嘘，别吱声……

自从他在妻母面前瞎吹了一通后，他的内心起了真变化，似乎自己果然是一个隐蔽战线上的无名英雄。此后他一有时间就研究间谍，觉得做间谍是最明智之举。而做间谍最成功的方式，是忘了自己是个间谍，只有忘记了自己的意图与身份，才能真正让日本人相信自己，才能在关键时刻为抗日立下汗马功劳。虽然之前并无人来招募他当间谍，但他心里已为自己的行为找到了一种合理解释。此法的妙处无穷：当他越向日本人低头，越是逢迎附和河岸，他就越觉得自己是个英雄，而且是比只知傻战傻流血的战士更了不起的英雄！

为了让河岸相信自己，贾宜昌除了当翻译官，还做了其他许多动作。比如当年他跟随河岸血洗南京，夜晚宵禁时，河岸不经意提到皇军新运来了批军火，想试下火力如何。贾宜昌二话没说，当晚就在南京的某街道扬起了火把，接着，火把附近就遭到日军飞机的轰炸，火药的威力之足、造成的战果之盛，让河岸对贾宜昌的"忠诚"有了最初的了解。看着那些被炸毁的房屋和死伤的老百姓，贾宜昌并无罪感，相反，却暗暗感到自豪，觉得自己已经打进了敌军内部，正在完成一项无名而伟大的事业。

河岸来蛾眉之后，为了避免镇外的新四军扰乱皇军谋划已久的"樱花计划"，贾宜昌被指派朝一口老水井投毒，这口井距蛾眉镇十多公里，是镇外新四军主要的饮用水来源。

投，还是不投？贾宜昌的内心经受了巨大的煎熬。投，显然非他所愿，帮鬼子杀害抗日将士，他到底有些良心不安，他们可是自己的同志！然而不投，肯定瞒不过河岸，暴露了自己的真实想法性命难保不说，他肯定还会派别人来实施这一毒计。思绪只在电光火石之间荡了一下，贾宜昌便痛痛快快地接下了这活儿，心想，先接下来再说。

不出所料，河岸派了另一个日本兵跟着他，共同实施投毒行为，且毒药由日本兵拿着，他想掉包或减量都不行。

要成功，总会有牺牲的！这样安慰自己一番，贾宜昌的心情便平静下来。

刚想下手，一条黑狗从草丛中箭一般窜出，没待他反应，黑狗便将他扑倒在地，他想拼命往前爬，但左腿被这狗给死死咬住，动弹不得。回头看那日本兵，则被一个右眼蒙着黑布的男人一拳打晕，躺倒在地不省人事。那人正欲拧断日本兵的脖子，见贾宜昌看他，就改了主意。

独眼男子阴森森地向他走来。

今天怕是要命丧于此了。贾宜昌一边奋力与狗搏斗，一边在心里嘀咕着。独眼吹了一声口哨，黑狗松开了牙齿，眼睛却依旧牢牢地盯着贾宜昌。

河岸一声呼喝，将贾宜昌从恍惚中拉回神来。此时瀑布早已跑得没影了。

河岸盛怒之下走得很快，贾宜昌瘸着腿跟不上，索性慢下来，任自己落在队伍的最后。拐弯时，他回头看了一眼茉莉花，那黑狗依然哲人般遥视着远方。不知何故，就在他看黑狗时，那黑狗也有意似的转头望向他这边。他的心霍地一跳！一片柳絮悄然飘落在他头上。他用力摇摇头，拖着瘸腿，快步跟上了河岸的队伍。

三

看着河岸一行已走远，姚独眼仍一动未动。直至中佐气味消散殆尽，姚独眼才从沉默状态中回过神，疾步上前，走到硕大的铁钟下，不停抚摩着茉莉花的头。

给瀑布下药的妙计，还是受了河岸的启发。

姚独眼那天在野外无意中抓住贾宜昌，方知他们竟然想用下毒的方式整治新四军！心中愤怒至极，但表面上没动声色。他拎起贾宜昌的衣领，低声喝问他鬼鬼祟祟想往水井里投啥，贾宜昌摇头说，我也不知道，药是河岸给的。

姚独眼手上一紧。

贾宜昌的脖子被卡死，疼得轻叫了一声，抬头看到姚独眼的独眼里射出凶光，止不住浑身一颤，哆哆嗦嗦地说，可，可以叫他试一下。说着指了指晕过去的日本兵……

日本神犬瀑布将发疯，姚独眼事先有预感。所以当他突然看到茉莉花出现在大槐树的铁钟下时，狠吃一惊，手心攥出了汗。狗与疯狗，且是体格强悍、训练有素的发疯军犬相遇，后果难以设想。

没想到，结局却出人意料！这既令他欣慰，也深感疑惑：此刻，茉莉花为何会凑巧出现在这里呢？忽然，一股淡淡的清香袭来，穿过他右眼的黑布罩，彻入脑髓肺腑。他不由得抬眼往上看，发现古老的大槐树上遍布软软的淡黄色花朵，风一过，香溢满怀。这些天只顾埋头忙活，竟对这满树槐花开了都全然不知。他心内一颤。伸手摘下几朵槐花，吹了吹，放进嘴里慢慢嚼起来。嚼着嚼着，眼窝渐渐湿润。

师长最爱槐花。上战场前，师长带着勤务兵姚志远和茉莉花回过一趟老家。他乡下的家，是外祖母祖上遗下的，外祖母及他母亲都是家中独女，故这院子便由他母亲承继下来。院子分三进，前院院子里有一棵生长多年的槐树，每到夏天，满院清香。据他母亲告诉他，许多年前，这院子被人称为槐府。师长说槐花虽然不似牡丹富贵，没有梅花冷傲，更无桃花妖艳，但她质朴实在，洁致精巧，既可入药，也可充饥。早年粮食不够，师长母亲用家里的槐花和在面里，做成槐花包子当主食。师长吃，师长的小狗茉莉花也吃。当姚独眼还是姚志远时，想私制炸药杀敌，不料配方有误，就在爆炸前间不容发之际，茉莉花一阵狂吠箭一般窜出，领着师长和他从炮火里奔逃出来。虽然他的一只眼睛被炸瞎，茉莉花的耳朵、眼睛也被炸得半聋半瞎，但他们的命保住了。然而，师长却身负重伤。离开之际，师长慎重地将茉莉花交给姚独眼，叮嘱说，吃槐花长大的狗，与吃屎长大的狗，有着本质的不同。你要好好待它……

如今槐花开了，师长却已不在。

姚独眼嚼着嚼着，猛然蹲下身，搂住茉莉花长长的高昂的脖子，热泪横流。

一旁的庄临川看着含泪口嚼槐花的姚独眼，知其内心之痛。此时见他失控，便拍拍他的背，拉他站起来，牵起一直昂首默坐的茉莉花，进了校门。

四

河岸这一气非同小可。

因为狗势即人势，人势即军势，军势即国势！善战者，不待张军。这些天来，瀑布表现优异，已使蛾眉镇的狗们服服帖帖，狗主人们也如狗一样，唯唯诺诺，笑脸巴结，眼看形势一片大好。可是瀑布今天太丢人了！瞬间就让狗势尽失，那些原先大气不敢出的蛾眉哈巴狗，现在居然大摇大摆地跑到街上，撒欢调情、打架吠闹，就像欢庆什么似的。这还了得！多米诺骨牌效应后果极为可怕，务必将之扼杀于萌芽状态！去，把瀑布吊起来，狠狠打！中野中尉，你，亲自打！别的人都给老子看着！什么是忠诚，什么是勇敢，什么是背叛！什么是尊严！狗若不狗，则军将不军，国将不国也！河岸越说越痛心疾首，几乎声泪俱下。

中野中尉遵命暴打瀑布。他一边打它，一边打自己。两个都鲜血淋漓，泪眼汪汪。

中野中尉每一声鞭响，都似打在贾宜昌的心上，打得他心惊肉跳。

那天姚独眼抓住他和日本兵，得知他们要给新四军下毒，气得差点拧断他的脖子。贾宜昌朝日本兵后脑袋又揍了几拳，确定他已昏迷不醒，这才从身上摸出一张纸，将自己乃无名抗日英雄的真相告诉了姚独眼，并叮嘱他千万不要对外宣扬。

姚独眼肚子里暗笑，出生入死的真间谍哪会这么轻易就暴露自己？战争时期，对来历不明难分敌我的人，只会高度警惕，怎会在对对方一无所知的情况下瞎说身份的真相？但他并不揭穿贾宜昌，只详细询问河岸的打算。

下毒！姚独眼显然受到了启发。他从背囊里取出一点草药敷在贾宜昌左腿的伤口里，然后将日本兵手里的毒药拿过来，挖了一小块递给贾宜昌说，你将这毒药想法子喂给那个日本狗去吃，这些天，它太神气了！狗镇不狗，蛾眉的历史都要倒退。

贾宜昌只略一迟疑，姚独眼就锁紧他的脖子。他忙不迭地答应了。可是同志，那河岸要是知道井里没下药，问罪起来我的小命可难保啊。想起两个前任的悲惨下场，贾宜昌的声音都起了惊颤。

姚独眼一挥手，说，我自有办法。你只管放心回去。

那这日本兵怎么办？我一个人回去也会被怀疑的。

姚独眼斜了他一眼。哎，我说你这抗日英雄怎么这么娘炮？就这一点破事都处理不了，你还怎么当抗日英雄，啊？说着，拍一下那黑狗，它嗖地往前一窜老远。眨眼间，主仆二人便没了影子。

贾宜昌坐在井边想了许久，犹豫着是不是要将姚独眼给他的药丢到井里。不丢，河岸要是知道了，必死无疑；丢，这独眼必饶不了他。思前想后，他觉得唯一的办法只有逃。说干就干，他爬起来就跑。可刚一站起来，左腿就一阵剧痛，别说跑，就是走都根本迈不开步，才想起这腿给那黑狗咬伤了。他颓然坐在地上，静下心来苦思冥想。幸亏没跑，就是跑，又能跑到哪儿去呢？跑到新四军那，得让他回河岸那去药狗，跑到老百姓家，个个知道他是汉奸，肯定没好果子吃，跑别的地方躲吧，这里是平原，没有荒山野岭可供藏身。看来唯一的出路就是照独眼说的，回到河岸那里，见机行事。

决心下定，他开始行动。先是将姚独眼给他的一点药藏到腰带里，接着就用井边的一块木板往日本兵脸上泼水。虽是夏天，但井水却冰凉，泼了几分钟，那日本兵连打几个喷嚏，醒了。他们叽里咕噜说了一通日本话，日本兵便揎着贾宜昌回了妆台。

怎么给瀑布下药，贾宜昌可犯了难。那条狗平日由河岸的心腹中野看管与喂养，且中野是个兽医，对瀑布的饮食与状态极其关注，要想接近并非易事；再者瀑布那条狗有半个人高，凶猛无比，生人难以接近。但姚独眼说了，此事迫在眉睫，狗威不灭，必成大患。得尽早解决。于是贾宜昌开始留心观察中野和瀑布的生活习惯及日常作息规律。他发现瀑布有间单独的狗屋，为了安全，这狗屋不似一般的铁笼四面透风，它的三面封得严严实实，另一面只留一扇窗户通风，几乎和人住的房子一般格局。瀑布平时都在外面活动，只有中午和晚上在里面睡觉。而中野每夜锁好瀑布的狗屋后还有个习惯，便是在瀑布的窗台上点一支香。原来，河岸信佛，平日经常烧香，为了避免瀑布身上畜生的气味太重，每天夜里便在狗窗台上焚香一根。探得这一秘密后，贾宜昌便寻思着下药的时机和办法。

正抓耳挠腮之际，一个不是机会的机会来了。

原来，从老水井回来的头两天，他很担心河岸去检验老井，便时刻关注着河岸，有事没事都找事紧跟在河岸身边，以随时了解他的动向。这天忽然有人向河岸报告，皇协军里有人肚腹剧痛，腹泻不止，医生开了药也止不住疼。贾宜昌看到河岸听后脸上露出的不是关心和紧张，而是微微抬了抬下颏。他转身走向内室，拿出一小瓶药丸给贾宜昌，说，看来你没撒谎，老井的水里有毒了。去吧，将这药丸拿给那病人，每天一粒让他用水吞服，很快就能止痛了。

贾宜昌这才知道，之前让他往水井里投的原来是泻药，河岸居然让皇协军的人去试喝那水以做检验。这回他多了个心眼，问，太君，这药叫什么名字，这么神奇。河岸看贾宜昌傻头傻脑的样子，心情大好，遂笑道，说了你也不知道。麦角酸二乙基酰胺（Lysergic acid diethy lamide，简称LSD)。贾宜昌听了，确实不知道这是什么东西，这才想起河岸是化学博士，心里就一惊，这药不会是他研制出来做试验的吧？出门后，他悄悄藏了几粒药丸。

那皇协军因疼得厉害，便将剂量加大一倍服了下去。第二天早晨，贾宜昌就听皇协军团长张贵来向河岸汇报，说那人服药后的疯狂表现很是恐怖，一个人狂奔狂舞，拦都拦不住，最后撞到一棵大树上死了。

河岸表示遗憾，当然，神情中却没有透露出悲伤。但他吩咐贾宜昌去买些香来，为这不幸死去的皇协军燃一炷香。他不仅要在蛾眉镇人面前摆出仁义慈悲的姿态，在皇协军面前更要如此。

贾宜昌也来不及表示哀悼。他心中想的是赶紧完成姚独眼布置的任务，既然没有机会接触瀑布的食物，泻药估计是没用了，而这药据说是止痛药，说不定可以放在熏香里去熏。他记得小时候，家里就有人口服麝香，且这麝香还可以外用，也可以熏香，那这种什么基什么酸说不定也都可以呢，现在没有别的办法，死马权当活马医，试一把再说。既然口服大剂量能致人发疯，那熏香剂量得更大，于是将私藏的药粉全部掺进香火，半夜偷偷跑到狗屋将中野燃的香火给换了。妙的是这药无色无味，任中野医术再高，瀑布鼻子再灵，一时也觉不出来。

第二天，正巧是河岸中佐要去世豪中学勘察的日子。中野给瀑布穿了条绸布裤，它似乎显得比平日要躁动些，摇头踢脚，不时还无故吠叫几声。中野自言自语嘀咕了一句，这家伙今天是怎么了。一旁的贾宜昌听到，连忙巴结地对中野说，瀑布穿上新衣服很漂亮啊，看它自己也很兴奋呢。河岸闻言就转头来看，一见瀑布穿绸裤的样子就高声笑道，哈哈，皇军的狗就是有皇军气派，哈哈。蛾眉镇人说啥来着，雄起！哈哈哈哈！

……

"嘭"的一声巨响，吓得贾宜昌回过了神，定睛一看，中野中尉已倒地昏了过去，身边还倒着一个大铁桶。再看瀑布，已被打得血肉模糊。起先它还不停地蹦跳，吠叫，眼泪汪汪，此刻，已偃旗息鼓。

河岸中佐之前一直在不停地训斥瀑布，现在也累了。他有气无力地吩咐贾宜昌，待中野醒来，让他去世豪中学调查那只黑狗的来历。

是，太君，贾宜昌毕恭毕敬地回答。

五

姚独眼知道，茉莉花不战而胜，瀑布未悔而辱，让河岸气恨之极，他决不会就此善罢甘休。

但姚独眼不能因为河岸的不善罢甘休便生怯意。逃，只是懦夫之为，且将世豪中学和蛾眉人立即置于险地，这绝非他所愿意。不过茉莉花久疏战阵是显然的，虽然它是一条极为出色的混血狗，曾经在炮火中经历过出生入死的战斗，立过无数战功，可毕竟受过伤，又年岁大了。

他想悄悄带着茉莉花到几十里地以外的河湾去训练。可这天刚出门，就看到一个人鬼鬼祟祟地对着茉莉花猛拍照，他知道，一时半会儿，走也非易事。

茉莉花每天照常坐在槐树下眺望远方。这使姚独眼想到当年在医院养伤期间的事。

右眼绑着绷带的姚独眼坚持要和左耳缠着纱布的茉莉花待在一起。师长刚走，医院默许了他的恳求。医生给他和狗换药时，姚独眼在一旁疼得龇牙咧嘴，这黑狗却看着医生的手在自己耳朵上忙活，不吠也不闹。后来它经常长时间望着远方一动不动地打坐，像尊雕像。姚独眼认为它是因为眼睛和耳朵都受伤了才如此，内心十分痛疚，深感有负师长的嘱托。愧疚感与日俱增，便想急着回战场去拼杀，忘掉伤痛。

一天夜里，伤没养好的姚独眼正打算摸黑悄悄离开，这黑狗发现了，几日来不吭一声的狗把整个医院的人都给吠醒了。闻声赶来的医生把姚独眼按回床上，警告他要是这伤不养好，左眼也保不住。姚独眼老实了。茉莉花又救他一命。

有天姚独眼按捺不住好奇，跑到它身边，陪它一起坐了一上午，坐着坐着他似乎明白了些什么，这家伙是观察地形啊！它选择的这山包正好可以清楚的看清医院周围的地理情况，并且这山包上长的老树又可以作为遮蔽，只要位置得当，完全可以作为一个理想的观测点，随时掌握医院周边的动态，假若敌人来袭，可以提前计划好撤退路线。事实证明，姚独眼的想法是正确的。夜里，敌人突然偷袭医院，因茉莉花高度警觉，提前狂吠，使得医院及时进行了紧急撤退。

姚独眼因此立了大功，但他明白这份荣誉，本该属于茉莉花。

世豪中学一连几天无事。

自从看到有人拍照后，姚独眼每天躲在门内暗角处，看着静坐的茉莉花，以及门外的动向。

这天，姚独眼从庄临川那里要来五眼短笛，走到世豪中学的门口，吹起了五音阶的民间乐曲《好一朵茉莉花》。一直坐在槐树下冥思的黑狗，听到这曲子，立刻站起来，跑到姚独眼身边。姚独眼一边吹笛一边往校门内走，茉莉花一路跟着他，穿过三排瓦房，走进后门，到了一片空旷之地。

这便是学校的跑步场了。

六

中野中尉花了大半天功夫研究黑狗各个角度的照片，得出的结论是，那黑狗是刀枪不入的阿尔泰尔猎犬。

河岸中佐半信半疑，叫来贾宜昌一起看照片。

贾宜昌一看到照片上茉莉花那深邃的眼神，心里打了一个寒战。他当然知道这只神狗的来历，那天被咬后，他便问过姚独眼。但此刻他不能明言。只是嬉皮笑脸地说，这只狗，不过就是一条普通的狗，一条神经病呆狗。呆的时候呆，疯的时候疯……边说边觑着河岸的表情。河岸相不相信不打紧，重要的是贾宜昌得摆明立场，倘若这条狗真被当成了神犬，激起了河岸的好胜心，那它的命铁定保不了多久。

胡说！皇军的神犬岂会无端被一条神经病狗吓疯！你，去找中国人仔细调查这条狗的来历！河岸喝道。

是，是是是。贾宜昌低眉顺眼躬身答道。

转天，他来找河岸汇报调查情况。太君，我调查清楚了，这狗根本不是什么子虚乌有的阿尔泰尔猎犬，但也不是我先前说的普通的神经病呆狗，它可是很有来头。贾宜昌指着狗的照片说，边说边用余光看着河岸中佐的反应。

河岸推了推金丝边眼镜。

据贾宜昌平日观察，河岸每对什么感兴趣，或要做出什么决定前，都会推推眼镜。这黑狗是世界上速度最快的格力犬（也叫灵缇犬）与中国的神狗哮天犬的混血后代！贾宜昌说完抬起了头。

此语一出，中野中尉就在旁边捶胸顿足道，我就知道这个黑杂种非同一般，否则跟随松冈大佐南征北战多年的瀑布，怎会无端发疯呢？

河岸示意贾宜昌接着往下说。贾宜昌清了清嗓子继续说道，这种狗平时看起来很老实，但在关键时刻却会爆发出惊人的爆发力和战斗力，恐怕是其他狗难以比拟的，而且传说要是冒犯了它还可能会被诅咒哩。说完，贾宜昌小心翼翼打量着河岸的神情。

河岸沉默片刻，突然大笑起来，好，很好！金丝眼镜背后露出阴狠的杀气。

这一阵大笑笑得贾宜昌后背冒出一身冷汗。

中野，去！你去请川芎中尉来，我们一起去会会贾君口中这条杂种狗。

贾宜昌暗道一声不好，真是偷鸡不成蚀把米，一波未平一波又起，正苦思冥想怎么用计阻止河岸，忽然左腿伤口一阵刺痛，这刺痛让贾宜昌住了嘴。

七

待中野和贾宜昌走后，河岸冷静下来，又回到桌前仔细查看照片。这一看，有了新发现。他从抽屉里拿出放大镜，放在照片上左右上下缓慢移动着。

照片里除了那只黑狗，还有一样东西引起了他的注意："世豪中学"。这四个字粗粗一看，极朴极拙，然河岸用放大镜看得久了，便咂摸出味来。他自小在中国生活，可算半个中国通，对中国的书法艺术也略知一二。那字远看只是不起眼，挂在巍峨的校门上方，就如一个深山渔翁，寂寞垂钓而已。然细品慢嚼，他发现这几个字起笔凌厉但藏锋于转折之际，至中盘则劲厚敦实，及至收梢，却不再执着于笔法，只纵意于自然法象，如喜似嗔，如怒似嘲，尤其它以45度俯角悬挂于门楣，使得字体似实尤虚，蹈空亦沉着，入物形，得象似，端的是了得！

河岸久久地看着这块校牌，一时看得呆了。许久，他才回过神来，明白自己接下来该干什么。

这天，河岸再次来到世豪中学。与他同行的，除了目空一切的日本军犬川芎中尉（它前天刚刚以绝对优势击杀了瀑布），还有携带了大量礼物的随从。

他先是走到劝学堂前咔嚓一个立正，然后深深地弯腰鞠了一躬。随从们慌忙效仿。然后从容背诵了《荀子·劝学》中的一段。

世豪中学及峨眉镇的头面人物们都瞪大了眼。

他拿起小提琴，预备演奏一首中国的民间小调，但庄临川的一声咳嗽让他改变了主意。凝神片刻，他演奏了一首德国小提琴曲《忧思》。他将对战争的厌倦、对故乡和家人的怀念都融入到乐音中，使得这琴音带着一股非凡的魔力，摄住了全场的呼吸（包括他自己），几乎瓦解了弥散在空气中的无形敌意。

奏毕，他持弓弯腰致谢。现场一片沉默。他抬起头，发现贾宜昌眼里满含泪水，姚独眼在发怔，周围的人们大都一副沉醉的神情。心知此行获得了重大突破。

似是不经意地，他突然问，那只英勇的黑狗在哪？姚独眼双眉一挑，从发怔的状态中回过神来，在庄临川的耳边耳语了几句。庄临川朗声说，这里人多，它怕热，在跑步场乘凉呢。

八

一行人跟着庄临川穿过三排瓦房，走进后门，到了一片空旷之地。

百米开外，河岸看到了那只让他寝食难安的黑狗。黑狗似乎对将要发生的一切毫无察觉，依旧如老僧入定般坐在那里，仿佛周围的一切皆与它无关。而河岸身边的川芎中尉已支起前腿，嘴里发出呜呜的警告声，与瀑布第一次面对黑狗时截然不同。

跑步场不知何时已围满了人。除了蛾眉镇的头面人物们，还多了好些镇里的居民。大家小声议论着，都在等待着什么的发生。

临近中午，太阳光有些刺眼，照得河岸的眼镜片有些反光。在这片反光中他的心里回荡起刚才的小提琴乐声，脑子一片晕眩。看到人越聚越多，河岸不禁张开双臂，挥手朝周围的人群致意。

此时的姚独眼隐没在人群的暗影中，他在心里反复对自己说，不到时候，还不到时候。他看了看远处骚动的那群人、河岸身边支起前腿的日本军犬，再回头看看稳坐在跑道上形单影只的茉莉花，长吸一口气，然后闭上了独眼。

河岸的眼里突然飘入一片柳絮！他猝不及防，双手下意识地朝身边一挥，恰巧挥到川芎的头上。川芎立即像一支离弦的箭，"嗖"地朝茉莉花扑去。

人群里发出几声惊呼，大家伸长脖子，死死地盯着跑道上一动不动的茉莉花。

贾宜昌大张着嘴，大气不敢出，一双眼睛眨也不眨。

河岸正摘下眼镜去拈捉柳絮，还没来得及看那川芎腾空的雄姿，就听到近旁发出一声凄厉的哭喊，这突如其来的哭喊吓得河岸的手一抖，眼镜掉到了地上。

贾宜昌忙不迭两个碎步上前，弯腰去拾地上的眼镜。手指刚刚触到镜片，就被奔过来的一只脚踩了个正着，伴着镜片碎裂的声音，他感到手心手背都一阵剧痛！待那只脚从他手上离开，才发现他的手已被尖利的眼镜片刺了个对穿！

贾宜昌惊痛得发出一声尖厉的大喊！

河岸得知眼镜被踩碎，高度近视的他如入黑暗深渊，气急败坏之下，也发出一声狂喊！

川氠中尉脑浆迸裂，趴躺在地，只剩肚腹还在颤动。

茉莉花蹲踞跑道一端，在这片鬼哭狼嚎声中，伸长了舌头，微微喘息着。

钱　榕

钱榕，女，1993年9月生，湖南长沙人。解放军艺术学院2011级本科学员。在《解放军报》《三湘都市报》《创作与研究》《湖南文学》等报刊、杂志发表短篇小说、随笔多篇。

非 常 道

徐艺嘉

1938 年四月初九，晨。漫天油画儿一般的金黄色油菜花和处女般纯净瓦蓝的天把天地兵分成黄蓝两路颜色，两片丰满圣洁的云朵恰如其分如观音妙手点缀。

庄临川和姚独眼决定在这个神圣的时刻分道扬镳。

老姚，回家去吧，照顾好茉莉花。庄临川说。

姚独眼的双目迎着他，瞎掉的那只眼像天地未开一片混沌，睁着的那只却盛满风暴与纠结。

庄临川一袭白褂长衫，这个前蓼蓝县县长短小精悍，乍一看貌不惊人，狗都不理，然而他气定神闲的姿态和炯炯的目光，无不透露出他绝非等闲之辈。交代完，庄临川没做些许留恋，转身大踏步朝着蛾眉镇的方向走去。他步履稳健，行云流水般在天地油画里丹青妙笔挥洒穿梭，像雾像影又像风。

铺天遍野扑鼻醉人的野花香开始恣意践踏蹂躏姚独眼的鼻腔。自从眼睛瞎掉一只以后，他的嗅觉就变得跟狗一样异常灵敏，这点跟茉莉花找到了共鸣。他们从一人一狗渐渐活成了两只狗，狗的境界。或者说活成了两个人，人的境界。人中有狗，狗中有人，人狗附体的境界。倏忽间，花香变了频道，转成香血一样的腥香，这味道从上一次和日本人的血战开始就一直伴随着姚独眼，直到他死。

这是后话。

姚独眼急忙用功能健全的一只眼去搜寻庄临川的一线背影，白色的踪影还在山花烂漫中敏捷地腾挪闪跳，可在姚独眼看来，白影已经被刀光剑影的血海所溅花。这是注定赴死的一战。他们已经得到消息，日本人即将占领蛾眉镇，镇子必将遭到血洗。

妈了个巴子的，咱们走吧！这战争不是你的，也不是我的，更不是茉莉花这条狗的！姚独眼曾经发狠地对庄临川说。狗有什么错，人又造了什么孽，陷入这无休止的厮杀和搏命中。然而，他终生难忘庄临川当时的眼神，平静，坚毅。我回去，你走。庄临川说。

姚独眼甩甩头，不去想了。他擤了把鼻涕，血的腥香再一次涌入鼻腔。必须得走了！他知道，再不走就走不成了。生离死别之际，姚独眼朝庄临川的方向深鞠一躬，冲身后忠诚如子的茉莉花一摆手，走！

姚独眼逆行，朝庄临川相反的方向甩开大步。

突然一声怪响，一直安静的茉莉花像吃了毒药般扭曲了身体，不知是受了油菜花香的蛊惑，还是灵魂深处爆发了革命，调转狗头疯狂地追赶庄临川去了……

这个畜生！

就在前几天，庄临川率领的县大队游击队遭遇了日本人精心设计的一场伏击战，战斗空前惨烈，几十条膛线被磨平的破枪仓促中对阵日本一个小队嘎巴脆响射击精准的三八大盖，连土八路都算不上的战斗团队立马被洪水猛兽般的对手撕垮，丢盔卸甲和狼狈不堪这样的词都可以尽情派上用场。沉着冷静的庄临川组织残兵向日本人反击，遭到日本人的第二波疯狂冲击。姚独眼身手矫健，枪挑刀劈接连干倒两个鬼子，这时一个日本兵端着刺刀扎向瘦小的庄临川，情况万分危急，姚独眼大吼一声如一道长城幽灵跃起身体护住庄临川的同时甩手一刀刺中日本兵的肚腹，可是日本兵的刺刀也毫不留情地骟掉姚独眼一只半睾丸，疼得姚独眼大叫一声几乎晕厥过去。鲜血直流的日本兵依然不依不饶，仰躺在地上拉动枪栓准备开枪。

茉莉花像一道闪电般冲了上来一口咬断日本兵的右手，伴随着一枚手雷的突然爆炸，出生入死的茉莉花身负重伤。

庄临川带领几个部下成功突围，跑到一个村子暂时安顿下来。

人是活下来了，可浑身是胆的姚独眼感觉自己活得距离完整人形愈发地遥不可及，身上的创伤从十五个增加到十七个，新添的刀伤贯穿后背，最惨烈时三把刺刀同时捅向他的胳膊、大腿和右胸，领略过万箭穿心感觉的躯体虽九死而犹不悔。姚独眼觉得自己身上的零件包括五脏六腑都挪了位置，疼痛无时无刻不在捆绑和撕扯着他的身体，以及他的尊严。外表上他是条汉子，是个战斗英雄，内心里他其实就是个人彘。他开始滋生出一种恐惧，一种排除战争与搏杀之外儿女情长的忧虑，担心万一有一天他的四肢需要搬运才能够移植到躯干之上，到那时，田寡妇定会弃他而去。当初为了反抗地主才扔下锄头拿起枪杆子参加八路的姚独眼再一次迷惑了。如果不是庄临川，他早就当了逃兵。性格暴烈的他曾在一个团长手下当差，因触怒上级差点被"处置"掉，恰被庄临川撞到给救了下来，从此他成为庄临川背后的一个影子。庄临川教他打枪，用刀，并让他看护战狗茉莉花。有人讥笑姚独眼就是庄临川的另一条狗，他毫不在意。在他看来，庄临川就是神。他有勇有谋，胸有沟壑，总能一手定乾坤，一手平波澜，让姚独眼佩服得五体投地。他知道，他这辈子也不可能达到庄临川的高度，他也不需要达到那样的高度，他只需要瞻仰和追随就足够了。在庄临川的感染和调教下，姚独眼作战英勇，刀枪娴熟，很快就成为庄临川的副职。庄临川对外身份先是县长，后是世豪中学校长。十年前，他在别茨山暴动中像一缕青烟神秘失踪，他的公开说法是在江南做了十年茶叶生意，实际上是在部队任职。日本鬼子打进中国后，庄临川临危受命，作为中共高级地下干部继续潜伏在蛾眉镇，秘密部署抗日队伍，姚独眼则充当庄临川和组织之间的联络员，并在外线和日本人进行了几次正面冲突。正是这几场恶仗，让一向天不怕地不怕的姚独眼伤痕累累，并触动内心深处那块最柔软的田地，乳香浸着他，吸附着他，魂颠梦倒着他，令他悄然萌生退意。

姚独眼没想到日本倭寇竟然如此强大，他们装备精良，训练有素，作战顽强，跟姚独眼这帮土八路之间的差距具有天壤之别。第一次遭遇伏击战，他带领的一个排的队伍只坚持了不到一个钟头就剩下寥寥数人，姚独眼被打蒙了。还有小鬼子那种不怕死的武士道精神极端又令人胆寒，他亲眼见到一个身受重伤的日本兵面朝太阳嘴里一阵叽哩呱啦后，毅然剖腹自戕也不做俘虏的惨烈场景。后来他从庄临川口中得知，那个自杀的小鬼子是以那种方式效忠所谓的大日本天皇去了。在之后的一场战役中，姚独眼失去了一只雪亮的眼睛。

恰时，庄临川接到上级内线情报，日本人即将进驻蛾眉镇，并且计划将这里作为一个试点，建立一个所谓的"王道乐土"。但他们知道，日本人是蛇蝎心肠，黄鼠狼给鸡拜年没安好心，"王道乐土"之后必将血洗蛾眉镇。庄临川必须回到镇子进一步摸清日本人动向，组织起镇内外力量抗日救镇。

为了打赢这一场战役，庄临川命姚独眼伪装成他的亲戚，和他一起回到蛾眉镇作战略部署。姚独眼竟然不可思议地跟上司庄临川发生激烈的争吵，要求不回蛾眉镇，回乡下老家跟田寡妇结婚生孩子过日子……

你这是逃兵！庄临川第一次震怒了。他不容许手下出现逃兵贻误战机。他甚至威胁姚独眼，想走可以，命留下。一个军人，不是普通老百姓，应该以服从命令为天职。国难当头，应以国为天下，而不是以家为天下！军人，死也要死在战场上。

庄临川望着姚独眼，熟悉又陌生。他清楚这个追随他多年的战将在想些什么。

在参军之前，姚独眼只是一个乡下的长工，给地主家没日没夜地干活儿，日子像西北贫瘠的黄土，生硬且没有盼头，直到他跟村头的田寡妇有了私情，姚独眼的人生豁然变得敞亮起来，感觉生命有盼头了。寡妇门前是非多，寡妇风流传千里，田寡妇跟姚独眼一齐被村里人的口水淹溺了，被逼无奈，姚独眼一气之下逃出村参了军，为的是以后能过上像人一样的日子，明媒正娶田寡妇做老婆。姚独眼一小就没了娘，父亲临死前把他叫到床前，千叮咛万嘱咐让他一定要想办法娶妻生子为老姚家传宗接代，是为孝。然而战争改变了旧有生活的一切游戏规则，以现下这种状况看，姚独眼娶田寡妇的日子遥遥无期不说，说不定那一场战斗一个不留神，他的命就没了，他受命的祖训也就泡汤化为乌有了，是为大不孝。自从有了这个念想，姚独眼的屁股上就拴了一根缰绳，八头牛也难以拉回。

我姚独眼死不足惜，可我说什么也得给姚家留个后！我答应过我爹！他堂堂正正如此对庄临川掏心挖肺地说。

庄临川最终妥协了。他摇摇头，像是替姚独眼感到悲哀，又像对自己失望。我最终连你都没有改变。庄临川具有中国知识分子共有的特性，忧国忧民，壮怀激烈，怀有远大的抱负。国难当头，庄临川发誓将日本人赶出中国，他深谙国民性，对于奴性意识盛产汉奸深恶痛绝，但街坊邻里百姓间亦不乏铁血爱国志士，这是炎黄子孙积淀五千年遗留下来的血脉精华，亦是这个文明古国绵延千载生生不息之链接内存，民族不屈不辱之精神版图。他想把蛾眉镇作为一个试点，发动劝导民众起来勇敢地揭穿日本人的丑恶阴谋，反击日本人，让小鬼子见识一下素有文明礼仪之邦称谓的蛾眉镇百姓抗击日寇侵略的爱国精神、民族气节和智慧顽强的战斗能力，一雪国耻。

可这些大话他没有对姚独眼说，说了他也听不懂，只能贯穿内存于他周身上下每一个细胞。庄临川见姚独眼去意已决，亦珍惜他一身战伤终于寻找到一生依靠，便答应他卸职回老家完婚，前提是需要几天想办法跟上级组织那边对接一下，再继续照看几天茉莉花，直到有新人前来交接，一代新人换旧符。

姚独眼答应了。对于这一人一狗，他有诸多不舍。

在等待的过程中，姚独眼的欲望前所未有地膨胀着。一想到田寡妇，想到即将拥有的平淡步入正轨的生活，他整颗心都在狂跳。茉莉花似乎感染了他的情绪，也跟发了情似的，白天在花丛中疯扑，夜里吠叫不止。

天有不测风云，就在等待这短短的几天时光，居然横遭这样的变故。一人一狗，几乎同时丧失了生命能力，成为两个物种的经典残疾。姚独眼整个变了一个人，沉默寡言，一只独眼更加浑浊不堪，走起路来失去重心似的摇摇摆摆，常常像一尊雕塑一般站在村口遥望远方发呆。如影随形的茉莉花已经又聋又哑只可意会不可言传，浑身上下每一个细胞似乎都长了眼长了耳，练就一身大将坐佛功面无表情，不言自威。庄临川懊悔自己没有早一点让姚独眼走。

庄临川琢磨透姚独眼心事，暗中派人吩咐如此这般那么办。

一个雨后初晴的傍晚，风尘仆仆、风韵犹存的田寡妇突然出现在姚独眼面前，月亮般照亮了姚独眼的一只独眼，唤醒了深埋在他心底里的那座火山，田寡妇披着红袄，在漫天油菜花的映衬下，就像一团生命的火焰，他从田寡妇微露的领口端嗅到一股久违的母性温馨和奶香。

庄临川为他们主持了简单的婚礼，参加的只有几员残兵，茉莉花始终陪伴在姚独眼身边，神情肃穆，好似一位庄严的伴郎。

当晚新婚，当晚火山喷发，当晚没有出现滚烫的可以融化女人的岩浆。

一轮满月凌空高照，姚独眼伫立在村口雕塑，茉莉花雕塑，一高一矮两尊黑漆漆雕塑阴森凛凛，寒气逼人。夜色美得透彻，四周围不眠的蟋蟀群体在纵情歌唱毫不知疲倦金嗓子不倒，人类面对各种动物在单兵作战功能上清一色颓势一律败下阵来，却可以任意主宰并统治着这个世界，实在是令动物世界费解的一道哥德巴赫猜想难题。月夜皎洁干干净净，无风无雾，无头无尾，无遮无拦，略带一丝甜味的湿润空气浸润着铁血男儿的脸，日本人如果这时候闯进村子，相信历史一定会被改写。

庄临川身披夹袄走近雕塑，盯着一只鬼火般闪烁的独眼问，行吗？鬼火一闪，不咋行！咋办？鬼火又一闪，她愿意跟我，但是……有一个条件。啥条件？鬼火一闪，跟她回乡下家去。你答应了？鬼火闪闪，我……嗯！庄临川死死盯着鬼火，鬼火一闪一闪，悠忽悠忽黯淡了下去。庄临川抚摸着茉莉花缎子般油光光的头，比抚摸儿子还深情脉脉无限感慨。茉莉花此时此刻全部情感和灵性都凝结成坐禅版的活化石，斑驳记录着战争、厮杀、血肉、骨头、男人、女人、柔情、黑夜和洞房……黑夜里，庄临川感觉跟茉莉花心有灵犀、灵魂相通交融，彼此交流完全无须用五官只需灵魂的阅读默认和欣赏，人狗链接深沉的心思和价值，夜无边，情无际，生生死死患难不息难离难弃。他联想起半夜伏击鬼子车队、萧何月下追韩信、林冲雪夜上梁山……庄临川心潮起伏，百感交集，轻轻拍拍茉莉花的头，带茉莉花一起走！说罢，他一骑独行，穿破浓夜千回百转的纠缠。

两尊雕塑依旧纹丝不动。

姚独眼将尝试用半粒残疾睾丸延续姚家薪火相传开创奇迹。他相信自己，相信奇迹，他就是一个在战场上屡创奇迹的兵王。

时局紧张，田寡妇先走一步回老家等待姚独眼创造奇迹，可是上级派出的新人却迟迟不见踪影。庄临川凭借经验推断新人可能出现意外，大家继续待在这个村子里已然失去安全系数，并且蛾眉镇情况危如累卵，事不宜迟，必须马上采取行动。他安排几个人先行潜回蛾眉镇各司其职，自己处理完要事随后赶到。

于是乎，就发生了本文开篇的一幕场景。

姚独眼望着茉莉花一骑绝尘追赶庄临川而去，呆呆地愣了半晌，似乎听见灵魂在一点点龟裂的声响，那种熟悉的腥香味道再一次弥漫灌满他的鼻孔，渗透进其血脉，滋润正在龟裂忏悔的灵魂。他狠狠一拳砸下去打爆一株花树，刹那间华英四溅迎向朝阳发出耀眼的光辐射，似节日的礼花盛开在晴朗壮美的大自然，分外妖娆醒目，落英点点如魂归大地、万木萧萧……

姚独眼感到体内的巨变，身体的原部件似乎在一一归位，而被田寡妇激发的汹涌的欲望已然转化成一股杀敌的冲动。他情不自禁地回转身躯，甩开箭步一路追踪庄临川和茉莉花而去……

徐艺嘉

徐艺嘉，女，1987 年 7 月生，吉林长春人。解放军艺术学院 2010 级文学系研究生。著有长篇小说《横格竖格》《我们都缺伴儿》，在《民族文学》《艺术评论》《新华文摘》《文艺报》等刊物发表小说、散文、理论批评文章多篇。创作电影剧本三部，获广电总局第三届、第五届扶持青年剧作家奖。剧本《打工三代》被拍成电影。《我们都缺伴儿》获第三届"紫金·人民文学"年度唯一长篇小说奖。

年年并在此宵中

徐　彤

一

枪响了。

霎时间，蛾眉镇陷入一片死寂。河岸直直地往后倒去，与此同时，雄狮少尉和电影拍摄员也一命呜呼，吓傻了分列两队的头面人物和民众代表。他们瞠目结舌地望着血泊里的河岸中佐，他的眼睛还没有完全闭上，充血的双目中，映照着天上的云和风。

河岸在用意念强迫自己保持清醒。此一番意外，早就在他的预料之中。混混沌沌的脑海里，又浮现出事发前不久的情景。就在"狗战"过后，贾宜昌当即提出强烈建议，请求取消"七夕行动"。他分析道，狗的鼻子会在剧烈打斗中受损，严重影响嗅觉和判断能力，蛾眉人搞这么一出"狗战"，绝不会是无心之举，势必会波及到随后的"七夕行动"，若不及时作出调整，恐怕将造成难以预计的损失。更何况要充分保证中佐的安全，所以还是请皇军考虑改变计划。

河岸十分坚决地拒绝了他的提议，他说，我个人的安危不是问题，皇军以绝对服从命令、效忠天皇为天职，与你支那人不同。说着，他转向加藤少佐，加藤，你说对不对？

加藤面不改色，点头应道，中佐所言甚是，军令不可违，死生不足惜。

河岸继续补充说，自打见到蛾眉中学那条疯狗开始，从听到"蛾眉纵队"的传言起，我就已经感到有一股敌对的势力正在暗中积蓄力量，意欲破坏皇军的行动。然而，至于今日，万事俱备只欠东风，开弓没有回头箭，皇军的计划神圣不容改变。这一步棋，无论输赢，都走定了。退一步讲，就算"七夕行动"告败，也可做"试金石"之用，借此使蛾眉镇的各方抗日势力都浮出水面。

随后，他甚至还对加藤立下了一个口头遗嘱，说自己一旦遭遇不测，我方要迅速按兵布阵，封锁蛾眉镇东、西、南三个出口，清查门户，务必要对头面人物和民众代表进行严密控制，尤其一定要逮捕世豪中学的庄临川和几个老师。他认定，只要有意外发生，世豪中学那几个知识分子无疑是始作俑者，起浪之风。

另外，还有最重要的一点，他补充道，按中国旧历，今年是闰七月。即使此次的"七夕行动"告败，到下个月，还有一次机会……

河岸中佐的意识越来越模糊了，他"呜啦呜啦"地自语着，大概是在表达什么决心忠心。忽然间，他长舒一口气，头歪向一边，合上了眼皮。

快跑！一声喝令，转眼间，蛾眉人仓皇四散。

二

许甲死命地往前跑，大风也好像施了魔法一般，"呼呼"推着他向前。身后不时传来的枪声让他头皮发麻，就要炸开，所幸脚底下却轻快得多，腾云驾雾一样，分不清天上还是人间。而人间的战争已经开始了，他闪过这个念头，又攥了攥拳。手掌心里的茧子来回摩擦着，这是举了十年刀柄、杀了千万生灵才攒出来的，可以后呢？战火终于烧到了自己身上，还能再当屠夫吗？

他一气跑回到家里，关肉铺，封门窗，收拾细软，准备逃出蛾眉镇。前不久三爷爷家的大伯给他捎过口信，说是他们那边，也就在蛾眉镇往西百里地的一个小村子，没有几户人家，一般不会被日军发觉，暂时比较安全。许甲知道，他是许家同辈人里，活着的唯一男性，大伯是怕他死了，许家断了后。他迅速把砧板上剩下的猪肉都拿纸包好，打算带给大伯一家，他们已经几个月不闻油星味了。

对了，屠刀！还有两把屠刀怎么办？日本人势必会挨家挨户地烧杀抢掠，这种利器一旦落入他们手中，后果不堪设想。许甲连忙拎起刀把跑到院子里那口井边上，刀尖对着水面晃了几下，还是没舍得扔下去。他弓下身子，把刀面没入井水中，洗刷上面的血渍。又搁到磨刀石上，把两面刀口都磨锋了。十年来，它们是他的营生，而从这天开始，它们也许就要变成他的武器，他的战友。

外面嘈杂声不断，他估摸着日军很快就要来了。到时候把出城的路都封死，蛾眉镇就成了他们的囊中之物，人为刀俎，我为鱼肉，不要说狗，就是人的命，也都在顷刻之间。

许甲刚一出家门，果然就目睹了一场携老扶幼的大逃亡。刘三正背着他的油条锅一路小跑，他老婆拖着儿子急急忙忙地跟在后面。吕上清也带着家眷，驾马车往城南口飞驰而去。"日本鬼子杀人了！""日本鬼子杀人了！"张家恒一边跑，一边还不忘施展他卖豆腐的口艺。这一吆喝，搞得整个蛾眉镇都人心惶惶、天翻地覆起来。大逃亡愈演愈烈。

许甲紧随着他们的去向，不敢落后。最终到达城南口时，发现刘三、吕上清、张家恒竟然都在，连镇长袁芦轩也在。许甲哭笑不得地问道，镇长，连你都跑了，蛾眉镇怎么办？

袁芦轩倒是很坦然，他说，我这个小镇长，不过就是个贩盐的，日本人厉害啊，刚才的"暗杀"事件那么一闹，还不得剥了我的皮？与其坐以待毙，不如先走为上啊。

吕上清不以为然地驳他，老袁，那天咱们说得好好的，我们都是平头老百姓，可你不一样，你是镇长，你得有这个责任。我看咱们蛾眉界，打从三国开始，就没出过你这样的镇长。

袁芦轩听他这话，老大不愿意，嘟嘟囔囔地说，就只许你们怕日本人？我是镇长怎么啦？镇长也是一条命啊，镇长也没有三头六臂啊，镇长也不是刀枪不入啊。

刘三过来打圆场，行了行了，国难家难，哪头都难，你们快都别耽误时间了，这莛儿根本就辩不明白，还是先保命吧。说完，他就率先带着家眷走了。

许甲他们几个又吵吵起来。没过多久，不远处就传来"砰、砰、砰"三声枪响，他们四下望去，只见汲河边上一下子多了三具尸体，两大一小。大家一下子都不说话了。这时候，城南口又聚集了一些出逃的乡亲，他们说其余的出口也被封死了。袁芦轩喃喃自语，日本人那么奸诈，肯定是做了好几手准备，咱们现在就是那瓮中的鳖，跑不掉了。许甲恨恨地瞅着不远处的汲河，想到两岸的树林里，一定布满了日本人的埋伏。现在走过去，保准一梭子打成马蜂窝。

三

大家被困在了城南口，进退不得。许甲忽然想到了什么，他问袁芦轩，庄临川和姚独眼他们呢？还没等袁芦轩说话，"皇协军"的团长张贵带着人马过来了。乡亲们吓得连连往后退，张贵说，乡亲们别怕，我早就不当汉奸了。日军在蛾眉镇的"三光"计划已经开始行动，咱们得想办法灭了这帮鬼子。

袁芦轩哭丧着脸问他，怎么灭？咱们都是些手无寸铁的平民老百姓，他鬼子使的可是枪和大炮。

张贵说，我们提前缴了鬼子的一些武器装备，人手一把枪，应该没问题。

许甲问，对了，庄临川和姚独眼他们去哪儿了？

张贵说，世豪中学的老师大概都被鬼子抓起来了。

袁芦轩又气又急，他们都被抓了，那蛾眉纵队怎么办？没了蛾眉纵队，还怎么跟鬼子打呀？

张贵把马牵过来，缰绳递到袁芦轩手上说，从现在起，咱们就是蛾眉纵队，镇长，你就是蛾眉纵队的领头人。

袁芦轩连连摆手，别，你可别，我连枪都不会使，你让我当什么领头人啊？我当炮灰还差不多。他又迟疑地看了两眼张贵的部队，接着说，你的部队现在也没几个人了，这仗根本没法打呀。

袁芦轩这么一说，底下的老百姓不干了，跟着嚷嚷起来，你是镇长，你不领头谁领头？那些狗都敢日他娘的，你还不如条狗？反正现在横竖都跑不出去了，难道让我们在这儿等死吗？

袁芦轩急得快要哭了，乡亲们，不要冲动，不要做无谓的牺牲。咱们还是一块儿再找找，看还有没有通向外面的路。跟鬼子打，咱们不行，得跑出去，找到队伍，让他们来打。

袁芦轩唯唯诺诺的样子彻底激怒了张贵，他想拔枪，又怕枪声惊动了不远处的埋伏。正犹豫，他蓦然发现许甲腰间别着的屠刀，一把抽过来，朝着袁芦轩就砍了下去。许甲刚一低头发现刀被抽走，再抬起头来，袁芦轩已经人头落地。

百姓们瞪大了眼睛，愕然望着张贵，不敢吭声。许甲倒抽着冷气，起了一身鸡皮疙瘩。他呆望着自己刚刚洗干净、磨利了的屠刀，又沾上满满一层血，还是人血。

张贵抹了一把溅满鲜血的脸，高举屠刀喝道，袁芦轩是为镇长，贪生怕死，不顾百姓性命！不管蛾眉安危！其罪当诛！即刻起，我们在场的所有军民联合，成立蛾眉纵队。国难当头，全民皆兵，敢有违抗者，统统视为逃兵，下场等同袁芦轩！我张贵以人头担保，誓死带领父老乡亲，杀日寇，保家园！

四

张贵给每一个百姓都发了枪，随时准备反击日寇，决一死战。吕上清向张贵建议，要想全面抗日，还必须想方设法救出世豪中学那几个知识分子。

张贵接受了吕上清的建议，抽出一部分主力，亲自带队，打算前去营救庄临川他们。

"七夕行动"一完结，日方也终于证实了蛾眉镇内部四伏的对抗势力。他们火速增兵，对蛾眉镇进行严密控制。日军迅速抓捕了世豪中学的物理老师周介于，而除他之外，其他老师全都销声匿迹，不知所向了。周介于刚被抓的时候很激动，歇斯底里地为自己申辩，说他就是个物理教员，与此事没有半毛钱关系，凭什么抓他不抓别人，云云。

日本人趁势问他，那么世豪中学里头，与皇军作对的到底是什么人？

周介于说他不知道，他只是个物理教员，除了教课，什么都不知道，就算把他抓了也抵不了半点儿用处。

日本人气急败坏，连吼数声"八嘎"，一边给他上刑，一边讨论物理老师用处大大地，造定时炸弹什么的都能充当主力。

几轮酷刑下来，周介于这个孱弱的白面书生就快要奄奄一息，行将就木。他终于松了口，说庄临川就是"蛾眉纵队"的发起者和领头人，蔡捷丰和姚独眼更不是省油的灯，他甚至还扯出了蔡捷丰曾经屡次想造定时炸弹的历史，他说归根结底他们仨就是搞破坏的核心力量，把他们仨抓了，就万事大吉。

日军让周介于带路去抓庄临川他们，可他们把蛾眉镇搜了个底儿朝天还是没能找着人。日本人怒不可遏，又把周介于痛打了一顿。这时候，加藤少佐提议说，要想让庄临川和蔡捷丰出现，并非没有捷径。那就是借挨家挨户清查之机，以老百姓的性命相逼，当场砍掉几个人，庄临川他们保准就乖乖地回来了。

大家十分不解，问他为什么。

加藤笃定地说，庄临川那几个人身上，很有中国传统知识分子的风骨，我料想，他们最受不了的，无非就是欺凌百姓、草菅人命。这个比给他们自己上刑还厉害。

听罢，众人十分信服地采纳了加藤的建议。在砍掉几个蛾眉镇百姓过后不久，庄临川果真就到日军司令部来"自首"了。庄临川称，得知他要自首，蔡捷丰和姚独眼唯恐被他连累，早就逃出蛾眉地界去了，而"蛾眉纵队"没了带头人，也就自行解散了。日本人将信将疑地把他关进了世豪中学的仓库，派重兵看守起来。

与此同时，日军又迅速补充了新的领导力量，世恒中佐。他们的目的很明确，根据松冈大佐的指示和河岸中佐的遗嘱，就是要在世豪中学重新搞一次"七夕行动"，拍摄一部名曰"王道乐土蛾眉镇"的小电影，要求必须在学校大门口升起太阳旗，在劝学堂内拍摄学生献花、师生民众和皇军同乐的镜头。

世恒中佐下令，为防止七月初三揭牌仪式的意外悲剧再度发生，务必挨家挨户地清查人口，抓捕蛾眉镇的所有居民，把他们都关起来，从中选出几个民众代表作为演员。等电影一拍摄完毕，就对蛾眉镇进行"三光"。

与日军对阵之初，蛾眉纵队的人员锐减得很厉害。由于他们大都是没有任何战斗经验的老百姓，对枪支弹药的使用极不熟悉，很容易就被日寇一枪打死，还有相当一部分人都被鬼子给活捉了。几轮拼杀过后，蛾眉纵队的有生力量只剩下三十余人，十个老百姓，加上二十几个以前"皇协军"的兵力。这时的蛾眉镇，除了日军在每街每巷安排的流动哨以外，已经没什么人影了。

五

这夜是农历七月初十，立秋。蛾眉纵队三十多个队员躲进了乡亲们堆放稻子的一间仓房里商议战事。

张贵带来消息，"七夕行动"还会再搞一次，鬼子的拍摄设备如今就存放在世豪中学里面，但具体是什么时间还难以判断。

吕上清义愤填膺地说，这回万一让他们搞成了，咱们蛾眉镇可就真成了汉奸镇，到时候，你我都是含辱蒙冤的丧家之犬，不，是丧家之鬼，十八代祖宗都得找我们算账。

许甲说，既然他们想借世豪中学那块地拍什么电影，咱们就把世豪中学给炸了，连他们的机器一块儿，闹他个天翻地覆，灰飞烟灭。

张贵摆摆手说，不行，我侦察过了，庄校长和世豪中学的老师，还有他们抓的一些老百姓，全都关在世豪中学的仓库里头。如果要干，也得先把他们转移出去。而且，世豪中学是耗时耗力两代人、数十年才建起来的，咱们蓼蓝县三镇四乡就这么一所中学，这样搞，会不会代价太大了？

吕上清说，国家都快没了，留下一个中学作啥用？难道还要继续等着日本鬼子进来，愚化咱们的儿孙，给他们洗脑吗？另外，我觉得必须得找到蔡捷丰和姚独眼，咱们的队伍里缺少知识分子，如果他们能加进来，对付鬼子，没准就有好办法了。

许甲频频点头，对，蔡捷丰是物理老师，他不是一直想搞什么定时炸弹吗？姚独眼以前也是吃过军饷的人，对枪炮炸弹这些玩意儿肯定不陌生。只要把他俩给弄出来，咱们就有救了。

正商量着，仓房外传来一阵狗吠。

大家都屏气凝神，不敢做声了。许甲按了按腰间的屠刀说，我出去看看。

许甲刚一开仓房门，"吱呀"一声，只见亮澄澄的月光下面，有三条狗正朝他叫着。许甲握紧了刀柄，那三条狗竟毫不为所动，摇着尾巴跑过来，就像见到了亲人一样。许甲一下子认出来，这是三条中国狗，是他蛾眉镇的狗。它们痴痴地咬着他的裤脚，使劲儿往北面拽着。

许甲咬了咬牙，跟着它们向北走去。

六

三条狗在前面带路。说来也奇怪了，刚才还"汪汪"叫得那么欢，可一出了仓房的地界，它们一个个儿都跟吃了哑巴药似的，一声不响，连脚步都踩得极轻。

许甲一边注意着日军的流动哨，一边寻思，蛾眉镇的狗不是都给杀光了吗？这三条又是从哪儿来的呢？它们带着他七拐八拐，就像三个训练有素的战士，竟然成功避开了放哨的鬼子。他们穿过东头那片一望无际的稻田，走到距蛾眉十几里外的油坊桥，许甲看到桥下有一艘废弃的渔船，那三条狗在河水里刨了一阵，爬上船去。

这时，船舱的门开了，许甲看见一只黑色眼罩探出来，朝着四面八方巡视了一番。姚独眼朝他招手说，屠夫，快上船！

进船舱，里面还有一个人，果然是蔡捷丰。

许甲瞠目结舌地看了他俩大半天，问道，你们不是都让鬼子给抓起来了吗？我们还计划去营救你们呢。

蔡捷丰叹了口气说，这帮鬼子简直是惨绝人寰！卑劣之至！恶毒至极！他们竟然拿老百姓的性命威胁我们。庄校长是自首的，为了保全我和姚独眼，给我俩留出充足的时间。

三条狗也在一旁呜呜咽咽地叫着，仿佛想替他诉说些什么。许甲指着它们仨问，对了，怎么还有狗？它们是怎么找着我们的？

姚独眼说，它们是狗战那天临阵脱逃的。后来我俩逃出来的路上遇到了它们，一吹口哨，"好一朵美丽的茉莉花"，这三个畜生竟然巴巴跟着我们走了。看来这茉莉花虽死犹荣，精神不朽啊。再说了，它们都是蛾眉镇土生土长的狗，谁家卖猪肉，谁家做豆腐，谁家炸油条，都门儿清呢，循着气味儿过去，不就找着了吗？

许甲继续说，那太好了，我们这几天也正火急火燎地找你们呢。接着，他把"蛾眉纵队"下一步的战略计划对他们讲了。

姚独眼和蔡捷丰听了之后，半晌没说话。

许甲有点急了，他补充道，"七夕行动"迫在眉睫，再不抓紧，可就要灭顶了。

蔡捷丰皱着眉头说，你以为我们躲到这艘破船上是干嘛来了？我俩这不天天做实验呢么。你当定时炸弹是那么容易搞的？搞不好炸弹还没出来，自个儿的命先没了。整整七天七夜，实验数据怎么算都不对。我和姚独眼想的是，如果最后还是不行，那咱们就去跟鬼子拼刺刀。反正，绝不能让日本人得逞。

七

蛾眉纵队一面在极力秘密营救庄临川和被困的师生百姓，另一方面，他们派出专人潜到铁匠谢奉承家中，寻找制作定时炸弹的特殊钢材和弹簧。

姚独眼和蔡捷丰继续在那艘废弃渔船上搞着实验，许甲负责给他们送饭送材料。说到送饭，许甲出逃之前藏起来的几块猪肉派上了大用场，给他们解决了好几餐饭的问题。不过，姚独眼倒是吃得很少，每回都把自己的那份肉给三条狗吃。许甲气得直跺脚，他说蛾眉纵队的弟兄们都不舍得吃，特地留给你俩，你还喂狗了。

姚独眼神秘莫测地望着旁边那两条满嘴猪油的蛾眉狗说，人一吃饱就好犯困，狗不一样，你给它吃饱了，它就念着你，它就想着这个家，这片土地。

这时，蔡捷丰插话问道，庄校长怎么样了？

许甲说，救出了一部分学生和乡亲，但是关押庄临川的地方，看守十分严密，咱们的人难以靠近。

蔡捷丰说，他们的主要目的就是要控制世豪中学这些人，我估计，这帮小鬼子到现在还在到处秘密搜寻我和姚独眼，他们肯定已经认识到，我们这帮人就是"反动"的中坚力量，绝不会善罢甘休。

许甲顺势问道，"揭牌仪式"那天，是你们打的枪？

姚独眼说，有一枪是我，一枪是张贵，还有那一枪是谁，就不知道了。

蔡捷丰说，唉，没准儿真的有神灵在暗中帮咱们，要赶快把炸弹搞出来，到时候人神合力，肯定能办成！

这时，船舱外传来狗吠声。

姚独眼说，出去探路的神狗回来了。自从茉莉花死了之后，姚独眼就管所有的蛾眉狗都叫"神狗"，还自诩，狗跟人一样，都得夸，你说它神，没准儿它就真神了。

蔡捷丰说，快出去看看，是不是出什么事儿了？怎么感觉叫声跟平常不大一样？

三个人出了船舱，那两条狗也跟了出去。只见"神狗"伫立在河堤上，面朝着西南方向不住地狂吠。

沿着它的视线，姚独眼瞪着那一只幽暗深邃的独目，最先发现了情况。日本人在汲河边上屠杀老百姓！

许甲点点头说，这帮畜生，我都闻到血腥味儿了。

蔡捷丰又急又气，可我怎么看不见？

姚独眼恨得牙关作响，他说，上过战场的人，都会有这种特殊的嗅觉。

蔡捷丰咽下一口热泪说，不能再等了，如此下去，还有中国吗？咱们得让鬼子血债血偿。

汲河边上，手持屠刀的日本军正在为下一次的"七夕行动"挑选群众演员。他们已经向蛾眉镇民摊牌，讲明日本人的拍摄计划，并迫使这些老百姓绝对服务于皇军，听从他们的号令和安排。最后，日军声称，但凡谁敢有异心或不端行径，就即刻血洗蛾眉镇。

八

蔡捷丰和姚独眼的定时炸弹研究得磕磕绊绊，很不顺利。蔡捷丰好几次实验失败，气得暴跳如雷，都要撂挑子不干了，还是姚独眼给劝回来的。蔡捷丰气急败坏地说，这根本就是个不可能完成的任务！姚独眼却异常地平静，他说，希望都是从绝望中诞生的，可能与不可能，很多时候就只有一步之差。

与他们同步而行的，是世恒中佐一直没有放弃对他俩的搜捕。世恒中佐与蛾眉镇周边的日军部队进行密联，搜寻漏网的蔡捷丰和姚独眼，他铁了心要斩草除根，决不能再给下一次的行动留下任何祸患。

而关于下一次"七夕行动"的具体时间，张贵那边仍然没有任何结果。进而，蛾眉纵队的队员们经商量决定，与其坐以待毙不如先发制人，务必随时随地做好准备，只要蔡捷丰的定时炸弹一搞成，就马上投入战斗。当然，他们还做好了第二手准备，那就是如果在炸弹搞成之前，"七夕行动"再次发生，也没有任何异议，所有人必须正面迎战。张贵和姚独眼考虑到战斗现场可能出现的多种复杂状况，专门画出几十种战略草图，对三十多个队员进行排兵布阵。

大概过了半个多月。一天清晨，几天几夜没合眼的蔡捷丰，突然从船舱里跳起来说，姚独眼，别睡了，快醒醒，我算出来了！

正打着呼噜说梦话的姚独眼一下子坐起来，睁大了那只黑亮黑亮的眼睛，镇定地说，马上投入生产，做炸弹！炸他娘个天翻地覆！

他们计划做十二枚炸弹，像表盘上的十二个分隔点一样，到时候就把它们挨个儿放置在世豪中学的十二个角落里，予以绝对彻底的毁灭性打击。但是，他们刚做到第八颗的时候，张贵就火急火燎地带着人马赶过来，要他们迅速投入战斗。张贵说，他发现了一个很有意思的情况，明天正好是闰七月的初七。而他的侦察兵自今天傍晚开始就感觉鬼子那边有些异样，怕是要有动作。不能再拖了！就今天晚上行动！

蔡捷丰盯着那第八颗做了一半的炸弹说，不行，我得把这颗炸弹做完。你们先集结人马，一会儿我就带着这八个家伙去找你们。

这天夜里，蔡捷丰抱着八颗宝贝炸弹，去跟蛾眉纵队会合。他在那条黢黑无人的乡间小路上，走了很久很久，步履十分悲壮，脑子里还闪过了很多人的脸，先是父母祖宗，继而是庄临川、姚独眼，然后还有谭嗣同、史可法和文天祥。他感觉自己正沿着他们踩出的足迹一步一步地向前，可前方仍是未知，还须靠自己真正走出一条路来。正想着，上空忽然响起了七巧节的歌声：烟霄微月澹长空，银汉秋期万古同。几许欢情与离恨，年年并在此宵中。

世恒中佐连忙找来贾宜昌问，支那人在唱什么？他们是不是要造反？

贾宜昌对他解释说，今天是中国的传统节日，七夕，他们唱的是牛郎织女的故事，表达一种悲悯和怜惜的感觉。

世恒中佐不以为然，他马上下令，要求立即加强警戒等级和防范措施，随时准备战斗。

歌声经过河畔，一直传到蛾眉纵队的仓房。姚独眼说，这是庄校长在给咱们发暗号，让咱们莫去顾及他们，直接行动。

蔡捷丰说，炸弹到底能不能行，没法提前试，我现在还是拿不准。说到底，大家都要做好拼刺刀的准备，蛾眉镇如今就在咱们这些人手上了，十八代祖宗都看着呢。为了活下去，也得拼了！

话一说完，三条狗也跟着叫了两声。大家都握紧了手里的刀枪，三十多双眼睛里好像有泪光闪过。

战斗开始了。蛾眉纵队兵分两路，一拨人负责正面攻击鬼子，转移他们的注意力，另一拨人负责安放定时炸弹，从整体上摧毁世豪中学。他们突破了鬼子的三层警戒线，三条狗也加入了正面攻击鬼子的队伍，它们使出浑身解数，极尽狗之能事，在咬伤数名守卫之后，壮烈完成使命。战斗愈演愈烈，鬼子们杀红了眼连世恒中佐都亲自上阵，扛枪扫射。

蔡捷丰携八颗定时炸弹开始最后的秘密行动，姚独眼掩护他。他们躲着刀枪弹雨，费尽力气才把它们放置在了学校大门、升旗台、教学楼、实验室等八个标志性的地方。蔡捷丰还结结实实地挨了一枪，子弹打进了他的左肺。他"哇哩哇啦"地骂着鬼子，一边还跟姚独眼抱怨说，这要是把肺给打坏了，到时候连药品试剂的味儿都闻不出来，还怎么搞化学实验？

蛾眉纵队的其他弟兄在拼杀中伤亡惨重，最后只剩下张贵、许甲，还有中了弹的吕上清，一身的绫罗绸缎都被血给染红了。

烟霄微月澹长空，银汉秋期万古同。几许欢情与离恨，年年并在此宵中。似远还近，节日的歌又唱了起来。许甲举着两把滴血的屠刀说，快走，咱们去找队伍。

一轮弯月之下，五个身影踉踉跄跄地刚一上油坊桥，接二连三的爆炸声倏然平地而起。一——二——三——四——五——六——七，蔡捷丰沉重地数着，其余几个人都闭起眼睛，屏息等待着那最后的一声。

巨响迟迟没有来。

他们不再等，到桥下，上了一叶扁舟，奋力往前划去。

这时，滔滔河浪不远处，突然传来"嘣"的一声，震天动地。月亮的影子在河里晃了晃，很快就平静下来，好像什么都没发生过一样。

小舟继续前行。所经之处，是蛾眉人刚刚收获过的十里稻场。

徐　彤

徐彤，1990年8月生，山东昌邑人。解放军艺术学院文学系2013级硕士研究生。师从徐贵祥。在《人民文学》《中国作家》《时代文学》《山东文学》《战士文艺》等刊物发表短篇小说、剧本、诗歌和文学评论作品多篇。创作电影剧本《朱砂痣》《止战之殇》《同袍》先后入选广电总局第四、五、六届"扶持青年优秀电影剧作计划"。

此岸非彼岸

宋　乐

一

河岸中佐坐在自己的屋中回想着白天发生的一切，川芎中尉的死和姚独眼倨傲的口气，使得河岸莫名地悲愤起来。幽灵，白天河岸想到了这个字眼，幽灵，你看不见，摸不着，可是，它却无时不在，无处不在。一个幽灵游荡在蛾眉人中间，游荡在蛾眉的大街小巷里。不！它飘荡在整个中国！河岸猛地看向自己的书桌，上面铺平的宣纸上自己写下的字还没有完全干涸。河岸皱起了自己的眉头。

"河岸你还是不懂。"

我不懂的究竟在哪？

二

1907 年，距离旅顺港再次落入了日本的管辖已经三年了，河岸随在军中任职的父亲来到了旅顺。六岁的河岸对新的环境充满了好奇。一个月后，父亲给河岸办理了入学手续，河岸暂时在一家私塾读书。因为在日本时父亲就让人教自己中文，因此河岸很快就能跟上私塾先生古祈明的授课，使得河岸有时间观察周围的同学。刚开始上课，同学们对他都比较冷淡，仿佛他的到来没有使这里的生活发生任何改变，河岸心下这样想着，于是摇摇头，认真听起先生的授课。河岸没有发现，自己左前方和后面位置的同学会不时地把好奇的目光投注在自己身上。先生授完课便起身进了后屋。课堂上才渐渐活络了起来，课上一直打量河岸的留着小辫子的男孩首先走到河岸面前，问道："你叫什么名字？"河岸拘谨地说："我叫河岸。"男孩的脸色不自觉地变了，有些怯怯地说："你是日本人啊？"河岸点点头，男孩在河岸前面的位置上坐了下来和旁边的人聊天，却是不再理河岸。或许是小孩子天性爱动，河岸看着前面男孩的长辫子，慢慢伸出手轻轻地拽了一下，这一拽似是将那男生吓了一跳，捂着脑袋扭头惊呼："你干什么！"河岸被他的动作吓得连忙抽回了手，支吾道："对……对不起，你们怎么都留这么长的辫子，我……我……就想看看这是不是真的。"男孩甩了个白眼，没好气道："当然是真的了。"河岸看他没有生气，接着说："你们都留这么长干什么，为什么不剪掉？"刚说完这句话，河岸就后悔了，因为他发现周围的人都不怀好意地盯着他，只有在他前面的男孩连忙捂住他的嘴在他耳边小声说道："你瞎说什么呢，这是祖宗传下来的规矩，身体发肤，受之父母，不敢毁伤，孝之始也。你虽然是日本人，但是这话以后也别再说了。"被捂住嘴的河岸瞪大了眼点点头，以示自己明白。之后河岸得知这个男孩子叫魏作义，经常和他在一起玩耍，偶尔向他请教中文含义，在这私塾的生活倒也不觉得辛苦。这天放学，河岸与魏作义一起走到私塾门前街道的拐弯处，刚和魏作义笑着分别，河岸扭头就看到了一个高大的身影在前方不远处，是父亲。河岸的笑脸不见了，赶忙低着头走到父亲身边叫道："父亲大人。"父亲没有说话，河岸低头站了一会儿见没动静悄悄抬头才看见父亲已经走在了前面，这才一路小跑跑了回去。

　　河岸到家，将鞋和书包放在门口后，来到父亲的书房门前拉开门，跪在了门口，双手放在膝上低头向父亲请安。屋内传来浑厚的声音"嗯，你进来。"河岸答应了一声，站起来进屋后反手将拉门给拉上。河岸来到屋子的中央，隔着张矮脚桌，与父亲对坐。这是间装饰朴素的房间，靠墙是竹制的书架，上面摆满了书，偶有中文的书籍。父亲身后的小桌上摆放着刀架，其上端放着一把剑，桌后的墙上挂着一幅字，是一个大大的"忍"字。河岸跪坐在榻榻米上，蔺草编制而成的榻榻米散发着淡淡的草的芳香，令河岸精神一振。

"父亲大人，我错了。"河岸低头说道。良久父亲浑厚的声音才悠悠传来，"你错哪了？"河岸不说话，说实话他也不知道自己错哪了，只是父亲的无故到来令他觉得自己肯定有问题。"哼！河岸，你是不是忘记了我们来支那的目的？"浑厚的声音带了点儿严厉。河岸跪着的身子打了个哆嗦，急忙弯腰将头磕在了身前的地面："不敢！父亲。我们大日本帝国来到支那是为了改变这里的蛮夷环境，带领他们走向富强。"河岸的父亲似是满意的"嗯"了一声，语气稍微缓和地说道："河岸，你要记住。你是大和民族的子孙，注定是要为皇军的荣光而战的。支那人有着丰厚的历史文明，但是这些财富在他们手中只会埋没，这是对宝贵财富的玷污！所以我们要做的是接手这些财富，而不是与他们这些贱民交朋友，你只用暗地里观察他们这些贱民的习惯，知道他们暗地里的想法就行。你明白了吗？"

"是！父亲大人。"河岸的头不离地面地喊道。

河岸父亲满意地看着河岸："嗯，还有你学习中国文化的同时，不能荒废了我们的剑术。你下去吧。"

"是！"河岸恭敬地起身离开父亲的书屋，来到剑道室，开始了每日的必修课程。

三

魏作义不知道怎么得罪了河岸，这段时间以来河岸对自己不搭不理，一副冷漠的样子，一开始魏作义以为是河岸在故意装，可时间一长他从河岸的眼睛里表现出的冷漠就明白自己想错了！魏作义心里就冒出了刺儿。于是课堂上河岸是日本人的身份传播开来。由于旅顺再次被日本占领，当地的人们对于日本人还是敢怒不敢言的。河岸当然也发现了自己背后的指指点点，说他是狗日本的孩子，是狗孩子！河岸冷漠地处在这样的环境中，无数次忍不住地想要出手教训这些人，但是每一次他都忍了下来，外表上置若罔闻，慢慢地他发现了一个现象，一个让他决心与支那人划清界限的现象、一个令他打心底里看不起中国人的现象：课堂上古祈明先生要求对古文的背诵，只有他能顺溜的背下来。河岸想起父亲的话：支那人有着丰厚的历史文明，但是这些财富在他们手中只会埋没，这是对宝贵财富的玷污！嗯，一定是这样的，河岸每看到一次古祈明先生问责惩罚中国学生，心里的想法便加深一次：这群人不配。但当看见古祈明先生时，河岸都会加上另一句话，除了古老师。

"公曰：吾不能早用子，今急……急……急而求子，是寡人之过也。然……然……"

古祈明喊了声停，睁开自己的眼，将面前孩子的手拿了出来。

"啪、啪、啪。"

却是古祈明拿戒尺打在了那孩童的手上，那孩子的手登时通红，隐约肿了起来。这一切都在河岸的注视下，河岸看着这位第三个被先生惩罚的人，内心冷笑。

"河岸。你看什么呢？有时间自己复习之前的文章。"

河岸听到古先生的训话，忙将目光收回，内心却十分不忿："凭什么说我！我最先完成了任务，不仅不表扬我，还点名批评。"

日子就这么一天一天过去了，中日之间的关系逐渐恶化，河岸与同学们的关系仍是那样老死不相往来，但是中间的仇恨增加了多少，却是不得而知。只不过河岸不在乎，他现在在乎的只有古先生的看法，但是每次古先生对于自己的良好表现都视而不见，这让河岸内心渐生不满，河岸只记得古先生对自己的表现只有一个评价，那就是：戒骄戒躁。

"啪！啪！啪！啪！哒！哈！"

竹剑撞击木桩的声音夹杂着少年的呐喊声在剑道室里回响。河岸弓着步子，双手持剑对着木桩，黑色的剑道服贴在他的身上，他脸上布满汗水，嘴里喘着粗气，但是仍然死盯着木桩，河岸在心里发狂的喊叫："为什么你不认同我？"

"啪！"

"为什么你看不见我？"

"啪！"

"我要征服你！我要征服你们！我要用你们的文化去征服你们！"

河岸的身体一个回转，手中的竹剑从肩部高度横扫到木桩。"啪"清脆的声音带着周围微微震颤着的灰尘扩散开来。

内心掀起滔天波浪的河岸全然没有注意到父亲在门外看着自己。最近时间里河岸的表现令父亲非常满意，在父亲眼里他练习剑术比以往更加刻苦，一副拼命的架势，虽然不知道为什么，但是父亲看着日渐高大、健壮的河岸还是很欣慰的。

四

1917 年，河岸离开旅顺要回日本上大学了，离开的日子，本不用上课的河岸来到私塾，他想去和古祈明先生道声别，另外他想听听自己想听的话。当河岸踏进私塾时，平时看门的书童将他拦了下来，作礼道："先生，学堂正在上课，外人不得打扰。"河岸听完连忙还礼，恭敬地说："还请劳烦通知古先生，学生河岸今当远行，特来拜谢恩师。"书童听到来人姓名说道："先生是河岸？您且稍等。"书童反身进屋中，不大一会儿回到河岸的面前，双手递给他一封信说："先生曾吩咐，今日若有一位叫河岸的先生来访，且将书信转交即可。"河岸明白古先生的意思，道谢之后踏上了回国的船只。在船舱中，河岸小心翼翼地打开了书信，信上古老师丰筋多力的字体映入眼中："积土成山，风雨兴焉；积水成渊，蛟龙生焉；积善成德，而神明自得，圣心备焉。故不积跬步，无以至千里；不积小流，无以成江海……望好好学习，戒骄戒躁。"河岸刚看开头的时候内心汹涌澎湃，对于老师的劝诫牢记在心，但到了最后四个字，内心却是嗤笑一声，不放心上。看着远去的大陆，河岸暗下决心，下次回来，你们都会在我的脚下。

1927 年，当河岸再次踏上中国的大地时，他不再是以前那个小毛孩和少年了，现在他是拥有博士学位的日军少佐，河岸站在港口，看着壮阔的大海，内心颇有种穿越千年历史，与周公瑾一起谈笑间樯橹灰飞烟灭的感觉。来到自己的驻地办理完交接手续后，河岸派人去打听古祈明先生的所在。现在中日关系愈发紧张，日军态度强硬，谁知道会对日本管辖的旅顺有什么样的影响。得知古祈明先生所在的私塾仍在，河岸命手下给老师传话：明日当拜见恩师。令河岸吃惊的是，自己的请求遭到了拒绝，但是河岸转念一想，中国古时刘备三顾茅庐以彰诚意，现在自己面对的又是老师，看来老师是觉得自己没有亲自前去，反而令手下一小卒前往，没有诚意，方才拒绝。河岸心中拿定主意，不由哂笑，中国人还真是好面子，也好，自己亲自前去既表现了我河岸尊圣人之道，又可表现我大日本帝国的仁厚，何乐而不为？

于是河岸令手下准备给老师的厚礼，静静等待明日的来临。

令河岸不解的事情再次发生了。当他备着厚礼亲自来到曾经熟悉的学堂时，他再次吃了闭门羹。河岸看着面前招牌上的四个大字"闭门谢客"，他的那只手，那只右手，放在刀鞘上，微微颤抖着，拔开一点儿，又合上，那只手抖得更厉害了，手背上的青筋就像老树上的藤条，似乎要断落下来。河岸这样来回了几下，终于松开了剑鞘，扭头一声不吭地走了。

五

一个月过去了。这一个月，河岸再也没表现去探望老师的想法，一心处理军中事务。一日，通信兵传上级田中中佐军令：旅顺港有团体密谋反抗，走漏风声后被逮捕，经审讯，应处以枪刑，命河岸少佐监刑。河岸得到消息后来到旅顺监狱，他要看看是什么人吃了熊心豹胆胆敢密谋反抗皇军。旅顺监狱是日俄战争中日本胜利后在原沙俄监狱的基础上扩建而成，河岸早就听说这座监狱的规矩：不准说话，不准对面，不准倚墙，不准向外张望和走动……一旦违反狱规，就要遭看守毒打。今天来到这里看着严肃气派的楼狱，河岸想着：果然贱民只能用武力才能解决，一味委曲求全是不可行的！这样想着，河岸慢慢来到了关押重犯的地方。这是一个昏暗的世界，牢房一点儿亮光是有的，是从石墙上一两个一尺见方的窟窿里透进来的，河岸来到牢房铁门处，透过铁栅栏看见了一个颀长偏瘦的背影，不知怎么，河岸看着背影竟有些熟悉，但河岸马上清醒过来，暗叫一声蠢货后，清了清嗓音隔着牢房门问道："先生对皇军有何不满？竟要密谋反抗？难不成先生眼拙看不到皇军到来之后带给旅顺的……"随着河岸的话，那背影缓缓转了过来，河岸话还没说完就被眼前的面容震惊到了。那人竟是自己的恩师，古祈明。河岸认出来是自己老师后忙不迭地要哨兵为他打开牢门，河岸进去后，神情悲愤地说："老师，您怎么这么糊涂！您在旅顺过得不好吗？在大日本帝国的统治下，旅顺的发展不好吗？你怎会做出这样的傻事？"古祈明一直盯着河岸，只盯着河岸内心发毛，稍稍低下了他的头时，古祈明才说："河岸你还是不懂，你走吧。"说完，古祈明转过了身子，其意不言而喻。河岸神情恍惚转过身，这时他听到旁边的牢房在叫喊："河岸，你这个狗日本的回来干什么？回来就把先生抓了起来？"河岸双眼一冷，扭头看向牢房，就发现里面关的是私塾里曾经的"同窗"，河岸用戴着白手套的手扶了扶自己的金丝眼镜，隔着铁栅栏说："原来是你们啊，你可别乱冤枉人了，先生可不是我抓的。"

"狗屁河岸，你们日本人还真是卑劣，自己做的事还不敢认。"

河岸冷冷地看着面前说话的人，正是魏作义。

"我说了，先生不是我抓的。"

"河岸啊河岸，你以为大家不知道吗？你一直得不到先生的肯定就一直怀恨在心，你以为大家不知道吗？你敢说我说的不对？"魏作义双手扒着栅栏冷笑道。

河岸听到这里，明显一愣，攥紧了拳头，站在那里不吭声。

魏作义发狂地笑着，一只手指着河岸的鼻子道："怎么？怎么让我说中内心想法了？哈哈哈，河岸你就这样一小人，今天你把我们全抓着了，算你这狗日的有本事，但是你休想让我们向你低头。"

河岸想，在私塾，自己曾被眼前这些人在背后戳脊梁骨，侮辱自己，想到古祈明面无表情看着自己说着那句永远的"戒骄戒躁"。河岸的手不自觉的握紧了腰间的剑，一道血光出现，河岸的脸上溅上了一条血印。

魏作义痛苦地捂着左臂，在地上抽搐着，脸色扭曲地吼道："河岸！你不得好死！啊。"

河岸拿出一条白手帕擦拭着脸上的血迹，看也不看魏作义一眼，当他要离开牢房时，将血手帕向后面甩去。

第二天河岸亲手执刑将昔日的老师和同窗枪决。

回想到这里，河岸痛苦地用双手抱着自己的头撑在书桌上，嘴里发出痛苦的呻吟："我不懂！我不懂！到今天我还是不懂！"河岸此时多想古先生能够给他指条明路，但是那天以后，他再也没有见过那位先生。

"老师，我不想的！老师我不想的，不是我想杀你的。是魏作义，对对，是他，就是他，是他让我杀你们的。"白日身材挺拔的河岸，在夜晚的灯下，显得十分佝偻。

宋 乐

宋乐，男，1994年1月生，河南南阳市人。解放军艺术学院文学系2012级本科学员。曾在《解放军艺术学院报》等报刊发表《脊梁》《愿风指引你的道路》等作品。

成人礼

胥得意

　　许甲从世豪中学回到家，刚一推开屋门，一下子愣住了。儿子许望从像是从地下冒出来的幽灵，正在堂屋里坐着。从神情上看，他好像刚进来也不会太久，脸上还带着几丝不安和慌恐。许甲刚要问他怎么从县城里回来了，突然发现他的身上竟然穿着世豪中学的校服，心里冒出一个巨大的疑问。

　　世豪中学教学楼里传出的枪声像是点燃的爆竹，一两声脆响之后，便连成了一片。人群在短暂的慌乱之后，瞬间明白发生了什么。人们如同决口的河水，一下子向校门涌去。

　　河岸中佐的心里咯噔一下，遇到偷袭了。但具体被多少人包围住了他一时还判断不清，只是看到身边已经有几个士兵倒在了地上。有这么多人在场，偷袭的人还敢开枪，而且直接打到士兵身上，没有伤到群众，可见枪手是潜伏了很久并枪法相当了得。河岸迅速撤到了教学楼窗下，没有受伤的士兵也惊慌地向他靠拢过来，中野中尉连忙请示是否集中人员占领制高点。河岸挥了挥手，顾不上斯文带上人马迅速地裹进逃散的人群。

　　河岸毕竟是只老狐狸，他知道在不明伏击具体人数时，硬打硬拼是盲目而缺少理智的，撤回大本营才是明智之举。而在这个撤退过程中，必须要和老百姓混到一起。房屋、树木、墙角、石桥等，什么障碍物都没有镇上的老百姓管用，他知道藏在暗处的那些枪准星和缺口之间所延伸出的瞄准基线上，对准的绝对是他们，如果在瞄准时间足够的情况下，甚至瞄准的都是他们的脑壳，只有混在老百姓当中，他们才会有了一道护身符。

在鼓乐喧天中突然进入枪声大作，河岸觉得脸上火辣辣的，那种感觉像是被一个平时被他无视的乞丐突然抽了耳光。尤其是他带着卫兵仓皇地裹进撤退的人群时，就和许甲遇到了一起。离世豪中学已经有三百多米，枪声也没有再追过来，河岸的心神稍微稳了一下。在撤退的这十几分钟里，他大概做了一个估算。枪声是从教学楼里射出来的，虽然有些零星，但不能贸然突入进去，一是他判断不出藏在暗处的到底是八路军，是游击队，还是民兵武装，到底有多少人，是不是在诱敌深入，这些他都还没有弄清。士兵已经死掉了三个，还有两个受伤的，硬顶是不行了。他要撤回妆台的大本营重新调整行动计划，同时等待援兵。

许甲也许是天天拿着刀子向猪夺命的缘故，他倒是一点也没表现出惊慌来。只觉得在那个是非之地看热闹没什么劲儿，便随着人群一哄而散了。许甲没有想到他会遇到河岸。遇到河岸的刹那，许甲心中竟有些快感。一刻钟前的河岸还趾高气扬耀武扬威，打过来的子弹却在空中呼啸着瞬间掠走了河岸的尊严。如果河岸的部队做出抵抗，许甲知道自己会冲出去的，他的腰里别着的那把杀猪刀尖早已把肉刺得隐隐发痛，两天没有见到血的许甲心里痒痒的，他感到刀子都像活了一样按捺不住悄悄咬着大腿。可是，还没等他见机行事，河岸已经把队伍拉出了学校。许甲从校门口出来时，往回瞅了一眼，就那一眼，他看见刚刚还被河岸有些神圣地捧在手中的旗帜却像是一团破布一样落在了地上。

那子弹是由谁打出来的，许甲能够猜得差不多。他神闲气定地从学校往外走，走着走着，他觉得脚下被什么硌了一下，低头一看，是两本日本小人书。许甲不识多少字，但是一看那书他还是知道这就是前几天镇上议论纷纷的洋玩意儿。看着落在土里的那两本书，许甲感觉像是掉在地上的两块猪皮。许甲用脚使劲儿一踢，小人书忽地飞了起来，又啪地落在了地上。许甲顺着小人书落地的地方望去，一双皮靴正好踩到了书上。目光沿着那双皮靴往上爬，许甲看到了河岸那张十分难看的脸。

一丝尴尬漫在河岸的脸上，又迅速地隐在了眼底。许甲故意不解人意地问，本来好好的，哪来的枪响啊？河岸脸上有了愠色，但是又不好发作。这突如其来的状况已经让他醒悟了，这个看起来温顺的古镇可不是风平浪静，一声枪响，让他发现的却是处处杀机。

许甲是故意要让河岸难堪的，你不是在蛾眉镇上逞威风么？现在可好，你那抹着粉擦了胭脂的脸被打回了原形。许甲似乎看到了河岸心上迸裂出的伤口正在向外渗着丝丝血迹，他就要在那伤口上撒上一把盐。看着河岸那张像是褪了毛的猪皮一样难看的脸，许甲心中涌起了几丝快意。他就是带着这种快意回到家中的。

一进院子，许甲先是看到了屠宰房门口流淌出的暗红色的血水，那是积年累月杀猪形成的。刚开始干上这一行的时候，每次杀完猪，许甲还要把洒在地上的猪血冲得干干净净，可时间一长，他觉得没有那个必要了，血水也就在院子边上流得有些恣意。看到院子里的血水，许甲的眼前又浮现出了世豪中学操场上倒在血泊中的那几个日本兵。许甲有些后悔没有掏出刀子和河岸他们拼上一番。

正这么想着，进得屋来，许甲一抬头就看见了许望从。许甲只有这么一个儿子，从儿子生下来，许甲就知道男孩子不能惯着养，家里攒拼下来的家业将来都指望着他来继承呢。男人就得要有血性。

许甲现在还记得他给儿子十岁时的生日礼物。那天一清早，许甲和徒弟捆好了一头猪。当徒弟拎着刀向嗷嗷直叫的猪走去时，许甲拦住了徒弟，把在一旁的许望从喊了过来。许望从茫然地看着许甲，不知道父亲想干什么。

许甲从徒弟手中拿过刀子，递给了许望从，用下巴告诉他这头猪的命归他了。许望从虽然从懂事起就看着许甲和徒弟白刀子进红刀子出的生活，但要是让他亲自结束猪的性命他还没有那个胆量。许甲冷冷的目光没有放过许望从，死死地盯着他。平时看父亲把一头声嘶力竭的猪搞得命送黄泉倒还是习惯，但是让他胆战心惊地拿着刀子走向捆住四蹄的猪时，许望从还从来没想过这样的情形会走进他的生活。他看看猪，转身看看父亲，看看父亲，再转身看看猪。在他刚刚举起刀往前迈一步时，他好像突然被什么刺中了，尖叫一声跑进了屋里。许甲只听到刀子当的一声落在了地上。

徒弟把刀子拾起来，重新走向那头猪。他听到许甲恨恨地讲，这个胆量也没有，老子十岁的时候已经杀死了十三头猪。

当天晚上，许甲和许望从正正规规地进行了一次谈话。许甲特意换了一身连正规场合也不常穿的礼服，桌上一把考究的紫砂壶代替了以往喝水用的大瓷碗。许望从从没有见过父亲这种架势，心中有些忐忑不安，站在屋子正中间不敢作声。许甲捏起茶盅喝茶，许望从觉得父亲故意做出来的动作有些好笑，可是他又不敢笑出声来。他看见父亲的指甲周围存满了污垢，黑乎乎的像是长在了肉里。许甲只有在倒茶的时候眼睛才瞟一下茶壶，喝茶的时候眼睛一直盯着许望从。许望从没有见过父亲这样的眼神，他猜想父亲叫他来到底是要干什么。

许甲喝完了两盅茶之后，问，你今年多大了？

许望从被父亲一句话问蒙住了，他喝的莫不是酒吧，我多大了他不知道么。但是他还得回答。十岁了。

十岁了。我八岁的时候都和你妈定亲了。

许望从听不明白定亲是怎么回事。但是他听到了妈妈这个词。

这个词是熟悉的，却又是陌生的。在他的记忆当中，就没见过妈妈。

按理说，十岁也不小了。现在处处兵荒马乱，到中国的鬼子是越来越多，本来是想让你跟着我干这行，将来也能养家糊口。现在看来，你也不是吃这口饭的。那么，我送你去城里读书，你也能多明白一些道理。

许望从终于听明白了父亲找他来的目的。父亲要让他到县城里去读书，接受更好的教育。

可是现在许望从却穿着世豪中学的校服出现在了家里，不消多问，许甲就明白了一切。世豪中学的校长不同意学生参加河岸搞的授旗仪式，河岸在县城里雇了一些学生来冒充，显然许望从也是其中之一了。

许甲没有想到儿子竟然会做出如此愚蠢的事来。他冷冷地问许望从，怎么回来了。

许望从还没有从突然的枪袭中缓过神来，虽说他十六岁了，但这样的情形还没遇见过。枪声一响，他就和同学们做鸟兽散了。头一天被日本记者带回镇上的时候，他心中还有着一些兴奋，他可以挣钱了，虽然只有五块大洋，但这是他头一次挣钱，而且听说那个记者还能把他们都装进那个黑机器里。大活人怎么能神奇地进入那个黑机器里呢？为了让他们相信，那个记者还特地为他们演示了一遍。真是不可思议，那个黑机器嚓嚓嚓一转，就把他们全吸进去了。而他们却还在原地站着，人却在那个小镜框里跑来跑去了，莫不是魂被装走了。看着那个记者演示，他们百思不得其解。兴奋归兴奋，但许望从的顾虑却是眼前这个人是日本人。父亲不止一次地在家里咒骂日本人，尤其是每次磨杀猪刀的时候，都要骂上一顿，好像只有一边磨一边骂日本人，那刀子才能更锋利，而他看到父亲眼中透出的那冷冷杀气，好像他一会儿要宰的不是猪而是日本兵。同学们都要去，他们认为到乡下跑一圈，还能钻进那个机器里转一圈，还得到了五块大洋，确实是一个划算的买卖。许甲恶狠狠的影像很快就从许望从的心中消失了，他和同学们兴奋地讨论着黑机器里的奥秘。

可是坐上车往县城外一出发，许望从就后悔了，他发现他是被拉着往蛾眉镇的方向走，心中顿时涌上了一些害怕。他这回替日本人干事如果让父亲知道了，他不知道父亲会怎样大发雷霆。开弓没有回头箭，他只能硬着头皮坐在车上闷不作声。

半年多没有回家了，许望从很想家。但是到了镇上，他一直沉默着，只盼着第二天参加完拍摄换完衣服就回家，他以为他若不讲，父亲是不知道他为什么会回来的。第二天一早，许望从和同学们被集合到了世豪中学的操场，事情有些出乎意料，世豪中学的操场上没有这里的学生，现在只有他们这一伙县城的学生在充当世豪中学学生，很显眼。显然，他们是被欺骗了，日本记者先前对他们讲的是学校的学生不够用，让他们来壮一下阵势。现在看来，一定是事出有因。不一会，他看见镇上有头有脸的人物都被日本人带到了世豪中学的操场上，他一眼就看见了父亲。许甲的脸上没有表情，眼里却还是透着杀气。许望从很害怕，他悄悄地往队伍后面藏了藏。

许望从一时没有想好怎么回答许甲。许甲在社会上闯了这么多年，平时出去收生猪，只消看上一眼卖家，是大方人家还是吝啬人家，是和睦之家还是争辩之家都会一目了然，包括看猪，一眼扫过去上下不会差五斤，同行们无不佩服得五体投地，他也常拿这事自诩。河岸把队伍扎在妆台的第一天，许甲就讲那个河岸不是什么好人，看似文质彬彬，实则是一个吸血恶魔。镇上茶庄的老板金瑞就曾好奇地问过他何以见得。许甲轻蔑地一咧嘴，我是杀猪的，他是杀人的。金瑞反驳。人和猪不一样，杀猪和杀人不是一回事。

许甲一脚踢翻了一个条凳，我他妈急眼了也敢杀人。你信不？

金瑞连连点头，信信，我信你能杀了那日本人。金瑞嘟嘟囔囔地走了，在他跨出门槛的时候许甲听到他说了一句，说谁都敢说，我还想在茶里下毒呢。许甲装作没听见，但脸上却觉着被金瑞打了一巴掌。

许甲从看到许望从穿的校服，就把事全看明白了。他看许望从束着手站在了一边不吱声，又好像很宽慰地问，这衣服挺新鲜，也挺合身，蛮精神呀。长大了，能挣钱了，不用花爹钱搞衣服穿了。

许望从从许甲的语气中摸不到东西了，年纪倒还是小，不知道父亲这是在夸他还是欣赏他。但是他从父亲的话语中有点感受到一种说不出的亲和感。毕竟是小半年的时间没有回家了，在操场上见到父亲时，他只看到父亲沉着脸在人群里面站着，倒也是看不出在怎么想。在县城里他看见了日本人的队伍出出入入，没和他们打过交道，只是听说在南京那边杀了人，可是在县城里的日本兵却是正规有序，行进正规，怎么看也不像传说中的那个恶样。这次回到镇上当天，他才知道蛾眉也住了日本兵。尤其操场上戒严之后，他才感到日本人的眼睛深不可测地隐着一种看不懂的寒冷。

你过来。许甲招呼着许望从。

许望从有些迟疑地往许甲身边走。你过来，让我看看又长高了没有。许甲的声音中似乎涌出了些许柔和的腔调。许望从心中一暖，快步向许甲身边靠了过来。

温暖，父亲手心中传递出来的温度顺着腰椎沿着脊梁往上爬着，一股暖流从心底猛地荡漾，原来那个整天开膛破肚剁头砍肉的父亲还能如此温柔？力量，父亲手掌间分明平展出一丝丝的力量，那力量一点点在加重，腰杆一点点被捋得挺拔起来。许望从有些陌生地看着许甲，看着看着，他看见许甲的眼中同时也涌上来另外一种陌生。就在他还没来得及揣摩出父亲眼中突然幻化出的内容时，啪啪两记耳光像是晴空霹雳炸在了许望从的脸上。你他妈个小汉奸！

许望从从一片亮闪闪的光芒中清醒过来，他惊呆地看着许甲。许甲的这种眼神让他觉得恐惧又让他有些熟悉。噢，对了，那年父亲把一头猪按倒在案板上时，那头猪突然张口咬了父亲一下，然后挣脱绳索飞逃而去。父亲把刀举向再被抓回来的那头猪时就是这种眼神，是受了污辱之后的愤怒。那头猪不是被许甲杀死的，而是被他扎死的。他把猪牢牢地捆在案板上，然后那把两尺长的刀在它的身上带着血光飞舞出一片眼花缭乱。许甲一边没有目的地扎着猪一边喘着粗气问那头猪，看你还跑不跑，看你还跑不跑。他手上滴的血不知是人血还是猪血。

许望从觉得自己现在成了那头猪。父亲的目光就在问着他，你还干不干这事了。

突然，许望从听到了哭声。这哭声来得确实突然，毫无征兆。让他怎么也想不到的是这哭声竟然是那个杀猪不眨眼的父亲。平日里威风八面的父亲哭声如此悲切，更有绝望的意味。

以前我让你练杀猪，并不是要让你干这行，只不过是要练练你的胆子。咱不欺负别人，也不能让别人欺负了。那个时候日本鬼子就满中国在打打杀杀，只是还没有到我们家的地界上来。看你胆量小，想是让你到县城去读书，将来多明白一些道理。你现在倒是好，个子长高了，骨头倒软了。日本鬼子现在都压到头上了，我要是能一呼百应，早就拉着镇上的人起来和他们干了。可是我没文化，只知道气愤，讲不出道理拉起米一伙子人。原本是指望你——哭到这，许甲突然停止了哭——我哭你个死娘我哭，我哭你个不提气的软骨头。原要指望你长大了能有些出息，现在看，你竟然年纪轻轻就开始吃日本人的饭，开始给日本人干事，我倒不如今天直接拿刀子把那个河岸宰了，倒也是解气了。

许望从被许甲完全搞蒙了，长这么大，他还不曾看见父亲掉过一滴眼泪，看来自己真是把他气坏了。自己也不是真心给日本人干事，也是被他们骗了，被日本记者给蒙蔽了。许望从没生父亲的气，心底对日本人恨得直咬牙根。

你说说，下步怎么办？喝过一杯水，许甲的情绪又恢复了正常。

这书我不读了。兵荒马乱的，哪还有心思坐在课堂里。

不是哪还有心思坐在课堂里，是哪还有课堂让你们来坐！日本人都已经占进院子了，马上就要扒房子，还读个屁书。许甲说到这时，感觉腰部被什么硌了一下，一摸，是早上别在腰里的杀猪刀还没来得及掏出来。许甲把刀子掏出来扔在了地上，用脚踢给了许望从，现在念书没用了，越念汉奸出的越多，还不如拿刀子呢。

看着许甲的情绪平缓了一下，许望从小心翼翼地问，爸，我想知道今天学校里的那些枪声从哪来的？

许甲摇摇头。接着又点点头，我不知道从哪里打出来的，但我应该知道是哪些人干的。

许望从抬头看父亲的目光有些急于知道答案，很焦虑，又很渴望。

那天天快黑的时候，从镇上跑了一下午的许甲回到了家，不一会儿，他领着许望从趁着夜色出了家门。两人一直往镇的东方急匆匆走去，穿过东头那片一望无际的稻田，一直走到距蛾眉十几里外的油坊桥。这时，桥下划过来一个小舟，许甲带着许望从快步靠了过去。

许甲声音恳切又凝重地对船上的人说，我就这么一个儿子，现在交给你们了。将来死了就死了，总之比给日本人干事活着强。要是他真还能跟你们杀死了几个日本鬼子，那我们祖宗也算是有脸了。

许望从刚要上船，许甲说，我今天忘了提醒你一个事。

许望从也不知道父亲还忘了什么事，在暗夜中问，什么事？

今天是你十六岁生日，要是不打仗，过太平日子，可能你现在还是一个孩子。可是从今天起，你就成人了。记住了么。

记住了。许望从点头。

咱们走得急，什么也没带。我送一份生日礼物给你吧。

许望从还没来得及问是什么，许甲的大手在夜空中划出了一道闪电，重重地击在了他的脸颊上。

胥得意

胥得意，男，1973年3月生，蒙古族，辽宁北票人。中国作家协会会员、中国报告文学学会会员，武警森林部队电视编导，解放军艺术学院文学系2015级研究生。著有《不逝的兵群》《城市里的农村兵》《得意小小说精选》《使命在心》《生态近卫军》《北纬53度警营的距离》《炮兵连爱情往事》等作品，在《世界军事》《军营文化天地》等杂志开设专栏。

蛾眉纵队

高 博

枪响了。

三支枪口同时射出了三颗子弹，一颗射向了河岸中佐的头部，一颗打中了摄影机，还有一颗射向了日军军犬雄狮。

"王道乐土模范镇"揭牌仪式现场顿时乱作了一团。五名日本士兵分别冲向倒在地上口吐鲜血的河岸中佐和被打烂的摄影机，站在外围警戒的日本兵也立即冲进学校，把现场名流和学生赶到一个墙角作为人质，开始搜索狙击手的藏身之处。

劝学堂战斗打响后，蛾眉头面人物按照先前定下的预案，让学校跑步场外五百米处集结的自卫队立即冲入劝学堂，配合三名侦察兵作战，迅速击毙了残留的群龙无首状态中的日军，掩护居民代表和借用学生转移。

此时被命令在营区原地待命的"皇协军"团长张贵听到枪响后，知道反正的时机到了。立即号召手下的士兵们，"弟兄们，我们期待已久的蛾眉纵队出现了，今天就是我们反正的日子，愿意跟我上的，现在就一起去打他个狗娘养的小鬼子们，不愿意的，可以脱下这身衣服趁机回乡种田去。"

张贵的"皇协军"原本就是国军的一个连，在坚守蛾眉镇，阻击日军进攻县城的战斗中陷入重围，求援无果，不得已才投降，手下的战士们早就盼着反正的这一天到来。"皇协军"里除了趁乱逃跑的十个人外，其余的都义愤填膺地参加了战斗。张贵把士兵分成两拨，一小拨奔向劝学堂配合三名狙击手侦查员消灭残留鬼子，剩下的亲自率领，在汲河打援，阻击鬼子的援兵扑向劝学堂。

就在混乱之际，贾宜昌像泥鳅一样溜出了劝学堂。贾宜昌是众所周知的铁杆汉奸，跟随河岸中佐从华北直到江淮，深得河岸中佐的信任。他一看现场不妙，撒腿就跑，直接跑向日军的驻地——妆台搬救兵去了。他心想，蛾眉中学的人疯了，"皇协军"也疯了，日本的铁蹄早晚会踏碎一切敢于反抗的人，自己还是识时务者，先死跟着日本人保命吧。

七夕前蛾眉镇上出现了揭露日本恶行的传单后，河岸中佐就深深感受到了来自一个未知对手的挑衅，早已偷偷借调了一个小队的纯正日本兵在妆台随时待命。

加藤少佐刚刚护送河岸中佐回到妆台，屁股还没坐热，就接到贾宜昌满脸哭丧的报信。加藤顿时气得火冒三丈，"八格牙路，通通死啦死啦地！"右手一巴掌把贾宜昌扇倒在地上后，命令部队立即倾巢出动，准备大开杀戒，冲向劝学堂。

不料，加藤少佐刚出营门，就遭到张贵率领的"皇协军"阻击。此时架在妆台到主街中间的毛竹吊桥和石墩木板桥都被炸断，两军隔河互相射击，互有伤亡。

张贵的及时阻击不仅避免了蛾眉镇百姓血流成河，也为蛾眉镇的上千百姓趁机举家撤离赢得了宝贵时间，大部分人在半小时内都想尽办法离开了蛾眉镇，投奔十里八乡外的亲戚了。就在大家都撤离时，屠夫许甲却扭扭捏捏不想撤退，他说日本人是冲着蛾眉纵队和"皇协军"来的，自己是一个良民不会有事。再说这一段时间好不容易攒下的家业怎么舍得离开呢？任凭谁劝也不舍得离开。

袁芦轩一家老小虽然已经转移，他作为镇长，感觉自己应该回到镇上主持大局，无论何时应该扎根这里，不能离开。其他不愿意离开的还有老得实在走不动的老人。此时在街上到处乱窜的几条流浪狗都知道跟着人群跑了。

枪声还在继续。茉莉花还剩最后一丝呼吸，脑袋耷拉在地上，微闭着眼睛，不停地微颤着鼻子。刚刚大战时逃跑的几只土狗此时围到茉莉花的身边，舔舐着它的伤口，不停地哀嚎着，久久不肯离去。

蛾眉小镇突然发生的战斗，没过十分钟就传到了日军江淮驻屯司令部。松冈大佐没想到最不可能发生战斗的蛾眉小镇居然出现一场残酷战斗，更没想到"皇协军"会在此时反正。由于先前已经派出一个小队的士兵进行警戒，现在能派出的援兵已经不多，他认为没有必要再出动援兵，他现在顾虑的是国军有可能会趁机偷袭县城，或援军半路遇到伏击。他的顾虑是对的。

刚刚失去淮水县城的国民党溃逃小分队此时正不知道退到哪里，一个多月以来一直在离淮水县城四十里远的一个山村中隐蔽休养，治疗伤员。今天卫生员李华子正准备去蛾眉镇采购给养时，从慌张奔逃的老乡口中得知了蛾眉镇发生的一切。

李华子一路飞奔返回，气喘吁吁地向指挥官贾德全报告了蛾眉镇情况。贾德全觉得蛾眉镇的战斗是天助我也的一次战斗，这既是趁机收复淮水县城的好时机，又是打破当下舆论说自己作战不利致使县城丢失的有利战机。张贵的"皇协军"反正也是值得向第三战区司令部上报的一则好消息，无论从哪方面来说，这一仗都有必要打，不仅关乎中国军队尊严，也关自己的前途。

一个偏安一隅的蛾眉小镇，就这样顿时成了牵一发动全身的战场。就在松冈大佐还在犹豫派出多少援兵前去蛾眉救援的时候，收到上级情报的通知，命令他不要因小失大，当下以保护淮水县城为要。

松冈大佐只好给蛾眉镇的加藤少佐发去"固守阵地，不要主动出击，寻机回撤县城"的电报。这样一来，蛾眉镇的日军进攻力度逐渐减弱，依托妆台营区转入了防御。张贵的"皇协军"一时还没明白过来，心里还想他妈的鬼子兵们也有怕的时候？要是老子有迫击炮，现在就能轰平鬼子的营区。

过了一个小时后，双方的弹药都消耗得差不多了。枪声逐渐稀疏起来，此时张贵收到贾德全特使送来的信件和三百大洋，"念及张贵能够顾及民族大义，及时反正，抗日有功，现任命你为先遣营营长，配合我军一起克复淮水县城，待战斗结束后依据表现情况，再行向师部和战区请功……"

张贵听完后激动不已，说了些千恩万谢的话，保证自己和所属弟兄们此次反正之后再无二心，誓死为党国效力，请长官放心。张贵说完后请送信特使跟随自己部队一起向淮水县城进发。

张贵这一撤退，立即引起对岸加藤少佐的警惕。他按照刚才电报指示，立即收拢部队，留下几名战士照顾重伤员以外，其余全部出发紧密跟踪张贵部队的去向。张贵带着部队走了两个小时后越想越不对劲，他担心以自己现在实力去攻打鬼子重兵把守的县城无异于以卵击石，肯定吃不了兜着走，说不定又会被鬼子包围吃掉呢。转而对派来的特使说，要不我们先合兵一处，从长计议，万一我们孤军深入、大部队没有及时跟上，要是被鬼子消灭了对谁也不好，是不是？送信特使是个毛头小伙儿，没什么主心骨，被张贵三劝两劝就同意改变路线向残部临时躲避的小村庄行进了。

这一改变，给平静的小山村即将带来一场血与火的灾难。加藤少佐推测张贵的突然转向，可能是去寻找蛾眉纵队或者国军残部了。真是一个寻机歼敌的好机会。他立即通过电台向江淮司令部报告了张贵的动向和可能遇到蛾眉纵队或国军残部的猜测，得到的指示是紧密跟踪，一旦发现国军残部立即报告，争取全歼。

张贵的部下在一路行军途中，听说又要回到国军序列，说不定哪天就成了炮灰，不断有溜号的人出现，最后到达了一个三面环山，一面环水的小山村时，人员又少了十人。张贵和贾德全见面后大为失望，自己盼望的国军大部队现在所剩的人数竟然还没自己带来的人多，满打满算轻重伤员也不过五十人，就这样一支队伍还想去攻打县城？简直是在开玩笑。靠这样一支部队当然无法攻打县城，贾德全是在做着向上级请求补充兵力，趁机恢复实力的梦。他没想到一场大难即将来临。

加藤少佐发现国军残部和张贵汇合后，立即向松冈大佐电报请示是否进攻？得到的回电是把握战机，力求全歼。于是，加藤立即勘察山村地形，兵分两路实施左右夹击，国军和张贵部队面对突如其来的日军进攻溃不成军，死伤大半，其余的四散逃往山里成了散兵游勇。刚才还在小看鬼子战斗力的"皇协军"此时明白了小鬼子的阴谋，不过为时已晚。张贵在战斗中是一条好汉，身中三枪趴倒在地也没投降，最后在鬼子打扫战场时还拉响了一颗手雷，又赚了两个垫背的。贾德全在子弹打光，和鬼子拼刺刀时壮烈牺牲。

持续了二十分钟的枪炮声和喊杀声后，小山村又恢复了往日的宁静，只是村里的河水已变成了鲜红色，呜咽着流向远方。此时太阳已经西坠，离落山还有一段时间，但已经不那么热了。

现在该说说蛾眉纵队了。之前，关于"蛾眉纵队"的传说有很多种，有人说，因为日军封锁得厉害，别茨山里的新四军主力接近不了蛾眉，但是派遣零星人员，分期分批地进入蛾眉镇，四周的乡镇都有，蛾眉街面居民家里的亲戚也多了起来，这些人都是"蛾眉纵队"的成员。这些传说并非空穴来风，蛾眉镇上每天到妆台附近洗米洗衣的居民中实际上就有新四军派来的侦察员，一是侦察日军驻蛾眉的实力，二是隐蔽待机，勘察建立蛾眉纵队的可能性。

一开始，蛾眉镇作为一个无险可守的水乡小镇，新四军并没有打算成立"蛾眉纵队"的打算。这次劝学堂作战后再也不能保持沉默和地下活动了。庄临川和姚独眼先前是从国军的队伍上下来的，在蛾眉中学从事教学多日，偶然中看到毛泽东写的《论持久战》一书，对共产党领导的敌后独立自主的游击战打击日军充满敬佩之意。

此次劝学堂战斗正好是个机会，庄临川决心把人们口中传说多时的"蛾眉纵队"由影子部队建成实体部队。根据地活动范围早已被庄临川和姚独眼考察了数十遍，可以以蛾眉镇以北纵横交错的汲河水乡的芦苇荡和三十里外的滁山作为根据地。

拉起的队伍有跟随自己一起干过鬼子的姚独眼和一腔热血、一心琢磨要制造定时炸弹炸鬼子的化工教员蔡捷丰作为骨干。吕上清和许甲本质一样，一听说抛家舍业地干革命，就犹豫了，心里始终盘算着还是做生意自在划算。干革命这事也不能强求，不允许滥竽充数，庄临川看到大家都转移到安全地点后，知道该让不愿留下的头面人物和借用的学生离开了。最后自愿留下来干革命的有二十二名热血青年，庄临川首先清点了一下人员和武器：三八大盖步枪十支，手榴弹二十枚，子弹百余发，这些都是刚才战斗中缴获日军的，再加上自己携带的土枪、大刀，也算兵强马壮了。

随后庄临川开始站上一个台阶，对聚集在四周的热血青年讲了一番话："大家可能早就听说了'蛾眉纵队'的存在，其实以往他更多是一支影子部队，刚刚大战日本军犬牺牲的茉莉花实际上是这支部队的司令，蛾眉的上百只狗都是它的部下。如今，蛾眉的狗为抗日立下了汗马功劳，我们将来要立碑纪念那些英雄的无言战友们。前几日，大家可能也都看到了街上散发的揭露日军暴行的传单，这些传单就是出自鄙人之手，就是在呼唤大家团结起来，揭牌仪式时能同仇敌忾，消灭鬼子。事实证明只要我们团结起来是能战胜鬼子的。就在刚才，张贵的'皇协军'也反正了，一起和我们打鬼子，我们才能安全顺利地转移到这里，这说明每个中国人都是不甘心做亡国奴、不甘心在鬼子的铁蹄淫威下做牛做马的。各位，希望今后我们继续团结起来，一致对外。下面，我要隆重告诉大家的是今天击毙河岸中佐的英雄——王英杰，他是新四军中一名优秀的连长，是百步穿杨的神枪手，刚才一枪就送河岸中佐上了西天。"人群中响起雷鸣般的掌声，不少人议论纷纷，"这不是住在蛾眉街东头卖米的那个人吗？""难怪他每天都亲自到汲河边淘米，原来是去侦察日军虚实的吧？"庄临川让大家静一下，继续演讲，"另两位神枪手也是新四军侦察连的两位优秀战士，有不少鬼子都被他们一枪毙命……"

庄临川按照王英杰的建议，成立蛾眉纵队独立抗日游击队，将在场的所有人编成三个支队，纵队的司令、政治委员、支队长还有教导员都由大家推举选出。纵队还成立了士兵委员会，实行官兵平等、军事民主，现场官兵士气高昂。

在投票选举纵队和支队领导时，由于一些战士文化程度不高，还不会写字，庄临川想了一会儿，找来一把黄豆，分给每人一粒代表一张选票，每个人的身后都放着一个碗，每个人可以自由地将手中的豆子放到自己信任的候选人碗里，最后现场数每个人碗里豆子的数量来决定谁担任纵队和支队的领导。

袁芦轩回到峨眉镇上后，看到街上冷清街景，不断感慨着啥时才能过上真正太平的日子呀？当他走过十字街口时，发现茉莉花已经断气。街上也不见了土狗身影，他想还是要把茉莉花好好安葬一下，它也是久经战斗，为抗战做出过突出贡献的一名英雄。只不过现在兵荒马乱的，棺材是找不见了，袁芦轩到自家找了一面席子包裹起茉莉花放在小推车上，默默走向小镇外的一处长满鲜花和杂草的高地。

鬼子在峨眉镇拍摄"王道乐土模范镇"电影没有成功，还损失了一名中佐，两名中尉，还有三条军犬，这些都上了日本国内的《朝日新闻》报纸，成为一种耻辱。这些仇都被加藤少佐一直惦记，他抓捕了袁芦轩，在接下来的一个月时间里，他率领部队来峨眉镇先后血腥扫荡了三次，杀光了一切能动的人和牲畜，抢光了镇上的所有物资，彻底将峨眉镇变成一座废墟。在监狱里，任凭日军怎么严刑逼供，袁芦轩都没有说出庄校长的下落和峨眉纵队的去向，直到奄奄一息，他一直在重复一句话："士可杀不可辱！"

转眼大半年过去，峨眉纵队已经壮大到两百多人，扩大了根据地地盘，也与上级党组织建立了联系。峨眉纵队坚持化整为零，实施灵活机动的游击战术，往往搅得日军日夜不宁，虽然日军在一个月后查明了峨眉纵队的根据地位置，但每次扫荡要么损兵折将，要么扑空而归。一次大雨滂沱的傍晚，峨眉纵队根据可靠情报，主动伏击了日军军火运输队，补充了自己的弹药，缴获了迫击炮和轻重机枪若干，对抗日军进攻能力大幅提高，双方进入了实力相当的对峙状态。

高　博

高博，男，1988 年 11 月生，河北邯郸人。解放军艺术学院 2014 级文艺学研究生学员。在《解放军报》《战友报》发表新闻作品多篇。

蛾眉夜影

纪炫慧

　　庄临川是带着秘密来的，乘春风而来，欲借夏雨而去，而今初雨已过，他却依然毫无头绪。这里的一山一水，一草一木，甚至于一砖一瓦，庄临川都甘之如饴，好似一坛陈年老酒，初入口时，有些辣又有些涩，而后那浓郁的酒香便喷薄而出，香了满口一身子。让庄临川如履薄冰的秘密便是这耐人寻味的老酒。怀揣着秘密的庄临川像个影子双面人，他昼伏夜出，白日里，是世豪中学不苟言笑的庄校长，日光隐去，就成了黑夜里的独行侠，如此夜以继日，长此以往。

　　话又说回来，庄临川本身就是个不大不小的秘密，他是读书人也是革命者，除了庄校长的名号外，他有更为光荣的身份。两个月前，庄临川接受组织安排来到世豪中学担任临时校长，他这个新四军的团长走马上任，俨然一副学究的派头。虽说校长是个幌子，可庄临川依旧干得有声有色，世豪中学在他的带领下学风日益浓厚，而他共产党人的身份，镇子里除了姚独眼，其他人一无所知。姚独眼是他的亲信，是他跟上面的联络人，他完完全全信任他，可这个秘密姚独眼并不十分知情，不是别的什么原因，而是这个秘密太过于沉重。对于庄临川来说，整个蛾眉镇就是他潜藏已久，又不可告人的秘密。

初来蛾眉镇，庄临川天一亮就从西头走到东头，从南边走到北边，把整个镇子摸得清清楚楚。黄昏之中的世豪中学，寂静而又空旷，学生们收拾书具各自回家，学校里只剩了几个年轻教师。庄校长的房间在世豪中学最隐蔽的一个角落里，那里原本是个杂物储藏室，自从教室旁修建了一个更大面积的仓库后，先前的储藏室便被闲置下来，庄临川第一眼便相中了这个地方，他把自己带来的史书、地图全部摆了进去，白天除去上课巡课，他便在这里备备课，看看书。

夜幕降临，四下无人之际，庄临川便把个沉甸甸的袋子扛在肩上，悄无声息地出了学校。这其中的巧妙只有姚独眼知道，以前他是庄团长的警卫员，现在他是庄校长的看门人。漫长的黑夜里，姚独眼等到了最后一盏灯熄灭，他把学校大门锁上，然后不疾不徐地绕着学校遛了一圈，这才一步一顿走到那间储藏室前，轻轻敲三下门，无须言语，屋里的人自会清楚。趁这个空当，他从贴身的口袋里摸出一把钥匙，把挨近储藏室的侧门打开，紧接着一个黑影闪身从虚掩的门窜出去。姚独眼左右看看确认没人后，照样把门锁上。

两个人一前一后走着，姚独眼就在庄临川身后不远处，偶尔他会把茉莉花带出来，茉莉花有些老了，不长的距离让它走得格外慢。入梦了的蛾眉镇像流淌着的水，温温柔柔，缱缱绻绻。草垛里不知名的虫子一声高一声低地叫着，晚风徐徐，月光濯濯。穿过河边的吊桥，庄临川走到妆台，把肩上的重物卸下来，摸索着从里面掏出个小盒子似的东西，顺势背到后背上，他小心翼翼地拿着与盒子连接的杆子，在离地面五厘米左右的地方来回移动着。庄临川弯着腰仔细听着探头发出的声音，他一寸地一寸地的走，生怕错过些什么。

姚独眼一个人斜靠在土堆上，仅剩的右眼在黑夜里闪闪发亮，流露出一股警惕之色。五音短笛紧紧被他握在手心里，以防不时之需。他的右眼已经逐渐适应了黑暗，此刻蛾眉镇的凹凹凸凸也在他的眼前隐约可见，恍惚之间，一个黑影一闪而过，姚独眼一个挺身从地上跳起来，稀疏的月光下，树影婆娑，被风一吹四下发出簌簌的响声，停了半晌，他揉了揉自己那只独眼，小声嘟囔了句，又重躺回土堆，这会他比之前放轻松了不少，还抬头独自欣赏了会圆月，突然想起今天是农历十六，算了算，距离他们来到世豪中学已经过去了整两个月，他记得上头说过要让他们务必在三个月以内完成任务，虽然他不知道具体的任务是什么，但可以肯定那一定很重要，想到这里，他扭头看了一眼不远处的庄临川。

庄临川直起身子伸伸胳膊，抬手抹了把汗，他仰头看了看，天边隐隐有些泛白，心下约莫着差不多已经四更天了，便把手里的东西归置归置，重新装回袋子里。他和姚独眼相互看了一眼，依旧不说话，两个人还像来时那般，顺着原路返回去。待庄临川进了储藏室，姚独眼蹑手蹑脚把侧门锁了，照例围着学校逛了一圈，这才回了自己的住处。庄临川躺在床上翻来覆去睡不着，两个月的时间已经让他把蛾眉镇方圆几里找了个遍，可还是一无所获，他寻思着凭一己之力恐怕再找上个把月也非易事，他从床上爬起来，点燃桌上的小油灯，从架子上抽出一本书，翻出一页，照着图上的样子在纸上画起来。

天已经大亮了，庄临川急匆匆出了校门，过了主街，他拐进谢奉承的铁匠铺里，并无多少寒暄，他从衣服里掏出一张图纸，开门见山要求谢奉承给他打制出图上的工具。谢奉承接过去一看，纸上画了个类似于铲子的东西，还有密密麻麻的零部件图样。庄校长，这是？谢奉承疑惑地问。学校新开了一门课，这是课上要用的。庄临川言简意赅地说明用意。谢铁匠并未见过这种铲子，他皱着眉头仔细研究了一会儿构造，庄临川不时在旁边指点一二。等两人探讨完毕，谢奉承支支吾吾地说此等物件工艺复杂，需费些力气。庄临川明白他的意思，遂说那就麻烦谢铁匠先打造五把，价钱由你来定，三天过后我便来取。

回到学校，庄临川把化学教师蔡捷丰和物理教师周介于叫出来，跟他们说了自己准备新开一门实践课，以土壤结构分析为原始数据资料，以此为依据绘制蛾眉镇，乃至陆安州的土质层分布图，这其中涉及到其他学科，还请两位教师帮助自己完成这门课。蔡捷丰和周介于你看看我，我看看你，不知道庄临川葫芦里卖的什么药。庄临川解释道之所以有这样的想法，是因为目前抗日局势紧张，日本人已经攻进了江淮地区，我们不能坐以待毙，所以自己想研究一下土质层外加地形图，看看能不能对战场的战术布置有帮助。蔡捷丰一听抗日，立即响应，并义愤填膺地控诉日军的行径，末了再次申明自己的立场。待蔡捷丰说完，庄临川望向周介于想听听他的想法，周介于心里虽无此意，但此刻也是骑驴难下，索性先答应下来。如此一来，三人便就此达成了一致。

不多时日，每当学生们三五人一组便成立了一支勘探小分队，分散在蛾眉镇的各个地方进行取样分析，庄临川的铲夹宽仅二寸，成 U 字半圆型，铲上部装有长柄，学生们每向下钻插一下，就可以深下去三四寸，往上一提，就能把地下卡在半圆口内的土，原封不动地带上来。庄临川在几个临时测量点来回巡视着，不停重复着那句铲头要正，杆子要直。他认真翻看学生们的记录，想要从中发现些蛛丝马迹，可还是什么都没有，他把本子还回去，在心里深深叹了口气。

这天晚上，他像往常那样从学校摸黑出来，这次他把地点选在了主街上的一块区域，他手脚麻利地把东西拿出来背上，开始了那项重复性工作。姚独眼在不远的地方蹲着，一动不动地看着笼罩在夜幕下的蛾眉镇。庄临川仔细辨别着仪器传出的滴滴声，这并不是他想要的声音，正在此刻，耳边骤然传来五音短笛的笛音，他暗叫一声不好，当下赶紧把背上的盒子解下来，刚把东西收拾进去，就见姚独眼冷不丁从树影里拎出个人来。

那人重重地摔在地上，躺在地上哼哼了几声。庄临川听地上人的声音有些熟悉，试探性地问道，可是许甲？那人慢慢从地上爬起来，笑道庄校长好耳力。庄临川有些愠怒，心想这会子功夫白白让这鲁莽之夫给浪费了，嘴上便说月下杀猪果真好雅兴。许甲嘿嘿笑着，说那也不及庄校长有雅兴，每天夜里都在这块巴掌大的地方寻宝。庄临川心下一惊，面上仍佯装镇定，哪有什么宝让我寻？许甲得意洋洋地说，我几次夜里睡不着出来赏这月色，恰巧就撞见过庄校长几次，再说了，庄校长让谢铁匠打的那几把铲子不正是大名鼎鼎的洛阳铲吗，我许甲也是见过点世面的人，别的不晓得，这洛阳铲多少我是知道点的，可不就是盗墓用的铲子嘛。

庄临川没有言语，待思忖片刻，才缓缓说道，既然你已经知道了，我也不好再隐瞒下去了，蛾眉镇乃是块风水宝地，故有一大户人家把墓穴选在此处，后经岁月变换，那墓也就不知去处。许甲使劲咽了口唾沫，庄校长此话当真？庄临川冷哼一声，不然我每夜来此做甚。许甲闻此转身就跑，不多会就消失在夜幕中。姚独眼走过来悄声问他，你为什么骗他？庄临川反问道，你怎知我骗他？姚独眼闷声说，我就是知道。黑暗中，庄临川笑了笑却没有出声，自顾自向前走去。

坐在桌前，庄临川把贴身衣兜里的一小块布料拿出来，小心翼翼地展开放到油灯下，上面画有一幅描绘详尽的地图，蛾眉镇被特意标注出来。庄临川仔仔细细地研究了一番，这已经不知道是他第几次看这张地图了。明明地点方位都没有错，为什么就是找不到呢？蛾眉镇啊，蛾眉镇啊，现在已经到了生死存亡的紧要关头，你这块宝地怎么就不显现神通呢？庄临川用手点了点地图上蛾眉镇的标识，那是个军事重地的注记，朦胧之间他的眼前出现了热火朝天的炼兵器厂，挥汗如雨的打铁匠，凶神恶煞的衙役监工⋯⋯

　　不知道哪本野史上记载，乾隆年间，边境纷争不断，在平定了大小和卓之乱后，乾隆皇帝秘密下令在各地兴建几处兵工厂，此番大规模动静，并非用于本朝本代，而是乾隆帝高瞻远瞩，早预料到未来边境必不安稳，为保江山社稷，故而在东南、西北、东北、西南方向钦定四地，由朝廷亲自派护卫队驻守督办，并专设采匠史，征召各地铁匠成立冶炼队伍。铁匠们不分昼夜地炼制打造，四座装备精良的兵工厂已成规模，里面装满了种类繁多的武器，除了刀剑长矛这样的冷兵器外，还存有为数众多的鸟铳、火铳、红衣大炮、百虎齐奔等。兵工厂建成之后，乾隆帝下令将其掩埋藏于地下，并嘱托后世非危急关头不得开启。朝廷怕走漏风声，秘密授意将参与炼造武器的人员一并埋于地下。蛾眉镇便是这其中一处，几百年一晃而过，如今的蛾眉镇早已是人丁兴旺。

　　庄临川此次前来正是为了这地下兵工厂，根据地图上指示的方位，他用军用罗盘测量多次，埋藏地定在蛾眉镇无疑。两个多月的时间，他用探测仪几乎把蛾眉镇的地界都检测了一遍，学生们的土壤层报告中也并未见到金属元素，或许这兵工厂本身就是虚晃一枪？这个想法一出，庄临川赶紧摇头，努力把这个念头从脑海里驱赶出去。今晚许甲的出现倒让他有了新的想法，反正这件事藏是藏不住的，索性把消息散布出去，让全镇上的人一起寻找，人多力量大，说不定会有新的发现。

　　这些天最忙的莫过于谢铁匠了，蛾眉镇每三户便有一户请他打造洛阳铲，甚至于周边镇上的人也都闻讯赶来，加入了这支庞大的寻宝队伍。地点不仅限于蛾眉镇，寻宝范围已辐射到距离蛾眉镇几公里以外的地方。在众人的不断改良下，洛阳铲已由五米内的深度延深至五米外。这个时候，蔡捷丰突然找到庄临川，怒气冲冲的质问他蛾眉镇大墓究竟是怎么回事，一波未平一波又起，庄临川只能对一切缄口不言，并坚称自己绝无个人私欲。不管蔡捷丰再怎么问，庄临川都拒绝做出回答。对于庄临川的这种态度，蔡捷丰也是半信半疑。

庄临川自己也没闲着，他翻遍了手头上有关清朝兵事的正史野史，外加蛾眉镇的地方史，希望能从中得到一些有用的消息，可还是一无所获，正当他一筹莫展之际，姚独眼过来说了一个令人振奋的消息，在距离蛾眉镇一公里处的地下土里发现了铁末。庄临川二话不说，带上工具就跟着姚独眼跑出去。

土沟旁已经聚集了一堆人，庄临川气喘吁吁地闯进去，这个孔是凤翔布店老板吕上清派店里伙计钻出来的，此刻，吕上清站在一旁，以探询的目光看向庄临川。庄临川蹲在地上又嗅又看，证实这土里确实含有铁，他注意到这大约在地下八米左右的深处。为了进一步探明地下的情况，庄临川又在附近重新打了个孔，他双手握杆用力地探下去，紧接着面朝南打五十厘米，转向北再打五十厘米，轮流向下打，同时不断将铲头旋转，四面交替下打。

往下打了约莫有十米，庄临川突然觉得手中杆子一震，他意识到铲头触到了什么坚硬的东西，欣喜之余，耐着性子把杆子拔出来，他仔细查看铲头所带出的土质，并不是他期待已久的铁器粉末，只是一般的石头而已。庄临川转念一想，这或许就是兵工厂在掩埋之际刻意建造的石顶。有那么一刻，庄临川的眼泪快要下来了，握着杆子的手在微微颤动着，他努力平复了一下，慢慢从地上站起来，做了个向下的手势。周围的人顿时一片雀跃，每个人都一副蠢蠢欲动的架势。

八月的蛾眉镇闷热躁动，没有一丝凉意。乡民们自发组织的掘土队伍愈加壮大，他们没日没夜地挖着，一个三米见方的深坑已颇具规模。那坑每向下深一点，庄临川的心就被拎起来一块，他既无比期待即将揭晓的结果，同时又不免有些害怕忐忑，前线的武器装备告急，他多么希望能把这批兵器挖出来，到时候一定能派上大用场。来到世豪中学已经三个月有余，一想到自己将不辱使命，为抗日尽一份绵薄之力，庄临川觉得莫名的轻松。

石头挖出来的那天，庄临川正在给学生们讲安史之乱，接到消息后他按捺住内心的狂喜，仍自讲完那惊心动魄的一课。一结束，庄临川直奔目的地，坑边围满了想要一探究竟的人，坑里坑外全是攒动的人潮。庄临川顺着梯子下去，看见那块裸露大半的石头，他的心蓦地凉了一下，因为这块石头太有棱有角了，以至于完全看不出它作为屏障的特征。庄临川顾不上那么多了，他从别人手里抢过铲子，铆足了劲在石头周围刨土，他脸上的汗吧嗒吧嗒掉在土上，立刻渗了进去不见踪影。

庄临川心无旁骛地挖着，他什么都听不见，听不见乡民们的叹息，听不见姚独眼的劝慰，他什么都看不见，看不见暴露在外的整块石头，看不见自己的双手全是鲜血。他就一直那么挖着，从红日当头挖到日暮斜阳，从月明星稀挖到曙光四起。终于，他倒下了，呈大字形躺在坑底，他眯眼看着天上的月亮，那么亮那么圆，他仿佛又看到了那座传说中的兵工厂，里面的兵器应有尽有……他闭上眼睛，一滴眼泪从眼角悄无声息地滑落下来，等他再睁开眼睛，恍恍惚惚看见坑边的茉莉花。庄临川此刻已经陷入了一种迷乱的状态中，他喃喃自语着，茉莉花，茉莉花，你也来挖兵工厂了。

校长，咱们该回去了。姚独眼轻声说道。回去，我没脸回去啊。校长，你还记得茉莉花的名字是怎么来的吗？庄临川有气无力地说，梧桐又小窗，茉莉拥钗梁。姚独眼的神情辽远而又怅然，他自顾自地说起来，与其是跟庄临川说，倒不如说是自言自语。在姚独眼还是姚志远的时候，他爱着一个叫鹤儿的姑娘。鹤儿有一条唤作梧桐的狗，每次和姚志远出来时，她必定会将梧桐带上，鹤儿心里知道自己是要嫁给姚志远的，尽管这个男人没有双亲，没有老屋没有积蓄，她还是愿意和他在一起。鹤儿教给他吹五音短笛，笛音短促清丽。鹤儿喜欢穿红色夹袄，编油光水滑的长辫子。他们的生活简单却不平淡，在一个普通的上午，姚志远特意去了趟邻镇，为了给鹤儿买她心心念念的酥糖。等下午赶回来时，他发现梧桐坐在村口，远远地看到他，梧桐并没有像往常那样欢快地跑过来迎接他。

说到这里，姚志远轻轻叹了口气接着说道，是梧桐带我去看鹤儿的，她躺在那里，那么安静，这一点都不像她，她把梧桐和五音短笛都留给了我。她死了？庄临川突然开口问了一句。她是被日军糟蹋之后自杀的，从此以后，我恨透了日军。后来梧桐下了一个崽儿，没多长时间，梧桐就莫名其妙地消失了，我想它是去陪鹤儿了吧，这个狗崽儿一直都没有名字，直到你叫它茉莉花。

姚独眼不再言语，他把五音短笛放在嘴边轻轻吹了起来。这件事情的最后，庄临川是在姚独眼的搀扶下，踉踉跄跄回到世豪中学，回到那间储藏室的。庄临川拿出一张空白纸，几次拿起笔又几次搁下，犹豫了许久才把那张白纸仔仔细细折起来，交到姚独眼手里。就把这个给上面吧。庄临川耷拉着脑袋，朝他摆了摆手。

姚独眼在第二天带回消息，日军马上就要打到蛾眉镇了，组织上要求庄临川继续在世豪中学待命。庄临川意识到又一场恶仗即将开始了，他要重整旗鼓迎上去，这一次只能成功不能失败。

日本人是后半夜进来的，动静不大，连狗都没叫几声。

纪炫慧

纪炫慧，女，汉族，1992年3月生，山东诸城人。解放军艺术学院文学系2014级硕士研究生。在《青年文学》、《飞天》上发表了《旅行》《伊，我看你太近》等短篇小说，剧本《北公街十八号》入选国家广电总局青年剧本扶持计划，剧本《归期》与广电总局剧本中心签订采购协议。

一只狗的前世今生

朱　悦

　　四月里，茉莉花出生了。它作为一只普通的黑狗被农家阿伯养在田间，养在草里，甚至连个正经名字都没有。有人要唤它，便大喊一声："狗！"它总是很识趣，知道是在叫它。狗就这么被随意对待着，懒散地长大了。彼时可没人知道它是什么阿尔泰尔猎犬的后裔，又流着多高贵的血。直到它九岁时，有群当兵的从这儿经过，他们的师长一眼就相中了它，找着农家阿伯说："阿伯，你相不相信，这不光是人看人有眼缘，人看狗也是有个眼缘的啊！"阿伯看着眼前这个当兵的，不明白他咋就对着一条黑狗这么激动，一时也不知说啥好。沉吟半晌，抽着半袋旱烟说，"唔。"

　　看着老汉漫不经心的态度，似乎有点儿不把首长放在心上。勤务兵姚独眼有点儿按捺不住了，张口就道："你这个老汉儿，不要在这儿故弄玄虚，俺们就看上你家这狗了……"

　　"小姚！你别……"姚独眼那句"俺们就是要带你的狗去参军"还没讲完，就被师长打断了。

　　"哦……原来是这么个意思，带走！带走！可以……"师长的那句"你别像个土匪似的"还没讲完，又被老汉的话给打断了。

老汉吸了一口烟，悠悠开口道："我当你要咋地，原来是想要这狗。它倒是挺省心的一条畜生。"

师长看老汉答应得如此爽快，心里也不免激动，忙承诺道："阿伯，你放心！我肯定好好待它！"

老汉儿听了这话，嘿嘿就笑了。"不用，不用。该咋就咋。"

狗儿倒是挺适应新的生活，也许它和师长是真的有眼缘吧。师长告别老汉家时，一挥手这狗竟然就跟着走。到了夜间队伍驻下休息，师长亲自去喂狗。"狗啊狗啊，也不知道你叫个什么名字？"听到有人唤"狗啊狗啊"，黑狗以为是叫它，突然就站起来，四处瞅。师长看狗忽地就站了起来，比成日卧着的时候精神不少，忍不住向小姚说道："看它多精神，就叫个黑子吧！"

在它做黑子的期间，发生了两件事。一是师长负伤了，于是黑子和小姚一起被师长送给了团长。二是黑子和小姚到了团长那儿没多久，团长就阵亡了。

再之后，黑子和小姚一起又到了新团长庄临川那儿。庄临川不爱狗，刚开始的两个月他像是根本没意识到黑子的存在。黑子辗转到了新主人这里，也没了以往的那股劲头，又复变得懒懒的了。这狗，是跟着谁像谁。黑子并没把小姚当作它的主人，虽然他们俩待在一起最久……可是那感觉就像难兄难弟似的。姚独眼的眼是在参军之前就受了伤的，可黑子却是最近几次战斗之后聋了耳朵瞎了眼。现在一人一狗站在一起，倒是不能不把他们当成一对儿了。一个月亮正圆的夜，不知怎地激发起了姚独眼的愁绪，他一个人坐在井边吹起了小曲茉莉花。笛声本来就多情婉转，黑子静静地坐在姚独眼面前，这景象被庄临川看到了，他像是第一次注意到这条黑狗。庄临川走到姚独眼身边："想啥呢？听着怪凄惨。"姚独眼说："这没多长时间，老师长不在了，老团长也不在了，你这个新团长……"

庄临川听了哈哈一笑，问道："这狗叫啥名字？"

“叫黑子。师长给起的。”姚独眼闷闷地说道。

“别叫黑子了。看它听你的笛音多认真，叫茉莉花吧以后。”

在它刚成为茉莉花的时候，它果真遇见了一朵自己的茉莉花。那是一条菜农老张家养的小母狗。模样好不好只有狗们才有资格评判，可在人看来那一身雪白的毛确实难得。茉莉花成日里在门口打坐，姚独眼忙起来几天都想不起来他还有条狗，而狗呢也不急不躁……小母狗每天下午都会跟着菜农老张的女儿上集市去卖菜，每次都要从茉莉花面前经过。可是茉莉花连眼皮都不抬一下，这倒是让那只原本骄傲的小母狗有点好奇了。渐渐地，有时候小母狗要比主人快上两三步，跑到茉莉花面前转一转，嗅一嗅，茉莉花偶尔会回应小母狗一下。

一天傍晚，小母狗跟着主人从集市上回来。夕阳西下，橘黄色的余晖把小母狗的白毛照得金黄，整个身体看起来像镀了金边……茉莉花睁开一只眼，看着它向自己跑来，那样子倒是有几分可爱……从此，菜农家的女儿去卖菜，身边就跟着两只狗了。

姚独眼今天要找狗了。因为他和庄临川接到任务，要到蛾眉小镇去。他半天也没寻到茉莉花的身影，最后竟然看到茉莉花和一只小白狗一起从远处跑过来。姚独眼揉了揉自己的独眼，他简直不敢相信，茉莉花也有这么一天。这可让姚独眼犯了难，难道二话不说直接把茉莉花带走？夜深了，姚独眼还是睡不着，“这畜生……”姚独眼翻身坐起来，把茉莉花叫到屋里来，说：“兄弟。咱明天得上蛾眉镇去了。你，这……你得跟人家告个别……”姚独眼说不下去了，他觉得自己差不多也是疯了，和疯狗说疯话，于是把茉莉花又赶回窝里去了。后半夜姚独眼也没睡好，他总觉得自己听见了什么声音窸窸窣窣的，好像是狗跑出去了？

第二天一早，姚独眼和庄临川就打包好行李，准备到蛾眉镇去了。表面上看，庄临川要去蛾眉镇世豪中学担任校长一职，姚独眼就在学校里打打杂。茉莉花倒是从谷地又跟着队伍走，丝毫没有眷恋之情……到了蛾眉镇，茉莉花又恢复以前那副风雨不动安如山的姿态了。

过了没多久，日本人就进蛾眉镇了。老百姓跑了大半，剩下的既然没跑，也就听天由命了。

日本人驻屯蛾眉的最大长官是河岸中佐，看起来文质彬彬，宣布要和蛾眉居民和睦相处，建立什么王道乐土。这一切都没引得庄临川注意，但是他注意到，河岸身边有条狗。果不其然，狗仗人势，人亦仗狗势，河岸每天在街道上溜达，十分享受那种压倒一切的姿态，蛾眉镇上下从人到狗，只有臣服的模样。

这天一早，河岸决定到世豪中学去，远远看见一棵大槐树上挂着一个大铁钟，大铁钟下端坐这一团黑乎乎的东西。那是……啊，原来是只黑狗。河岸没把黑狗放在心上，身边的瀑布更没把黑狗放在眼里……可是当人与狗逐渐走近大槐树下的时候，一向趾高气扬的瀑布好像中了魔，突然发出一声惊叫，转身就跑。茉莉花懒洋洋地抬了一下眼皮，还没来得及看清那只吓得屁滚尿流的畜生长什么样呢。

河岸带着瀑布屈辱离开，几乎是立刻的，他让中野中尉调查清楚那条黑狗的来历。中野肿着鲜血淋漓的半边脸，毫不犹豫地就去执行任务。他好恨，恨那条来路不明的畜生，就这样轻而易举地剁了瀑布的威风，惹怒了河岸长官……所以中野扇起自己来毫不手软，他的愤怒绝大部分来自一种不可一世的自大情绪，他就是不能相信，一只土狗有这么大的威慑力！

愤怒灼烧中野的胃，他根本感觉不到饥饿了，他伪装成农民给黑狗拍了好多张照片，经过仔细研究，他终于可以放心地说，瀑布的出逃是情有可原的。

中野带着报告到了河岸面前，那半边脸虽然不再鲜血淋漓，可是淤紫得厉害，河岸看着这张脸，问道："有结果了吗？中野君。"

中野恭敬地呈上报告："哈伊。长官，那条土狗来历不凡，它是中国古老的阿尔泰尔猎犬品种，从隋朝就有了文字记载，其血统有蒙古箭囊、青海藏獒、西南槌雄、华北猕豹等基因……一句话来说，就是刀枪不入，厉害非凡！"

"嗯……"河岸摸着下巴，没有表态。

"把贾宜昌叫来。"河岸沉思片刻，对中野吩咐道。

贾宜昌哈着腰就进来了，问道："太君什么吩咐？"

"你来看看这份报告，你了解这种狗吗？"河岸把中野的报告扔在贾宜昌面前。

贾宜昌看了报告哈哈一笑。"太君，这些个数据我看不太懂，但是我可以确定，那条黑狗就是一条普通狗，一条神经病狗。"

中野看贾宜昌嘻嘻哈哈的态度就气不打一处来，"那阁下的意思是我瀑布就是输给了一条土狗了？"

自从世豪中学门口发生了日本狗被茉莉花吓破胆的这一幕，蛾眉镇的人人狗狗好像都长了气势。这一点是让河岸极为不爽的。好在上面又派了一条军犬下来，川芎中尉。河岸初见这川芎中尉就觉得不凡，让它和瀑布比试比试……结果也很令他满意。

姚独眼发现茉莉花最近有些老态了，茉莉花差不多十岁了，按照狗的一年等于人的七年算来，茉莉花可真不小了。

河岸这日意气风发地带着川芎再临世豪中学，他这次非把那条黑狗给灭了。川芎果然是好样的，不像瀑布那样转头就跑，而是用挑衅的目光看着前方。河岸向五郎建二一挥手，一声口令之后，川芎像箭一样射了出去。

茉莉花这天在跑步场乘凉，它沉思的时间越来越久，不知道这些沉默的思绪里有没有那只小白狗。突然一群人吵吵闹闹地向跑步场走来，隔着很远茉莉花就嗅到，好像又是上次那个孙子，嗯，索性连眼皮都懒得抬。这些人类真是难懂，老是这么声势浩大，杀气腾腾的……

一群人带一只狗立在茉莉花面前。一声口令之后一团东西就射了过来。茉莉花愣了一秒钟，它这一秒钟不是在迟疑，而是想着，或许输它一分以后就能清静清静了？茉莉花立刻就决定牺牲掉一只耳朵不算什么，年老力衰，听力也不太行了，耳朵只是个装饰而已。可怜那条意气风发的川芎中尉，即使扯掉茉莉花的一只耳朵，自己也摔得没有狗样了。

这一结果是河岸没有预料到的。他看着在自己面前奄奄一息的川芎和哭得毫无节制的五郎建二，心头升起了一种悲凉的感觉。

茉莉花的威名也算是远近闻名了。一天夜晚，庄临川来敲姚独眼的门。

"差不多是时候了，蛾眉纵队该出动了。你听说了日本人的计划了吧。"

"嗯，听说了。"

"警犬的鼻子灵，也是不好对付。"

"那得把茉莉花找回来。"

农历初三这一天，河岸中佐带着拍摄队伍一早就出发了，过了汲河桥，一路上都没有什么异常。直到队伍快到达十字街的时候，巡逻队报告，前方出现情况。只见三十条黑狗齐刷刷地坐成一个方阵，立在路的中间。河岸见此状况，大声吼道："你们还在等什么？五郎，中野！"

二人得令，立刻放出手中恶狗，恶狗得令，飞快扑向面前的方阵。茉莉花看着迎面过来的两只狗，突然心生一股倦怠。其实这样的倦怠感他一直都有，只是现在才意识到罢了。茉莉花并非什么上古神犬的后代，它只是在天地间自在长大，汲取了自然太多智慧的一条老狗而已。茉莉花依靠本能，适当躲闪，适当回避，怎么都没有一种要拼命的意思。这时，不知从哪间房子里传来一阵幽幽的笛声，正是《茉莉花》。茉莉花听闻此曲，仿佛又被激起了许多旧时情绪……撕咬，追逐，又复撕咬，茉莉花渐渐有些体力不支，直到右前腿被对方狠狠扯住，"咔嚓"一声断了。茉莉花不喊不叫，跌在地上喘气。名叫雄狮的这只狗倨傲地看着败倒的敌人，并不打算再动手了，可另一边厮杀得异常兴奋的狂飙，看到茉莉花倒在地上就从另一边的断墙上俯冲下来，死死咬住茉莉花的脖子又开始了扭打。茉莉花稍抬断腿，一下插进了狂飙的腹部，兴奋过度的敌人终于停止了躁动，茉莉花挣扎着把狂飙推开，这下子，它可以好好清静一下了。

狂飙暴亡在日本人面前，中野和五郎建二几乎同时要抽出刀来，这一幕又让它们想起了自己的爱犬死去的场面。河岸厉声喝道："怎么？难道要和狗打架吗！"

队伍继续向世豪中学行进。出了这样一个变故，只有河岸还能维持表面上的平和，中野和五郎建二一直喘着粗气，久久不能平静。待日本人全部离开十字街后，姚独眼来到了茉莉花身边。它还微弱地喘着气，姚独眼看着茉莉花，茉莉花抬头蹭了蹭姚独眼的手……

姚独眼叹了口气，说："兄弟，这下你终于可以清净了。"

"啪。啪啪。啪。"世豪中学传来了枪响的声音。姚独眼抱起茉莉花残缺的身体，将他带到了蛾眉镇边界的一棵柳树下埋了，姚独眼记得他们来到蛾眉镇的那个清晨，茉莉花在这里第一次回了头。

朱　悦

朱悦，女，1994年4月生，河南郑州人。解放军艺术学院2012级本科学员。

实 验 楼

雷从俊

　　枪响的时刻，河岸中佐刚刚在世豪中学实验楼的台阶上站稳。他崭新黑亮的皮鞋，映衬出台阶的斑驳和惨白。他的一只皮鞋正要与另一只皮鞋靠拢，却被突如其来的枪声震了个趔趄，右脚下一株未成年的荠荠菜瞬间倒下，流出碧绿的血。

　　河岸中佐此刻所处的实验楼，原来叫劝学堂。这片灰墙红瓦、起脊挑角的中式风格旧楼，不仅是世豪中学的主体建筑，也是蛾眉镇的地标。当年蛾眉首富裴世豪先生斥资办学时，取荀子《劝学》之篇而得名，一叫就是几十年。半年前，庄临川校长到任，一次和老师闲聊时说到，劝学堂这名字典雅有余新意不足，而今抗日救国是天下大势，教书育人之地更顺应潮流，有点儿新思想新风尚。于是，学校决定为劝学堂征集新名。师生们踊跃献计献策，有的提议叫"红色学堂"，有的提议叫"抗日学堂"，庄校长都未置可否，总之几百个名字也没有一个令人满意的。就在全校上下为之纠结时，化学老师蔡捷丰不无忐忑地跟庄校长说，劝学堂的一部分是用作化学实验的教室，莫不如这一带校区都叫"实验楼"，以点代面，以新代旧。庄校长说，好！还是年轻人有思想、有朝气。还亲自书写了"实验楼"三个楷书大字让校工镌刻于主楼上方，红漆描染，格外醒

258

目。谁也没认为这三个字跟庄校长所谓的天下大势有几毛钱关系，倒也觉得这名字少了腐朽气、多了新鲜劲，而且叫着顺口。就这样，"实验楼"在全校师生中叫开了。半年过去，大家几乎忘记了它原来的名字。

实验楼呈"U"字形结构，中间是主楼，两侧为配楼，楼与楼之间相对独立。为防匪患，每栋楼之间还有一条暗道相连。总之实验楼是一个说起来复杂，实际上也并不复杂的教学区。河岸中佐所站原位置，就在"U"字形的中央广场。

枪声不远，约莫也就百几十米。一声，拔地而起。沉闷而悠长，似屠夫许甲肩背整扇猪肉时自己喊给自己的号子。

加藤少佐右手按在指挥刀的刀柄上，目光警觉地在四周逡巡。作为河岸中佐的副手，也作为这场仪式的主持者，他的紧张程度不亚于河岸中佐。

人们还没明白发生了什么，甚至还没从《君之代》美妙的旋律和加藤少佐宏亮的报告声中缓过神来，就听到枪声从 N 个方向席卷而来，潮涌而来。这时的枪声嘹亮而凌乱，有点儿像河岸中佐的前任军犬瀑布被中国土狗茉莉花打败后又遭鞭打时毫无章法的嚎叫。

负责警戒和护卫的皇军端起枪"咔咔"地拉动枪栓，像训练有素的军犬敏捷地寻找目标。人群开始惊慌，有的四处张望，有的在找躲藏的地方。军乐队像一条扭动的蟒蛇，基本看不出队形。那些对世豪中学本来就十分陌生，对所谓"王道乐土"和"揭牌仪式"更十分陌生的借来的学生们个个惊恐万分，手中的鲜花丢了一地，踩了一地，他们的手都从花束上移到了耳朵上，不知从哪里还传来了哭声。

最先中枪的是台阶上方的窗户。玻璃，是玻璃。当年裴世豪先生用白花花的银元买来的"洋玻璃"，前几天庄临川校长和老师们集体辞职前还精心擦拭的学校的"心灵之窗"，此刻化作千万个锋牙利齿，劈头盖脸瘫倒下来。有的砸在窗台上，有的落在台阶上，有的飞溅到河岸中佐身上。有一颗，不，更可能是两颗三颗或更多颗，竟然不可一世地扑向河岸中佐。就在他左手护着国旗、右手捂向右脸的一瞬间，他的血染红了他雪白的手套。看到血，许多人心头先是一惊。很快，这种惊怵转变成一种类似欣慰的感觉。原来，河岸先生的血也是红的。

"哟——唏！"河岸中佐因愤怒而更见悠长的长音无法掩饰内心的惊慌，他丢下国旗，三步并作两步走下台阶，离开窗户。慌忙中一脚踩空，眼镜险些掉下来。

翻译官贾宜昌一个箭步上前接着眼镜，中野中尉也匆匆赶来，两人搀扶河岸中佐撤离。而这时，整个实验楼广场，除了人群，就是那架昂首站立的摄影机，根本无遮无挡。

加藤少佐从腰间拔出手枪，"砰砰"对天射击，用汉语夹杂着日语，迅急而凌厉地向人群高呼："不许乱动！""死啦死啦地！"

紧跟着加藤少佐的枪声，四周又是一连串的枪响。

所幸的是，除了几块窗户玻璃被打碎之外，并没有伤及人群。或许，弹着点根本就不在实验楼广场。但是，就连不谙世事的学生们也意识到，每个人都随时可能成为下一个目标。

"大日本帝国东亚共荣共存王道乐土模范镇揭牌仪式"的现场彻底乱了。

"张团长！兄弟们！还击，狠狠地打！"加藤少佐一边指挥负责警戒兵和护卫的日本皇军，一边调集在学校大门外负责巡逻、警戒的皇协军。

但是，无论怎么发号施令，也没见一发子弹跳出枪膛，只听到皇军一阵又一阵拉枪栓的声音。不一会儿，就见几条枪躺在地上。

"张团长，张团长！"加藤少佐急切地呼叫张贵。回应他的，只有一阵强似一阵的嘈杂。

加藤少佐发现情况不妙，他示意贾宜昌和五郎建二护送河岸中佐暂且到摄影机旁避险。

这时，手足无措的警戒兵、护卫兵三三两两地从地上把枪捡起来，有的卸弹铗，有的拉枪栓，一阵鼓捣，人群中接二连三地骂道"皇协军，良心大大地坏！""不该让支那猪擦枪！"

摄影队员凑在一起，用身体护着摄影机，大概因为已经录了几分钟揭牌仪式的影像，那些即将向世界展示"东亚共荣"的镜头比生命宝贵得多。军乐队员手中拎着乐器，眼神游离，不知所措。学生们惊叫着争先恐后地逃散，参加仪式的蛾眉镇头面人物，茶庄老板金瑞、凤翔布庄的老板吕上清等人，有的护着孩子们撤离，有的假装护送孩子们撤离，从校门边悄悄溜走。

屠夫许甲刚跑几步，两个日本兵上前阻拦，其中一个还举起了枪。许甲马上双手举起，"太君，太君，我……我……看看外面怎么回事儿！"日本兵扣了几下扳机不见动静，顺势把枪刺刺向许甲。许甲躲闪不及，左胳膊被刺中。白刀子进去红刀子出来的感觉他玩了大半辈子，没想到自己成了刀下之物。在刀子进入血肉的一瞬间，他眼前晃动着许多猪，有待杀时泪流不止的猪，有临死前负隅顽抗一蹄子把他的脸踹肿的猪，也有脖子上带着刀子围着蛾眉镇跑三圈还没死却把刀子搞丢了的猪。许甲的眼前一片血海，是猪血？是蛾眉镇老少邻居街坊邻居的血？是小鬼子的血？血海在眼前澎湃，直冲许甲的脑门。他咬咬牙，不管刺刀在哪自己在哪胳膊在哪，杀猪吃肉的一身横胆一身横肉直扑过去，牢牢地把日本兵摁在墙上，直压得对方喘不过气、说不出话。

通道无阻，人流鱼贯而出。

另一个高个子日本兵挥动着枪刺直奔许甲而来，许甲转向把身后的日本兵推了过去，胳膊也顺势从刺刀上拔出。由于双方用力过猛，日本兵的血和许甲的血顿时流在一起。

又腥又红的血液，加快了人流的速度。又有几个日本兵赶到大门口时，参加仪式的头面人物和皇军借来的学生已经迅雷疾风一般离开了世豪中学，眨眼工夫便不知所踪、不明所向。许甲挥洒着血柱和血滴一路狂奔，向他的屠宰坊跑去。

高个子日本兵怕再有人私自逃离，索性关上大门，用枪刺把门闩住，像门神一样把守着。

在混乱中，军犬雄狮表现出一条好狗应有的镇定与英勇。它拖着伤腿一拐一拐地从人群中钻出来，嘴里吐着漫长而宽大的舌头，径直来到河岸中佐身边。它先是使劲摇着尾巴，眼神里流露出祈求的光芒，紧接着就咬住河岸中佐的裤子用力往外扯。河岸中佐当然明白雄狮的用意。他既感动于雄狮的忠诚，也第一次感动于来自人类之外的温情。"这是皇军忠诚的士兵，英勇不屈，带伤尽职，应该晋升为大尉，明天就向松冈大佐报告。"他自己在仪式前刚刚说过的话，又在耳畔回荡。想想雄狮刚刚恶战蛾眉镇的群狗，又带着战伤亲自执行搜索世豪中学的重任，不仅是皇军的忠诚士兵，更是一个充满温情的战友。在河岸中佐看来，即便再强悍的军犬，也应当有普通一狗的温情。而一条上乘的军犬，往往有多温情就有多残暴。这一点，就像皇军对蛾眉镇的人们一样，该温情的时候就是要让人感受到各种各样的好。

若是在平时，河岸中佐不仅会对这番温情非常受用，而且还会高兴地嘉赏雄狮，把大块的牛肉抛向高空，得意地欣赏它凌空一跃的动作。温情，多么美好的字眼啊，可惜雄狮的温情显然来得不是时候，这会毁了河岸中佐的形象，会贻误皇军的大事！

雄狮的举动并未引起大家的注意——在生死未卜之际，谁会在意一条狗呢！但是，河岸中佐的举动却结结实实地进入了大家的视野，只见他飞起一脚，非常坚定而又没头没脑地踢向雄狮。就在他的皮鞋与雄狮的头部剧烈接触的那一刻，雄狮一声三连音式的惨叫，三脚着地夺路逃命，狂奔而去。

随着雄狮的飞逃，头颅高昂的摄影机应声倒下，不偏不正地砸向河岸中佐。

都说日货质量好，有时也不见得。摄影机砸到河岸中佐头上，又顺势落下来，不仅把实验楼广场的洋灰地砸出一块不大不小的凹陷，而且它自己也砰然解体，奇形怪状的零件崩了一地。那圆圆的明晃晃的镜头，从机身上弹出来撞在台阶基部的麻石上，一瞬间就肢解成万道光束。它没碎的时候，看着比窗户玻璃壮实多了，待到变成碎片时，只是比窗户玻璃稍稍厚一点儿，掺在一起没有太大区别。

贾宜昌和中野中尉顾不得摄影机，都忙着去搀扶倒在地上的河岸中佐。

要说伤势，河岸中佐倒是没怎么样，只是被摄影机的零部件蹭了一下。比起皮肉之伤，河岸中佐心理的惊悸似乎更重些。雄狮跑、摄影机倒这一幕，如同枪响玻璃碎一样，的确是超出意料之外而又突如其来。

在两人的搀扶下，河岸中佐挣扎着想要站起来。那一瞬间，他看到，警戒兵还在，护卫兵还在，乐队还在，金光晃眼的乐器还在，几支枪躺在地上，枪口贴着地面指向四面八方。河岸中佐的内心涌起 种不祥之兆，这种征兆又夹杂着莫名的感动。在他看来，只要皇军安然无恙，大日本帝国东亚共荣共存王道乐土模范镇揭牌仪式的拍摄任务就一定能够顺利完成。在一场喜庆而隆重的仪式之后，蛾眉镇必将变成陈尸遍野的荒原。再之后，必将变成大日本帝国"樱花计划"中真正的王道乐土。至于摄影机，可以向松冈大佐报告，再调配一部；至于今天的乱局，只不过像鱼塘收网前的躁动一样，可以看作是血洗蛾眉镇之前一点小小的反应。

平心而论，河岸中佐没想到，蛾眉镇的人还会有这么大的反应。他先前只晓得镇上的狗风度非凡，竟然先后用各种莫名其妙的方式斗败瀑布、斗惨川芎、斗死狂飙、斗伤雄狮。倒真没想到，这里的人并不像他一路过来所遇到的良民那样束手就范，他闹不清蛾眉人谦恭外表下是一颗怎样的心。这一刻，他甚至对有些日本军事教材关于中国人的描述有了颠覆性的认识。"支那猪？"他在心里胡乱骂道："浑蛋！"

就在河岸中佐挣扎着站起来的时候，他看到了雄狮。被他一脚踢飞的雄狮，这会儿穿过人群又回来了，它两眼惊慌，不仅是腿拐得更厉害了，头上还顶着河岸中佐踢出的凌乱的毛发和隆起的血包。它不是自己回来的，嘴里还拖着一个浑身是血的人。

"袁——先生！"河岸中佐一眼认出雄狮拖来的人是蛾眉镇镇长袁芦轩。袁芦轩脑门左上方中了枪，血还在一股一股往外涌。看样子中枪时间不长。由于混合了脑浆的缘故，血流出的颜色很不均匀，有时是鲜红的，有时是浅红的，间或带着丝丝的乳白。新鲜的血在暗红色的血痂上断断续续地流淌，像一条微型的季节河流涌动着远去的生命。

在仪式开始时袁芦轩站立的位置上，雄狮把他横放在那里，然后眼神定定地看着河岸中佐，像完成了一项重要使命，等候主人的嘉赏。

"河岸先生，现在有人陪你啦！"

河岸中佐正看着袁芦轩的尸体发呆，就听到实验楼东配楼楼顶有人说话。说话的人以楼上的起脊为掩体，忽隐忽现。从低处往楼上看，只是影影绰绰，看不清几个人，更看不清面目，但这声音河岸中佐并不陌生。

"河岸先生，知道为什么让袁镇长陪你吗？"

实验楼西配楼楼顶上又一个声音传来。河岸中佐听得仔细，这声音他同样熟悉，上一次来校勘察时似乎听到过——噢，化学老师蔡捷丰，那个彬彬有礼的同行。河岸中佐这才明白，世豪中学的学生虽然全部放假离校，但老师们并没全部离校。所谓的"集体辞职""全部撤离"，只不过庄临川和皇军交涉时的说辞罢了。

只是河岸中佐猜不透，这些留守老师是何时登上楼顶的？是怎么登上楼顶的？加藤少佐在报告他和雄狮搜查结果时明白无误地说"绝无缝隙"！

"小鬼子！你们不是驻在蛾眉镇不走了吗！汲河南岸的妆台一带有的是墓地，给你们每人一个！"

实验楼西配楼楼顶的话音刚落，北侧主楼楼顶就有人接过话茬。话没说完，子弹就如同快人快语，射向河岸身边的摄影机。摄影机的残骸在冲击力的作用下，一边叮当作响一边接连打滚。很快东配楼、西配楼楼顶同时开枪。子弹和烟雾，封锁了世豪中学的大门。

火力封锁的位置，分明提醒了河岸中佐。他以迅雷不及掩耳之势，抱起摄影机残骸放在头顶，起身冲向大门，同时发出了在世豪中学的唯一一道命令："撤！"

劝学堂广场再一次炸开了锅。在浓重硝烟中，黄军装一起涌向大门。

高个子士兵猛力拔出闩在门上的刺刀，要打开大门策应皇军突围。但是，大门怎么也拽不开，像是被反锁，又像是被细软之物死死缠绑。冲在前面的加藤少佐把指挥刀从门缝里插出去奋力劈砍，一刀，两刀，都没有成功。第三刀刚刚插出去，还没来得及劈砍，只听"哐当"一声，手甲的军刀只剩下三分之一。来自门外的一袭不明重力，不仅折断了刀面，还把他的虎口震得疼痛难忍。

中野中尉拔出枪，顺着门缝向外开枪射击，试图打开通道。有一枪，斜射在世豪中学厚厚的朱红大门上，子弹穿过油漆层，没入被桐油包裹的干硬的椽木门板中，大门露出一个花生米大小的暗黄的斑点儿。直到打完最后一发子弹，世豪中学的大门依然牢牢紧闭。门外，先是几声枪响，紧接着远远近近的枪声和爆炸声接二连三，如热锅炒豆，如洪水开闸。

准备跳墙而过的皇军纷纷折回来，有的寻找新的突围方式，有的寻找遮蔽物，也有人在寻找新的武器。

手握着半截军刀，加藤少佐羞愧难当。他把半截军刀扔在地上，从五郎建二手中夺过手枪，举向自己的太阳穴。五郎建二缓过神来，面色肃穆地面向加藤少佐，他走上前去帮他扣好领口那颗纽扣，然后立正，敬了个标准的军礼。

加藤少佐正要扣动扳机，忽听身边一声惨叫。回头一看，河岸中佐已经倒在一片血泊中。河岸中佐手里握着的，正是加腾少佐刚刚扔在地上的半截军刀。经过鲜血的浸染，这段残缺的日本指挥刀已经不具有它显著的特征和气质，看起来像刘三家炸油条切面时用的那把菜刀，像张家恒豆腐坊切豆腐时用的那把长条刀，像许甲屠宰坊里退休的杀猪刀，甚至也像凤翔布庄量布时常用的那把朱红的木尺。只有鲜血流过横断面时那种细微而不易被人察觉的凸凹不平的质感，向周身的阳光证实着"好钢易折"的道理，诉说着一把日本军刀的身世。

加藤少佐把枪口从太阳穴移向头顶的太阳，缓缓扣动了扳机，对天空射击，一枪，两枪，三枪，直至打完最后一发子弹，然后转身，面向河岸中佐，缓缓举起右手。

河岸中佐以自己的死，为加滕少佐加冕。此刻，加藤少佐成了皇军理所当然的最高指挥官。

翻译官贾宜昌显然明白这一点。没等加藤少佐放下手臂，他跑到加藤少佐身边，连说带比划地耳语一番。

加藤少佐回头望望实验楼。他惊悸地发现，刚才升起的太阳旗已经落下，两丈多长的木质旗杆被拦腰打断，斜插在地上。向楼顶看，只见红瓦如鳞，六兽仰天。他不知道，在实验楼的每一侧，到底还有多少人，多少枪，多少子弹。

加藤少佐死死地盯着实验楼，而每一位日本官兵都在死死盯着他，每个人的脸上，有泥灰，有汗水，有不甘，也有绝望。只有乐队队员是镇定的，他们看起来更像是战斗的士兵，至少他们没有放下手中的乐器。乐器也是武器！加藤少佐有些佩服他那位刚刚倒下的长官，他曾经说得多好啊"音乐这东西，神奇得很，是人类一切艺术的第一颗萌芽，体现了人类最早的艺术觉醒"。是的，此刻莫不是体现着日本皇军军人意识的觉醒。

加藤少佐想着音乐，就听一个重低音扑进耳廓。定眼一看，是墙外扔进来的一个瓶子。他一眼就认出，这是一只小口的烧杯，做化学实验常用的那种。只是这个瓶子显得黑黑的、笨笨的，仔细看才发现瓶口还"嗞嗞"地冒着白烟。

　　贾宜昌急忙拉起加藤少佐的衣服，示意他向实验楼方向撤退。中野中尉和五郎建二见状，一边指挥皇军撤退，一边为加藤少佐开路。皇军有的从地上捡起枪，有的没来得及弯腰，一路小跑进了实验楼。

　　加藤少佐和他的队伍刚刚跑进实验楼，外面一声震天的巨响，实验楼内灰尘款款下落，做实验用的瓶瓶罐罐发出风吹铃铛般的铮鸣。

　　爆炸声之后，从世豪中学大门涌进一群人。屠夫许甲一手缠着厚厚的白布一手端着杀猪刀。豆腐坊掌柜张家恒操着扁担。炸油条的刘三拿着天天捅煤火的火锥。茶庄老板金瑞莫名其妙地拎着经常放开水的两个大铁桶，只是桶里不是水，而是几挂红红的鞭炮。凤翔布庄的老板吕上清没拿什么，只是手里捏着一盒洋火。进入学校大门之后，大家不管不顾地往里冲，许甲大手一挥，几个人顺着东、西、北三个方向各自散开了。

　　"皇协军"团长张贵爬上高高围墙，往里面看了看，小脑袋在墙沿上露一撮头发，手里的枪在墙沿上露半截枪管。他看见躺在地上的河岸中佐和镇长袁芦轩，倒吸了一口凉气，又从墙上下去了。

　　进入实验楼广场，许甲把刀夹在腋下，从刘三手里拿来火锥，三步两步跑到实验楼门口，三下五除二关上实验楼的门，然后"嗞溜"一声，把门闩上。

　　听到门环的响声，日本人瞬间都涌到了实验楼里侧，实验楼内显得喧嚣而空旷。雄狮并没有往里跑，它向门这边走来，想探个究竟。

　　不知是看到了许甲脸上祖辈相传由来已久的杀气，还是看到了许甲腋下夹着的那把曾凝聚着无数鲜血的屠刀，在往门外一瞥的一瞬间，雄狮长啸一声急速折返，向皇军那边跑走，一边跑一边持续长啸，整个实验楼内充满了狂躁、不安、惊恐、濒死的空气。

加藤少佐伸出手来想要抚慰雄狮，不，是制止雄狮，没想到雄狮一口咬住加藤少佐的手，死死不肯松开。贾宜昌急得团团转，想用手掰开雄狮的嘴，又怕咬着自己。五郎建二用枪猛砸雄狮，有个乐队队员把长号的拉管拔出来，使劲撬雄狮的嘴，直折腾得雄狮满嘴是血加藤少佐满手是血分不清到底是谁的血，雄狮还是牙关紧咬。等大家不再理它，它倒松了加藤少佐，"嗖"的一声蹿到了实验楼的窗台上，撞到了窗户的栅栏和玻璃上，又被反弹到地上。如此反复，反复如此，一会儿狗血淋头。雄狮疯啦！它再没有一只皇家军犬的威仪、理性和自觉，甚至压根就不像一条狗。

实验楼外，枪声停了，嘈杂声也停了，皇军扔下的残刀破枪在阳光下熠熠生辉。河岸中佐和袁芦轩的尸体旁，有苍蝇们飞舞盘桓，嘤嘤嗡嗡。

张贵带着皇协军的兄弟们，大摇大摆地从大门走进来。看到躺在血泊里的河岸中佐，他脸上露出了包子褶一样的笑容。他捡起地上的一条枪，从兜里掏出一根明晃晃的细长的铁家伙装进枪膛里，拉枪机向后，对着河岸中佐就是一枪。然后把枪高高抛过去，交给一个皇协军战士，又捡起一条枪如此这般地鼓捣起来。

实验楼内，大家听到枪响，倒是肃静下来，雄狮不再上蹿下跳了，喘着粗气伸着舌头瘫在角落里；皇军不再说话了，一个个侧耳静听，想探知实验楼外的讯息。

贾宜昌悄悄地跑到加藤少佐身边。"太君！"他摊开手掌，只见一个圆圆的灰灰的小巧可爱的铸铁件呈现在眼前。"这个，什么的干活？"加藤少佐用两根手指捏起这个小小的玩艺，好奇地问贾宜昌。

"这叫'油头'，蛾眉镇逢年过节常用的东西。"说到逢年过节，贾宜昌眉目之间平添了些许节日的喜气。从他脸上看，好像年节就在跟前。

他很快感到不对，马上调整面部肌肉。

"油头？"加藤少佐不解。

"对，油头，就是机器上泵油的零件。"

"今天是蛾眉镇什么节日？人们怎么用这个东西庆祝节日？"

"今天，今天也，也不是什么节日。"贾宜昌说着把油头放在掌心，比画着向加藤少佐讲解如何往油头里放捻子、囤火药、封后门、点燃，然后"嗵"的一声把油头抛出老高，一直打到实验楼的天花板。

"逢年过节？"加藤少佐目光移向窗外，脸上写满狐疑："难道今天的枪声就是你说的这个'油头'？"

"太君，我想正是！"

"那么，多少油头能如此密集，河岸中佐难道是被这个东西……？"加藤少佐举着油头，句句紧逼。

"油头我是在实验楼前捡的，至于远处的枪声……太君，那必定另有隐情！"贾宜昌绞尽脑汁试图为加藤少佐分析一些有价值的情况。

"贾君，从华北直到江淮一路过来，河岸中佐待你不薄，兄弟们对你不错！"加藤少佐的语气越来越重，忽然从五郎建二腰间抽出指挥刀："皇军花了那么多银元，让你监视蛾眉镇的动静，掌控这里的风吹草动。现在你该告诉，蛾眉纵队到底在哪里？"

"太——君！我是忠于皇军的！"贾宜昌双膝跪地，话不成语。浑身上下筛糠半天才嘟囔道："或许，或许根本就没有蛾眉纵队！"

加藤少佐怒从中来，只见手起刀落，"嗯"的一声贾宜昌原本摁在地上的右手四个指头不见了，只有拇指像风中的孤儿瑟瑟发抖。贾宜昌就地打滚，嗷嗷直叫。

在地上折腾了一会儿，贾宜昌整个身子就蜷缩一团，疼得几乎要昏死过去。

"现在，命令你执行一项新的任务！"加藤少佐狠狠地朝贾宜昌屁股上踢了一脚："马上回妆台等候松冈大佐的部队，特秉为皇军兄弟的生命着想，推迟计划！"

"是，太君！"贾宜昌双手紧紧捂在一起，起身就跑。身后的地上，是细长细长的血线。

"且慢！"加藤少佐亲自从地上捡起那四根长短不齐、连血带泥的指头，摘下自己的白手套仔细包好递给贾宜昌，"以我的名义交给松冈大佐，他会派日本皇军最好的医生为你接上！"

贾宜昌转向实验楼门外飞奔，身后的血线蜿蜒曲折，像红线团不小心碰掉地上随意滚出的流畅而随意的图案。

实验楼的门紧紧关闭，而且有许甲把守，贾宜昌灵机一动，转身向右，来到被枪打碎的那扇窗户下，凭着一好一残两手配合，吃力地爬上，干瘦的小身板三扭两扭钻到了外边。

在门口把守的许甲听到有声音，"霍"地亮出了杀猪刀。

"许老板，不不，许大爷！"贾宜昌疼痛和惊恐交织在一起，前言不搭后语，"我的。报告松冈大佐。皇军。血洗蛾眉。推迟行动！"

"贾翻译官，还有这份好心啊？"循声走来的是世豪中学化学老师蔡捷丰，他刚从实验楼的暗道绕下来，身后是三名呈一路纵队的新四军侦察员，每人都端着枪，带着鼓鼓的子弹袋，浅灰色的军装宛若世豪中学实验楼斑驳墙面，红褐色脸膛就像楼顶上的几片红瓦。

许甲和贾宜昌看到蔡捷丰都非常兴奋。

许甲挥动着他那只受伤的胳膊说："蔡老师不愧知识分子，你的炸弹太他妈棒啦！"

蔡捷丰笑而不语，看了看闩在门上的火锥，朝他竖起大拇指，又挥挥手让他把杀猪刀放下。

"许老板，蔡先生，我得赶紧去了！要是晚了这指头怕接不上啦！"贾宜昌带着哭腔，拿出白手套裹住的一团血肉模糊的东西。他想要走，又怕许甲动刀，更怕新四军动枪。

蔡捷丰看了看他那少了四根指头的鲜血淋漓的手，顿时明白了。

"贾翻译，你不是要见什么松冈大佐嘛！见了告诉他，我们蛾眉纵队和全镇老少爷们儿随时设宴欢迎他！"回头指了指河岸中佐和袁芦轩的尸体说："让他早点儿来，不然他的下酒菜可要生苍蝇喽！"

"是是是，手指头接好我请兄弟们喝酒！喝酒！"贾宜昌随声附和着，连滚带爬下了实验楼的台阶，向学校大门跑去，一只手紧紧地捏住另一双手，血还时不时住下滴。白手套包着的那四根指头，像机器的备件，显得多余，又那么必不可少。

看着贾宜昌消失在视线里，蔡捷丰跑到西配楼把张贵叫来，然后招呼三名新四军侦察和许甲一起过来。

蔡捷丰握住张贵的手，神色凝重地说："张团长辛苦啦！"

"蔡老师，还是叫我张贵吧！谁他妈的还当他那个团长！兄弟们都要把这身黄皮扔喽！"张贵说话间脱掉"皇协军"的军装，狠狠地扔到地上。

"张兄，既然穿了几个月啦，不在乎多穿一会儿，告诉兄弟们，多委屈一会儿！"蔡捷丰从地上把军装捡起来，为张贵穿上。

五个人在台阶上坐定，蔡捷丰忽然神色异常凝重。"兄弟们，该死的已经死啦，但不该活的还活着。根据庄校长，不，庄队长的指示，再过三四个小时，就是松冈大佐计划'血洗蛾眉'的时间。最近有一首歌'中华民族到了最危险的时候'，蛾眉镇的危险也会随时而来！"

"蔡老师，怎么干你说吧！大不了一条命！我们都听您的！"许甲沉不住气了。

"许老板不要着急，对付日军不是杀猪屠狗，既要有勇，更要有谋。你的任务很重有两个。一个是，通知在实验楼周边把守的乡亲们赶紧回去，像平常一样该干什么干什么。以我哨声三长两短为令，在薛裁缝家集合！一个是，你和张贵的"皇协军"——噢，现在是自己人啦，看好实验楼里的人，一个也不能少。"

"明白！张贵要是再敢替日本人干事，我一刀宰了这孙子！"许

271

甲句句不离本行。

"绝对不可！张兄可是蛾眉镇的千古功臣！"

蔡捷丰这句话像抽了张贵一个嘴巴。只见张贵的脸一直红到耳根，他眼神里透着兴奋，不好意思地把枪从肩上取下又背上，背上又取下。

蔡捷丰握着许甲的手说："许老板，拜托！我们走出世豪中学的大门，可能接应到庄校长的蛾眉纵队，也可能遭遇血洗蛾眉的皇军。告诉乡亲们，如果我们死了，不用收尸，就为蛾眉镇的几十条好狗当一顿饱餐吧！"这时的蔡捷丰，既像一位经验丰富的教师，更像一位久经沙场的将军。言语之间，他的眼睛湿润了，许甲的眼睛里也闪动着泪花。

"不死再会！"蔡捷丰说着，弯腰从摄影机的残骸里抠出一个方方正正的黑匣子交给许甲，然后同三名新四军侦察员扬长而去。

实验楼内，雄狮在偌大的空间里东走西逛。皇军有的依在破桌子烂凳子旧书架和瓶瓶罐罐之间一脸茫然；有的在摆弄手中的枪和乐器；有的盯着窗户观察议论着外面的动向。看守实验楼的老百姓三三两两地撤走了，皇协军三三两两地在窗外巡逻。

从服装上看，自己人为自己人巡逻，实验楼和皇军的军营没什么区别。

一堆旧书旁，加藤少佐和中野中尉在低声聊天。

"贾翻译能顺利到达妆台，等到松冈大佐吗？"

"他可以不见松冈大佐，但他总得要自己的指头吧！"加藤少佐拍着中野中尉的肩膀哈哈大笑道，"那就看他的运气啦！"

笑声中，雄狮突然站起来，向着窗外狂吠不止。

2015-8-8 于阅兵村

2015-8-11 改定

272

雷从俊

雷从俊，男，1975年10月生，河南淮阳人。解放军艺术学院文学系2015级研究生学员。在《人民日报》《解放军报》等媒体发表文学作品和文艺评论多篇，著有诗集《穿过军装的晨曦》、散文集《崇尚科学》等四部。获全军文艺会演优秀作品奖，第一、二届长征文艺奖等奖项。曾任第九届大学生电影节评委、"中国梦、强军梦、我的梦"全军大型文学征文活动评委。

屠宰坊

韩　光

蛾眉镇是座名副其实的古镇。据县志记载，它在汉朝已初具规模。这里山俊，水秀，地肥，民风淳朴，是远近称慕的风水宝地。然而奇怪的是，这么个古老镇子，却没有绝对的大户家族，住户姓氏很杂，百家姓里除了比较生僻的姓，张王李赵遍地刘，其它姓氏几乎都有。整个镇的居民集中居住在一条由西向东的主干道两旁，镇民们平日或上山打猎，或下水捕鱼，或田里鼓弄庄稼，反正各家有各家的营生，都没闲着。镇子最西边的路两旁集中住着生意人，有的收山货，有的卖蔬菜，有的卖小百货，路北把边住的是屠夫许甲。

许甲不是坐地户。他的足迹印在镇上的土地只不过才十年光景。那时的屠夫姓张。当时游走到这的许甲根本没想过在这里落脚生根，他原本还想再往南走。来这里时，天渐渐地暗了下来，就只想找客栈休息一宿。正当他东张西望时，传来了阵阵猪的嚎叫声。这凄惨的叫声，在别人听来可能会心烦意乱，甚至觉得有些晦气，可在他听来就像是欣赏美妙的音乐，内心深处被禁锢的兴趣一下子像孙悟空脱掉了紧箍般自由了，脚步不由得被这声音拽了过去，浑身的疲惫也随之一扫而光。

他被猪的叫声拽着来到了屠宰坊，只见一口大号的铁锅里滚动着烧沸的开水，就近地面上躺着五六十头睁着恐惧的眼睛等待阎王爷接见的猪，随着被杀同伴的哀叫，也跟着唱起了自己生命的挽歌。许甲最后把目光聚焦到屠夫身上，这人有五十开外的年纪，中等个，大脑门，秃鬓角，生得虎背熊腰，一看便知是个杀猪的老手，可见他豆大的汗珠从脑门上噼里啪啦地往下掉的样子，许甲心里又犯起了嘀咕，他怎么会显得如此疲惫呢？不久，许甲又可怜起猪来了，本来见阎王就是件最最痛苦的事，可为什么不让它死得利索点，非得被反复捅上几刀呢？

这样看杀猪不过瘾。许甲既可怜屠夫，又同情猪，就想露一手。可转念一想自己是个过路客，好心帮助人家，人家要是不领情反倒不好，多一事不如少一事。想到这，许甲就想离开，正当他扭头想走时，只听"当啷"一声杀猪刀从屠夫手中掉在了地上，屠夫则龇牙咧嘴捂着心口摇摇晃晃起来，看样子随时可能摔倒。

见此情景，许甲不由得快走过去，急忙扶住屠夫，抚前胸捶后背，好一会儿，屠夫平静下来，用感激的目光打量了一下许甲，咧咧嘴说，谢谢你后生。

老伯你刚才怎么啦？

屠夫有些无奈地笑了，刚才是心痛病又犯了。说着，屠夫又力不从心地拿起了杀猪刀。

见此情景，许甲犹豫了一下，但还是说道，老伯你先歇会，我替你杀几头吧。

屠夫先是一愣，打量了他一会儿，才感激地将手里的刀递了过来。

许甲掂掂刀，瞅一眼案板上的猪，对准猪的心窝就是一下，眨眼工夫就将刀抽了出来，刀竟然没有沾上一丁点血。血从刀口处喷了出来，猪抽动着四条腿，不一会就不动了。

好刀法。屠夫不由得赞许道。

三个多小时，待宰的猪不但都见了阎王，还被许甲收拾得干干净净。

杀完猪，天已经黑透多时了，许甲洗了手准备离开。屠夫哪能答应，早把一大盘瘦肉瓜子，一大盘血肠摆在了桌上，又把两个大碗倒满了酒，许甲这时也觉得又累又饿，也就没有再客气，跟着屠夫吃了起来。一阵风卷残云过后，许甲才问，老伯你杀这么些猪干啥？

官府要呗，说是慰劳什么军队。明天一大早就来人取，要不是你帮忙，我怕是干不完呀！屠户喝了一大口酒，目光柔和起来，说，小伙子你可是个杀猪的好把式。

许甲也喝了一口酒，张嘴想说什么，但这时他突然一激灵，把到嘴边的话又硬生生地给咽了回去。

屠户见许甲不接茬，就没再问，而是自顾自地说道，这个镇就我一个杀猪的，人们管我叫张一刀，早些年杀猪跟你一样利落，可三年前我被派去出官差，因为没有领会官府的意图活没干好，被一顿好打，落下了心疼病，一着急一干重活就犯。

他叫张一刀，我还叫许一刀呢！许甲眼睛亮了一下。

许甲的表情变化，都被张一刀看在眼里，他早些年也走南闯北，许甲虽然对自己的前生今世只字没提，他也猜出了几分，就按着自己的心思说道，小伙子，听口音你是东北人，大老远来不像是走亲戚的，肯定有难处。我呢，只有一个人，老伴前年得病死了，也没有给我生个一男半女，如果你不嫌弃倒不如留下来。至少你得帮我几天，这几天官府天天送猪来，那么多我干不动了。

许甲想了想，说，老伯帮你个忙可以，要让我留下来，得容我想想。老伯，你怎么这么相信我呢？

张一刀嘿嘿地笑了起来，好一会才收住，说，我曾是个江湖人，什么人没见过，你是个侠肝义胆的人，肯定遇到了麻烦才远离故土的，这点我看不走眼。我在这个镇上人缘不错，你接替我没人会为难你的。

许甲还是没接张一刀的话茬，只顾吃饭。吃罢饭，就挨着张一刀睡下了。张一刀大概是太累了，躺下不久就沉沉地睡去了。许甲也很累，但他却处在极度的兴奋之中，往事又一幕幕地浮现在了眼前……

许甲的老家在黑龙江牡丹江的靠山屯，祖辈以杀猪为生，他爷爷的爷爷的爷爷叫许一刀，他爷爷的爷爷叫许一刀，这么说吧，许一刀成了他家的专利。他自小就跟父亲学杀猪，十多岁时就能像模像样地独当一面了，被乡亲们称小许一刀。父亲看在眼里喜在心上，儿子中用了，不久就可以接自己的班了，家里不愁吃不愁穿，过几年再给儿子娶个媳妇，就剩下快快乐乐地过小日子了。

可许家美梦，被九一八事变给打碎了。日本开拓团来，他家成了日本人吃猪肉的重要来源。一天，许一刀带着老伴和儿子到别的地方收生猪，家里只留了许甲的妹妹看家。他们刚走没有一个小时，两个日本兵来取猪肉，这两个禽兽趁着许家没有别人，把许甲的妹妹给糟蹋了。等许一刀他们赶回来时，许甲的妹妹已经含恨上吊了。气疯了的许甲爸爸找日本人拼命，却被放出的狼狗给咬得遍体是伤，不久也去世了。许甲的母亲急火攻心，也病死了。家庭的突然变故，让许甲措手不及，同时一下子彻底长大了。

别看他年纪不算大，却懂得君子报仇十年不晚的道理。他把满腔的深仇大恨，深深地埋藏进心底，白天跟没事人似地照样杀猪，照样笑嘻嘻地将最好的肉卖给日本人。他这副没心没肺的样子，乡邻们看不下去，都骂他是石头缝里蹦出来的铁石肠的王八羔子。不管大家怎么说他，他表面上还跟无事的人似的。乡亲哪里知道他在忍受着多大的痛苦，晚上睡觉时，他都是在咬着被角低声哭泣中熬到天亮的。

起先，日本人对他还是有防备的，那两个日本鬼子来买肉时，不但端着枪，还特意牵了那只咬死许甲父亲的大狼狗。后来见他根本没有任何反应就放心了，还夸他是大大的顺民。一天，两个家伙又牵着大狼狗来了，他把肉包好后，拿出一块煮好的奵肉扔到了地上，示意大狼狗吃。大狼狗警惕地嗅着鼻子，牛样地低吼着，一个家伙端着枪对着他，骂道"八格牙路"。

许甲知道他们的意思，就抓起地上的肉大口大口地吃了起来。这下解除了对方的猜疑，大狼狗也对他摇摇尾巴，张口把剩下的肉吃没了。又过了一会，见大狼狗没有事，两个家伙都高兴地拍着手，冲着许甲说，你的大大的好，大大的良民。许甲得意地笑了，皇军大大的好，皇军狗大大的好。

日本兵再来，许甲先将准备好的熟肉扔给大狼狗，然后再称肉。不管鬼子还是大狼狗，渐渐地都对许甲彻底放松了警惕。许甲松了一口气。

那天下起了大雾。两个鬼子牵着大狼狗踩着点准时来了，许甲也像往常一样将一块熟肉扔给了大狼狗，大狼狗摇着粗壮的尾巴，大口大口地吃了起来。等吃掉大部分时，许甲悬在喉咙口的心放下了，猛一转身寒光一闪，锐利的刀锋切断了一个鬼子的喉咙，还没等他叫出声来，就呜呼哀哉了。不想这个鬼子倒地声惊动了另一个鬼子，当他弯下腰看时，许甲的刀刺透了他的后心窝。两个害妹妹的恶魔得到了应有的下场，大狼狗也因吃了许甲放了大量剧毒无味道的药，也丢掉了性命。仇报了。许甲的眼泪才滚涌了出来，爹，娘，妹妹，我给你们报仇了。

擦干了眼泪，他狠狠地踢了一下旁边鬼子的尸体，脚被硌了一下，他弯下腰伸手摸摸，原来是银元，他把所有的银元抓进了自己的兜里，又带上了自己的平时积蓄，迅速地离开了……

他开始了逃亡之路。这蛾眉镇还不是他想最后落脚的地方，还想再往前走，离危险再远些。当然，这些是许甲的内心想法，他在帮助张一刀时还是尽心尽力的。

一连几天，许甲杀猪忙得不可开交，这一切都看在张一刀的眼睛里，他断定，眼前的小伙子一定有深仇大恨，但不管怎么说，他是个好后生。镇上的人对许甲也颇有好感，都怂恿着张一刀把他留下来。官府要的任务完成了，晚上张一刀准备了一桌子好菜，说，小许，这几天你的一切我都看在眼里，你一个人单枪匹马的成不了什么事，不如先在这将就着住下来。

看着张一刀慈祥的目光，许甲心里暖暖的，终于下定了不走的决心，于是郑重地点了点头。就这样，许甲成了蛾眉镇的一员。又过了几年，张一刀去世了，他像儿子一样为张一刀送终，成了屠宰坊的名副其实的主人。

日本人来到蛾眉镇之后，虽然表面上看秋毫不犯，但他知道天下乌鸦一般黑，狗是改不了吃屎的。你们日本人不在本国待着跑到我们中国来干什么？我们国家的事我们自己做主，关你们什么事？他心想，我正想找日本人的麻烦呢，你们却送上门来了，那可就别怪我不客气了。

知己知彼，百战不殆。许甲虽然没有读过《孙子兵法》，但这个意识是有的，杀猪之余他无事人似地四处走动，日本人的一丝一毫动静都没逃过他的眼睛。一段时间过后，他对日本人及伪军的活动规律了解了不少。这些情况，在许甲看来还只是些皮毛，还远远不够。经过一番考虑，许甲决定充分利用屠宰坊将人心凝聚起来，将各方的信息汇聚起来，经过过滤贮存起有用的东西，待时机成熟好使它们成为发动攻击的有力武器。

许甲虽不是蛾眉镇的坐地户，但他的根在镇里扎得很深了。东北人热情豪爽大方，这些特点在他的身上体现得更为明显。前面已经交代了，许甲刚来不久，就凭着这些优点就得到了镇里人的认可。白天杀完猪，他就把猪杂碎炖了一锅，谁米都可以自己盛上一碗，加上佐料，热热地喝了，摸摸油油的嘴巴子，加入到摆龙门阵的行列中。

但只有一个人到这来，是从来不吃他的东西的。这个人就是刘老先生。老先生少年时念过几年私塾，什么《左氏春秋》《四书五经》《史记》呀，学了不少，肚里颇有些墨水，先前开了个私塾馆教十几个学生，谁家有个红白喜事写信投状都少不了他，日子过得还算滋润。如今兴起了新学，私塾馆也就停办了。好在他有些积蓄，吃穿还不愁。他来这主要是收获一种满足，展现一个读书人的用武之地。

看到这儿，读者可能糊涂了，他一个老学究，在大字不识几个的穷苦人当中，能得到什么满足呢？您别急呀，往下看就明白了。老先生不但有国学底子，肚子里还装了不少古代小说。什么《三国演义》《水浒传》《三侠五义》《西游记》，大家伙吃了些猪杂碎儿，就听他一部书一部书地讲。他从众人佩服的眼神里看到了自己的价值，您说他能不高兴吗？

自从许甲有了新打算后，就想发挥老先生的作用，让他给大家伙讲《岳飞传》。那天晚上，正当乡邻们大口吃喝时，老先生来了，许甲抢前一步拉着他的手走了出来。老先生被他的举动弄糊涂了，满脸疑惑地望着他。

许甲却笑着说，刘老先生，今晚我想请您老讲《岳飞传》。

《岳飞传》？老先生小声地在嘴里嚼了嚼这三个字，一下子明白了，连连说，好好。精忠报国。

那晚，老先生讲得特别卖力，听的人也格外认真。

自此以后，老先生对许甲好像一些子又亲近了不少。一天，老先生讲完岳飞八百破十万后，留了下来，问，大家听得怎样？

许甲佩服地笑了，讲得好，您没看见大家听得都入迷了。

老先生就没再接着话茬往下说，而是问了自己想问的问题，你这样做是为了思想发动吧？

许甲又佩服地笑了，自古都有保家卫国英雄，他们是国家的顶梁柱，但守卫家乡，不单靠几个英雄，要齐心，要一个心眼地对外。别看小日本来咱这啥坏事没有做，可他们绝对没安什么好心，大把大把地扔钱没有所图连鬼都不信。越是笑面虎越要提防。如果没有很好的思想准备，危害可能更大。您讲的古书，说的却是眼下要明白的道理，把外族赶出中国去，咱老百姓才能过上好日子。

这些话能出自一个屠夫之口，是老先生没有想到的，老先生上下打量许甲，兴奋地说，如果大家都有你这样的想法咱们的国家就亡不了。

许甲一向对老先生有好感，听到老先生的赞许心里热热的，想了想就把自己的身世告诉了老先生。老先生好一会才说话，孩子，你是好样的，你是有骨气的中国人。为了不再发生像你家一样的悲剧，我们必须与小日本拼到底。

280

老先生，我家的仇虽然报了，但我觉得还不够，只要日本人在中国一天，类似的情况还会发生。我要把仇一直报下去，为了我，为了我们的同胞不再受欺负，我要跟他们斗到底，直到让日本人滚回老家去。

在老先生的眼里，许甲就是一个随时准备冲锋陷阵的战士，只要时机成熟，他会端着带刺刀的枪一枪枪地打死日本人、一刀刀地杀死日本人的。

哈哈！老先生的笑声在屋里雷声似地滚过，又向外面扩散出去，仿佛要传到镇里所有的人家，让熟睡的男男女女老老少少都能听，都能意识到自己该做什么，该怎么做。

许甲极度兴奋起来，他仿佛看见这笑声恰是吹到荒原的一团团火星子，遇到了干的野草，立即燃烧起来……

韩 光

韩光，男，1968年6月生，辽宁阜新人。沈阳军区政治部白山出版社副编审。在《解放军文艺》《解放军报》《鸭绿江》《辽河》等报刊发表小说、散文一百余万字。著有长篇小说《根》《我想是·只小鸟》两部，散文集《桃花深处》《战友草》等八部。长篇报告文学《康定雄鹰》获得全军首届"践行强军目标，实现强军梦"优秀主题出版物。

观察

不战而胜？

——评《好一朵茉莉花》

殷实（《解放军文艺》副主编）

　　《好一朵茉莉花》或可视为徐贵祥执着于中国要素、中国语汇或者是中国旋律的结果？有一首同名的江南民间曲调，中国人多半耳熟能详，大约在世界上也流传甚广，以至成为国外演奏团体在中国举办音乐会时的保留曲目，那些对西贝柳斯或肖斯塔科维奇的作品无动于衷的中国听众，在此曲响起时就会立刻报以掌声，以为知音之遇。尽管在这部小说中，"茉莉花"作为一只狗的名字而出现，这个"中国意象"的精粹意指或多或少有点被削弱了。但就写作而言，有没有这样的执着是不一样的。作品中中国要素的出现，中国旋律的回响，意味着作家不再是简单膺服于宏大历史叙事的话语逻辑，重复已有的神话或鬼话，表明了徐贵祥在积极参与大规模合唱时，也意识到小说自身的特殊荣耀并试图逃离。因为一般来说，为纪念战争胜利之类借口而创作的小说，都无法不给人文学价值被挤压、文学功用（审美）被挪用的担忧。

　　写战场上的正面冲突，写敌后武装的机智骁勇，写同仇敌忾抵抗外辱的民族史诗，再或者别出心裁，写一写侵略者身上的人性复萌之类，所有这些几乎都已经被穷尽了，从一些影视"神剧"所受非议的情况看，有心于此的作家们似乎已经无路可走。重要的是，尽管已经"穷尽"了题材类型和表现的角度，诸如此类量的积累，再加上近三十年时间的积累，自莫言的"红高粱"系列至今，却并没能让我们的战争题材文学创作水准得以提升，无论是在审美震撼抑或艺术思想的穿透方面。

所以我们看到，徐贵祥也还在竭力冲突，甚至是在铤而走险。在《好一朵茉莉花》这部小说中，他虽然也写了中日双方众多的人物，写了被日军占领的陆安州地方蛾眉镇的众生相，但却把相当一部分笔墨放在了狗而不是人的身上。中国的狗，日本的狗，驯化程度、残暴性质不同的狗，臣服于不同阵营的狗，针锋相对，上演了一场接一场表面上难分胜负的血腥大战。粗略地看，动物们的较量，在某种程度上就是这篇小说的主旋律，而以河岸中佐、庄临川校长为代表的人类活动，则好像是作为复调而出现的。然而，这并不意味着徐贵祥是在写一部通常意义上的动物小说，他并没有把自己笔下的狗拟人化，或者是神秘化——赋予其不可思议的本领。以人出场，由狗出演一些关键戏码，再回到人结尾，及至由于总是要兼顾人和狗，小说的重心未免漂移游离，给人造成主旨线索不那么明晰或时而跑偏的感觉，这都是这篇小说给人的初步印象。

借由动物，也就是小说里中国人所养的一只形貌粗陋的黑狗，徐贵祥似乎是在寻找一种对文化或文明形态的直接象喻，也就是对我们有时候称之为民众、百姓，有时候也称之为"民族"的群体之"魂魄"的把握和表达。这只黑狗属阿尔泰尔猎犬，身形巨大，名曰"茉莉花"，其血统具有多种成分融合的特点："混杂了蒙古箭囊、青海藏獒、西南槌雄、华北猃豹等品种的基因，反应敏捷，骨骼如铁，牙齿锋利，肌肉坚韧，善于以静制动。最重要的是，这种狗特别适应江淮气候土壤，不乏死而复生的例子。一句话说到底，这种狗可以刀枪不入。"而实际上呢，这又是一条最普通不过的狗，甚至不过是一条神经病狗。因为历经过太多的战乱，从死人堆里爬出来，耳朵被炮弹震聋了，眼睛也差不多瞎了，只能看见十步远。"可是，如果危险近了，它还是有反应的，反应的速度你想都想不到。"结果是，这只狗看上去迟钝、麻木，几乎病残，但躯体中的血性仍在，它的临危不惧，它的绝地反抗都未可预料，将它彻底消灭更是痴心妄想。我们不能说这就是对古老的、饱受伤害的中华民族，也就是日本人眼里"东亚病夫"的某种暗示，作者是否有此意图只能猜测。

正是因为这样一只狗的存在，让代表大日本帝国占领并治理中国小镇蛾眉的河岸中佐整日感到心神不宁，有时还彻夜难眠。而兵强马壮的他原本是像他的国家一样不可一世、目空一切的。小说中，这狗虽非神兽，却也绝非软弱可欺，它先是让河岸的第一只军犬"瀑布"闻风而逃，又在与第二只特意调来的军犬"川芎中尉"的搏斗中使其受重创而死，最后，在与两只经过特别训练的军犬——雄狮少尉和狂飙少尉——的恶斗中，将一只被折断的前腿插进了狂飙的腹部，使其"玉碎"，自己也最终毙命。因此，这只狗看上去又不像是普通的狗，它似乎代表着什么、象征着什么？徐贵祥故意让这一切模棱两可。它身上有血性，有某种令人胆寒的凶悍，更重要的是，它还能起到给其他的狗撑腰打气的带头作用，具有领导才能，并且还影响到人——"难道我们还不如一只狗吗？"这是小说中不同的人都自我追问过且引以为耻的问题。虽非神兽，但其精神上无畏于可怕对手的自负，在最终能够与凶残的敌人顽抗到底，都不免让读者疑窦丛生：这真的是在写狗吗？莫非这只奇怪的狗在智慧和觉悟方面，尤其是在攸关一片土地上种族存亡命运的关键时刻竟能通明大道，起到扭转乾坤的作用？

在这部小说中，狗存在的价值和意义是如此重要，我想这并非由于作者对真实的历史内容，也就是二十世纪早期中国抗日战争的实况无从了解、无力界说，而是他可能设法要从"史诗"写作、民族寓言写作的观念模式中抽身出来。任何对民族主义色彩浓重的战争的表达，包括所有那些看上去"政治正确"——反对法西斯主义、军国主义野心和种族屠杀暴行——的表达，在被时光剥去或多或少的自我标榜和美化，也稀释了种种利己主义、种种偏执的愤怒以后，最终剩下的都不过是丰饶的人性故事，是有关生命和大地的原型剧目，是通过富有活力的叙述再造出的植被、土壤、矿脉，而不是疯狂战斗和血腥杀戮本身。所以当尤利西斯在海上延宕、漂泊十年最终返家后，我们更容易记住的是他抵制海妖歌声诱惑的意志力，以及他妻子在面对络绎不绝的追求者上门时的心气与智慧，而非青面獠牙的敌手、艰苦卓绝的战事。大体上来看，受制于一种本质上是理性中心主义宏大叙事的写作，为民族、部落利益添砖加瓦的写作，包括各种拐弯抹角的文学式的布道，注定是十分乏味无趣的，包括那些为了所谓的扶伤功效、所谓的疗愈作用而重返历史记忆心理主义伎俩。

借由动物，也就是那些被授以军衔的日本军犬的组织纪律性和训练有素，徐贵祥也试图界定不一样的民族魂魄。小说中的日本军犬，俨然有思想的武士，随时可以赴汤蹈火，牺牲成仁。而统领这些军犬的日本军人河岸，也不同于一般杀人放火奸淫抢掠的侵略者形象。他深谙中国的历史文化，对蛾眉镇一干"头面人物"承认，过去的日本从中国学习了很多优秀的东西，又认为现在的中国之所以软弱，是因为"百姓无信仰，国家一盘沙"。他甚至站在所谓的大东亚立场，向蛾眉镇的"头面人物"们发问：我们为什么不可以强大起来，赶走列强？他还向镇上世豪中学的校长庄临川建议，学校应该变单独工科为综合学校，至少增设两个专业，一个是音乐课，一个是历史学科，"要让学生了解历史，以史为鉴，不仅要了解中国历史，还要了解日本历史，要把日本明治维新的进步告诉中国学生，学而习之，中国要像日本那样，勇于向先进文明学习。"

像日本的大部分真正的野心家一样，徐贵祥塑造出的日本军人河岸，所追求的是从军事、政治、经济到文化对中国的全面降伏。所以尽管文明相近，文化同宗，中国人和日本人之间似乎有很多共同语言，但在何谓民族属性，什么是民族主义，以及是谁的民族主义这些问题上，河岸中佐却可以在"亚洲共荣"与殖民立场、皇民思想之间，轻而易举地转换他的强盗逻辑，而且不容置喙。当世豪中学一个义愤的青年教师蔡捷丰指日本数典忘祖，脱亚入欧，并称中国不会被别人牵着鼻子走时，此君立刻变脸："既然皇军进驻蛾眉，又是为着实现'共荣共存'而来，作为驻军最高长官，我当然要对贵校进行干预，这不是日本皇军对中国的干预，而是文明对野蛮、先进对落后的干预。中国是亚洲国家，八纮一宇，日本要对亚洲所有的国家负责，要清除亚洲的一切陈腐积弊。"

人类之间的这些充满了武断色彩的诘问，当然是不可能通过继续的对话加以了结的，所以动物们只好再度出场。小说中，日本占领者"怀柔"一方，在蛾眉镇苦心策划的"樱花计划"，是要在世豪中学组织一次"王道乐土模范镇"揭牌仪式，让蛾眉的学生升太阳旗，唱日本歌，给日本人献花，表明中国人对日本军队的欢迎，并把这些场面拍成电影和照片，欺骗世界。以侵华战争初期日军在占领区的绝对优势而言，这些闹剧演变为"正剧"也不是没有可能。但小说也交代了，进驻蛾眉镇妆台的日本军人实际上只有八个，另加"皇协军"的一个连队，"每天鬼子大部队跑操的场面，都是做出来的。"在这里小说告诉我们，对于基层组织缺失、人心涣散的中国社会，日本占领者也不过是外强中干。

习性和素质不同的狗群之间的较量，或者说经过了严格训练的日本军犬和战术杂乱无章的中国土狗之间的恶斗，在揭牌仪式举办前夕上演了。尽管小说有点暧昧地提及一个"蛾眉纵队"，又以校长庄临川等人的某些具体抗争准备作为铺垫，似乎山雨欲来，却终不过像是在虚张声势。与日本人抗衡的正面力量，纯属子虚乌有。因为实质性的大规模抵抗，在地处蛾眉这样的核心日占区几无可能。于是我们看到，瞎眼、耳聋，并且还是哑巴的黑狗，在关键时刻临危不惧，率领众蛾眉狗迎战气势汹汹的日本军犬。战力之不对称和战斗结果显而易见：日本军犬"雄狮"虽曾扼住"茉莉花"的脖子，但"茉莉花"并没有俯首就擒，而是就地一滚，用后腿蹬开了"雄狮"，两只狗随即扭打在一起，陷入了焦灼的持久战，"双方的爆发力都发挥到了极致。雄狮显然不知道茉莉花的眼睛半瞎，把它当作正常的狗来刈待，而茉莉花没有正常的战术，它的所有行为都是来自本能，从而使雄狮的判断失误，因此打成一片，没有出现河岸期待的速战速决的效果。"读到这里，日本侵略者的有计划、有预谋，中国式抵抗的下意识、本能，甚至各自的"军事思想"都毕现无疑，不免再度让读者疑惑狗的象征身份。

那么，在小说很难囊括一场复杂战事的情况下，徐贵祥只能继续让狗登场，施展以虚击实之法。名为"茉莉花"的中国狗，和名为"雄狮"、"狂飙"的日本军犬，以战略战术上的不同，更以精神气节上的殊异，展开最后的生死较量。动物们之间的肉搏格斗之有声有色，使小说在一定程度上脱离了人类斗争的艰苦卓绝，也多少摆脱了历史的宏大叙事逻辑，而且使小说回避了可以无限复制的战场血刃。当然，这样的"小叙事"并没有陷入完全静止的状态，动物们之间的战斗与人类之间的争锋似可互为印证，由具象而抽象，借用小说人物蔡捷丰的话说就是："自从那天它（黑狗）把鬼子的狗吓跑，我就觉得好像有什么东西落在蛾眉镇了，蛾眉人的腰杆一下直了许多。是狗帮助咱们提起了精气神。"这虽则直露了些，生硬了些，倒也可以接受。比之大快人心的歼灭伏击，和决断英明的辉煌胜利，中国黑狗"茉莉花"略显麻木的悲壮死亡，是较为谦逊一些的安排。

徐贵祥脚踩两只船，在一部中篇小说中既大力发展人的活动，又竭尽所能凸显动物的象征性力量，这导致了他从"正面强攻"中抽身或"逃离"时的不彻底。我们看到，小说中国族与家园的危亡意识，人在被奴役状态下的屈辱和恐惧心理，包括有组织的抵抗运动等，这些内容其实被弱化了；另一方面，狗的特殊存在，则有被严重概念化的情况，特别是在它们各自的明确目标、必胜信念和对诡诈军事技术的掌握这些方面，俨然人的一种替身或傀儡。这种结构性的问题，造成了在阅读过程中始终都有人、狗两个世界在相互抑制的奇怪感觉：人类的社会活动因狗的喧宾夺主而显得盲目，动物世界的攻防进退则由于太受操控而略显失真，这对实现以小说之

"虚"击历史之"实"的美学抱负，似乎并没有太大的帮助。中国古代军事传统中常为人们所津津乐道的"不战而屈人之兵"，是一种具有高度思想游戏特征的智力活动，对真实战事中的用兵，未必有实际价值。同样的道理，相对于今天读者的成熟和理性，小说需要满足的，未必是"同一性"思想前提下的敌强我弱、敌败我胜之类的单调结局，更可能是"多样性"条件下敌我根本性质的差异、民族性格和民族文化的差异，最终是对侵略战争历史的全新表述和理解，以及由此而获得的独特审美体验。

　　"茉莉花"作为中国符号、中国要素在作品中隐现，或以犬类之争象喻中日不同的民族性格，此类安排或许表明了作者在文学上"不战而胜"的叙事策略，即通过焦土中的一片绿叶、战争中的一个"和平"切片，复原历史的细节，呈现人性的生动，形塑侵略者的不同面相，完成"另类"的抗战文学使命。但如何将此一动机落实于酣畅自由的文学审美实践，并非易事。沦陷区内国民的精神沦丧，大地上旷日持久硝烟战乱，遭受屠戮的众生的深重苦难，占领者、被占领者之间的文化心理及对撞，包括存在于民族对立之间的"第三种因素"——空前绝后的汉奸群体的存在，这一切都须精心描摹、细致刻画、谨慎书写才行，若是按照已知的"结果"和"惯例"去处理，注定索然无味。至于对动物，也就是在《好一朵茉莉花》中篇幅占比较大的狗的呈现，或许更需要符合常识的方法，以便看上去更接近一个动物学家的经验而非军事家的谋略。

召唤叙事：

文学创作的一种实验

张志强

徐教头虚晃一招做了个假动作，他把大手一挥说，这些人……峨眉镇……战争。解散。弄得那些以为他会亮出个优美的架势、然后干净麻利地练几套徐家老拳的弟子们有些茫然。这时，有弟子小心恭敬地端上一杯盖碗茶，徐教头左手端碗，右手轻轻打开碗盖，面部稍稍抽搐几下，然后在慢慢升起的水雾中吹去浮茶，随后他盯着茶碗停下了，迟疑了片刻，把碗盖交到旁边弟子手上，伸出右手的小指，在浮茶之上慢慢地挑起一根草棍，对着阳光眯起眼睛看了半天，然后绣指轻弹，那根草棍瞬间不见了踪迹。

弟子们刚要喝彩，徐教头却神秘地轻轻摇摇头，随后哈哈大笑，转身飘然而去。被晾在一边的弟子们愣在那里不知所以。就像——刚刚被丢进水杯中的糖块，片刻沉静之后，糖块化开，迅速进入水里，聪明的弟子们恍然开悟，四下散去。

而后，静静的魏公村文坛把式场响起了一支好听的曲调《好一朵茉莉花》。

此时，教头大人正在大别山的林间溪旁悠哉游哉地品尝他的六安瓜片，耳边萦绕着柔美动听的黄梅小调。

叙事的规则

是的，这是一次精心策划的文学探秘。

徐教头有意的虚晃一招带出了一种新的叙事可能：节外生枝。我们将其称为"召唤叙事"。这是创意写作的探险，也是文学创作教学的一次试验。

由一个人提供故事的母本，由多个参与者进行创作，共同完成一次文学创作的过程。母本的特征是"留白"，参与者根据母本所提供的人物特征、时间指定、空间区域、情节线索继续发掘、拓展、丰富故事母本，使其呈现出多样的、共时性的故事体。

召唤叙事的创作是开放的，理论上可以由无限多的作者与无限多的作品讲述"永远讲不完的故事"，是智力的传承与拓展叙事。召唤叙事完成的作品"分则成篇，聚则成体"，作品既是独立成章的单篇作品集，也可以将所有的在同一母题下创作的作品视为一个整体，并且这个整体也呈现出开放的形态。这种叙事是集中了众多作家智慧与精华的叙事工程，也是深挖叙事内蕴，丰富叙事手法的创作行为。这就是召唤叙事的基本原理。

《好一朵茉莉花》创作正是这种召唤叙事行为的第一次亮相，本次叙事工程的规则如下：

根据徐贵祥的小说《好一朵茉莉花》所提供的人物、所设定的情节、时间、空间创作作品。

徐贵祥所创作的母本小说《好一朵茉莉花》讲的是抗战期间在一个叫做蛾眉镇的地方，突然进驻了一队十人左右的日本部队。这支日本部队在蛾眉镇不烧不杀不抢，表现很"文明有礼"。他们来这里的目的不是占领，而是要搞一个"樱花计划"，也就是要拍摄一部表现中日两国人民"和谐相处"建立"大东亚共荣圈"的美好场景，要向国际社会来证明日本侵略中国的"正确性"。面对不知用意的日本人，一向知书达礼、平静祥和的蛾眉小镇的各色人等如何反应？这里有镇长袁芦轩、绸缎商吕上清、屠户许甲、豆腐商张家恒等镇上的头面人物，还有以"世豪中学"庄临川、蔡捷丰、姚独眼等人为代表的抵抗人士，也有镇上的普通百姓人等。特别是小说描写了蛾眉镇独特的狗世界。在人类沉默顺从的时候蛾眉镇的狗却表现出了异常优良的品质，尤其是那只被姚独眼饲养的经历了战场生死劫难的"茉莉花"狗，多次击败不可一世的日本猛犬，不仅打击了日本狗的气焰，也灭了日本军人的威风。正是在人与狗，人与人的较量中，故事展现出了许多可能性。

这篇小说不同于徐贵祥以往的创作，他有意地做出了许多异常叙事举动：真真假假，虚虚实实，似有似无，若隐若现，故露破绽，暗设玄机。也就是说，如果排除整体策划，单从文本来看，《好一朵茉莉花》这篇小说是线条粗犷而叙事模糊的作品，似乎没有经过打磨推敲，仅是一篇初成品。但仔细一读却会发现这是一篇有较大"可塑"性的柔性作品，有多种发展的可能，就像没有化开的浓墨，滴上几滴水会立即色彩清爽、亮丽。

粗糙、模糊、断片感都是有意而为，目的是把这些破绽丢给他人进行节外生枝式的创作。有人对那只叫"茉莉花"的狗叙事不满、有人觉得镇长袁芦轩这个人物模糊、有人觉得世豪中学校长庄临川有较大的开掘余地、有人对姚独眼这个人物发生了深厚的兴趣，于是那就写出一篇自己的作品吧。那就把这个空间限定在蛾眉镇、时间框定在抗战这样的叙事区域内的故事交给大家来完成吧。

这就是《好一朵茉莉花》创作活动策划的核心。一个集体创作的却又保留着极大个性色彩的"合体"作品。

这是一种文本结构样式，在西方文学批评中把这种预留叙事空白、暗藏故事死角的叙事结构称为"召唤文本"。

召唤文本是现代小说叙事中具有趋向性的创作潮流。召唤文本的最大特点就是"留白"与"读者参与"。也就是说作家完成的是留有巨大想象空间的文本形式，如果读者不在阅读中参与进来，这种文本便是残缺的。用接受美学的重要代表人物德国康斯坦茨大学英国文学教授伊瑟尔的话说就是，只有"文本与读者的结合才产生文学作品"。

换句话说，传统的小说是作家个人的"自言自语""自说自话"，读者被遗忘被排斥，作家是不管读者的。而"召唤文本"把读者拉入作品，参与其中，从创作与接受两个方面使作品获得了强大的生命力。

"召唤文本"在作家之外把读者拉入创作活动中，而《好一朵茉莉花》的创作面对的读者换成了作家，把纯粹的阅读行为换成了叙事行为。召唤文本的读者只是在阅读中用创造性的想象填补叙事的空白，其实是没有物化动作的。而当读者是作家的时候，事情却变得神奇而美妙了：作家是时刻都跃跃欲试的创作者，对于处处留白、暗喻的叙事，每个敏感的作家都会有某种冲动，而我们将这种冲动变成了行动。这就是《好一朵茉莉花》创作的动力所在。

因此，我们将《好一朵茉莉花》的叙事方式称为"召唤叙事"。

召唤叙事就是由母体文本提供基本的叙事线索，召唤后续创作者接续故事讲述的作品。这是一种无限的开放结构，是一种创作的试验，也是一种全新的文学作品的创作方式。换个角度我们也可以将其称为叙事的"游戏"。

在一块铺满叙事构件的平台上摆满了各种叙事物体，那些对此有着深厚兴致的作家们，在台面上细心挑选，然后认领其中之一，回到自己的"车间"里设计打磨，然后做成一件件璀璨耀眼的艺术品。

除了文学母本创作者徐贵祥之外，这次"召唤叙事"创作活动吸引了十四位不同品位的作家、学员们参与其中。其中有两位教员，五位本科学员，六位研究生学员，一位校外作家。他们从各种不同的兴趣点入手，将抗战期间蛾眉小镇的故事讲得虎虎生风，高潮迭起。

打开叙事窗

德国作家恩德在他的经典小说《永远讲不完的故事》里讲述了一个重大危机事件，幻想王国要消亡了，整个国家都处于恐慌与焦虑之中。因为幻想王国的想象力在衰竭，人们如果不能给王国起一个新名字，国家就会消失。人们在不能给自己的手臂起出新名字的时候，手臂就会慢慢地不见了；湖泊如果得不到新的命名湖水就会"蒸发"，承载湖泊的那块土地也会消失。于是，重病中的女王紧急派人去寻找一位具有非凡想象力的人来拯救自己的国家。故事由此开始了。

事实上，比恩德描述的那个幻想王国更为恐慌的是，人类的文学创作也正在面临着一个天塌地陷的巨大劫难：故事正在消亡！

这已经不是什么惊天秘密，对于文学创作来说，情况要比这更为严重。

俄国叙事学家普罗普在《故事形态学》中把故事归纳为 31 种，也就是说，世间的故事无非就那么 31 种而已。美国创意写作学者施密特在《经典人物 45 种》中把经典文学人物形象归纳为 45 种，他的意思很明确，一个作家的才能再大，也无非是在这 45 种类型人物中挑选若干，不断地重复着他者的故事。而另一位专注于文学情节研究的学者罗纳德·B.托比亚斯经过多年的研究在他的《经典情节 20 种》里将经典故事的情节归纳为 20 种，他认为，故事情节是有限的。

虽然，这些学者的研究有其极端与偏颇之处，但是，我们不得不承认的是，故事是有限的。正如美国大作家威拉·凯瑟在他的小说《啊，拓荒者！》中说过的那句令人难忘的话："人类其实只有那么两三个故事，它们不断地重复，就好像它们从未被重复过一样。"

《圣经》里也明确地告知我们"太阳底下无新事"，也就是说，如果从故事的层面讲，当代叙事文学其实已经无路可走，虽然我们可以盲目地拍着胸脯自夸：我的故事是别人从来也没有讲过的。但是，可能吗？我们可能比自文艺复兴以来四五百年间人类出现的卓越的作家都高明吗？

但是，另外一个事实也是无法否认的，那就是人类的叙事文学在进步，叙事作品以极为惊人的新样态不断地呈现着令人目眩的成绩。

这究竟是怎么回事？

原因是在有限的故事中，人们找到了故事讲述的无限可能。也就是故事虽然是有限的，但是讲述故事的方法却在不断地被发现，讲述故事的技术在不断地被创新。这恰恰是当今人类文学创作的一个巨大的进步。

如果仅就故事层面来说《好一朵茉莉花》并不新颖，也缺乏独创性，类似的故事已经被中外作家从不同角度讲过无数遍，它不过是重复地讲述了一个老套的旧事而已。但是它讲述故事的方法却是独特的、新颖的。从创新的手法上，我们看到了其独特与独创性。

《好一朵茉莉花》的故事母本是作家徐贵祥提供的，同样的故事体：抗战、蛾眉镇、一条神奇的狗、一群小镇上的人物，由15个人来讲，我们发现了这个故事的15种角度与叙事的可能。其实，何止15种？如果愿意的话，我们可以无限的做下去。那么，如果从阅读意义上来讲，读者便从一个单一的有限的故事空间中获得了更为丰富的、多维立体的阅读感受，产生了如此强烈的心理期待。

或者说，《好一朵茉莉花》从一个作家的故事叙事套路里解放出来了，它所散发出来的作品体味就不是徐贵祥一个人的，而是集中了许多优秀书写品质的合体。

从前，我们为叙事文学打开的窗户只有有限的几扇，我们对故事呈现的理解简单得不可思议：故事只能是从头开始，按照时间顺序从早到晚、从生到死、从开局到结束，故事是线性的、时间是线性的，人物也是线性的。我们甚至没有注意到世界的共生性：在生的同时，也存在着死亡，在欢乐的情景下，共生着悲凉感，在成功事件外表下，同时也存在着失败，在勃勃生机的青春岁月，也同时存在着肃杀与衰老。

事实上，世界不是单一的、平面的、历时的，而是多维的、立体的、同时发生的，是共时的。

可是，我们讲述世界的方法为什么会如此单薄而粗暴呢？

虚构文学走到今天其实已经走到了末路穷途，人类的想象力与创造力在看似丰富的表象下，正在经历着冰川期的考验，作者自信的创作与实际的复制与仿作正在成为这个时代的主潮。我们正象饕餮自然一样，践踏着文学生态。

如果我们的创作行为总处于某种封闭的、自足的状态，就不会走出新意，总会处在一种传统的、隔离的创作中，总会老态龙钟、死气沉沉，并且最终走向自恋与死亡。

于是，优秀的现代作家在叙事文学的生产过程中要做的最主要的事情就是在寻找不同的讲述方法，开启更多的叙事之窗。

英国小说家亨利·詹姆斯在《一位女士的画像·序言》中精确地指出了小说创作中的方法的重要性："小说这幢大厦不是只有一扇窗户，它有千千万万的窗户——它们的数目多得不可计算，它正面那堵巨大的墙上，按照各人观察的需要，或者个人意志的要求，开着不少窗户，有的已经打通，有的还在开凿。这些不同形状和大小的窗洞，一起面对着人生的场景，因此我们可以指望它们提供的报道，比我们设想的有更多的相似之处。它们充其量不过是窗户，是在一堵遮蔽着一切的墙上开的一些窟窿，它们高踞在上，彼此不相为谋，它们不是有铰链的门，可以直接通向生活。但它们有各自的标记，即在每个洞口都站着一个人，他有自己的一双眼睛，或者至少有一架望远镜作为观察的独特工具，保证使用它的人得到与别人不同的印象。他和他周围的人都在观看同一表演，但一个人看到的多一些，另一个人看到的少一些，一个人看到的是黑的，另一个人看到的是白的，一个人看到的大一些，另一个人看到的小一些，一个人看到的粗糙一些，另一个人看到的精致一些，如此等等。"

是的，在有限的故事类型下有着"千千万万种"讲述方法，其中每一种只要给作品提供一个"中心"，它就是正当的。

开启小说房屋的窗口正是《好一朵茉莉花》创作活动目标之一。

现在，关于文学创作"可以不可以教"的问题似乎已经得到了基本一致的答案，那就是可以教。但是，教什么、怎么教却是一个巨大的难题。目前西方创意写作界经过长期的探索与研究，对文学创作教学已经拥有了相当成熟的、适合西方教育思维的体系与方法。但是，中国文学创作教学却还在黑暗中摸石头，虽然西方成套的体系与概念清晰地摆放在那里，却总让我们感觉到某种不妥。那么，探索我们自己的创作教学之路便成为我们这一代人责无旁贷的责任。《好一朵茉莉花》的创作实践似乎正在把某种模糊的认识变成一种清晰的创作行动。

显然，《好一朵茉莉花》创作行动的目标不是教故事，而是尝试着教编故事，就是讲述一个可能被讲述了无数遍的故事的方法。从一个相对固定的时间、空间、人物范畴讲述衍生出无限的故事可能。

事实上，《好一朵茉莉花》的创作策划正是试图为创作者打开一扇新的叙事窗户，开启一扇文学创作教学的新天地。

种子与母题

我们也把这种创作的方法称为撒种子。

播种不是一个人能够完成的，它是一个集体行为，或者说是一种不断接续才能够完成的工作。于是，先撒种子，在松软肥沃的叙事土壤中埋下故事的种子召唤着他人来浇水施肥，然后扶植成长。

我们先布下了一地的种子：一条独特的狗，一群独特的人，一个独特的空间，一段设定好的时间。这就是我们的舞台，他就摆在那里，我们的作家就是我们的演员和创造生命的作者，看看他们是如何空手套白狼的？

叙事的种子是有讲究的。徐贵祥在这里发挥了他狡黠的天赋，精心设计了一个故事母体。它给我们留下的切口很多，他的人物有的模糊不定，情节有的摇摇摆摆。如果仔细研究我们会发现，他其实至少埋下了四种叙事的种子等待后续的创作者们来培养。

第一类种子就是人物。

故事的母体提供的有明确职业搭配的人物有：蛾眉镇卖油条的刘三、经营豆腐坊的张家恒、屠户许甲、镇长袁芦轩、凤翔布庄的老板吕上清、世豪中学校长庄临川、物理教员周介于、化工教员蔡捷丰、铁匠谢奉承、世豪中学佣工姚独眼、数学老师袁莞睿、俄文老师蒋余干、裴世豪老先生。

还有就是反面人物的种子。翻译官贾宜昌、"皇协军"团长张贵、日军驻屯蛾眉镇的长官河岸中佐、河岸中佐的副手加藤、松冈大佐。

当然，在反面人物中，作品还暗示了对某些人物的倾向性，如对"皇协军"团长张贵的描写暗示这个人物倒向正面人物的可能。

在人物的种子布局中，有的人物写得很清晰，如镇长袁芦轩，如日军驻屯蛾眉的最高长官河岸"是个中佐，四十来岁，戴着一副金丝边眼镜，文质彬彬的模样。河岸中佐对袁芦轩等人说的第一句话就是，鄙人河岸，是个读书人，诸位可以喊我河岸先生"等。

在人物种子中，作品留有相当大的空白，如作品没有写到蛾眉镇上的女人，没有写到人物的家庭，没有写到人物的职业关联人，等等。

这是有意而为之，等待培养的叙事种子。

第二类种子，就是狗。这里有对蛾眉镇最富传奇的狗"茉莉花"的描写，也有对日本军犬瀑布、川芎中尉的描写。还有对蛾眉镇上众多狗的描写。

第三类种子，就是空间。

空间在叙事文学中的作用是明显的，但是，传统文学对空间的关注不够。这次创作实验，故事母体也提供了相应的试验空间。这里提供的显在的空间是蛾眉镇、妆台、汲河、世豪中学、桂山饭店等。但，还有更为丰富的隐藏空间，各个人物所生存活动的空间、狗世界的空间等。

第四类种子，就是意象式的种子。

母体故事只是提供了一种意象或者是感觉，如那支若有若无的"蛾眉纵队"、一片柳絮，等等。

当然，所有的种子，都为一个母题做准备。这个母题就是故事原作所提供的叙事意象。

时间停顿

如果，我们把《好一朵茉莉花》的故事由15个从不同的角度反复叙事的行为称作叙事的"罗生门"的话，那么，这次创作还存在着一个时间上的"罗生门"。或者说，《好一朵茉莉花》无意中尝试了一种"零时间"的创作方法。

何为"零时间"？简单地讲，"零时间"就是指叙事时间的停止与凝固。

零时间的概念来自于意大利文学家卡尔维诺，在1978年由埃依纳乌迪出版社出版的卡尔维诺所撰写的《你和零》一书中对"零时间"进行了详细而生动的阐述。

猎手去森林狩猎。突然，一头雄狮张牙舞爪，向猎手扑来。猎手急忙弯弓搭箭，向狮子射出一箭。雄狮纵身跃起。羽箭在空中飞鸣。这一瞬间，犹如电影中的定格一样，呈现出一个绝对的时间。这就是时间零。

时间正：狮子可能张开血盆大口，咬断猎手的喉管吞食他的血肉；也可能羽箭射个正着，狮子挣扎一番，一命呜呼。这一切都是发生在时间零之后，称作时间正，或是正时间。

时间负：在狮子跃起、猎手射箭之前发生一切，处于
时间零之前，称作时间负，或负时间。

　　卡尔维诺对此指出，传统小说苦心经营的是时间正或者时间负，
却忽略了时间零。时间正一、时间正二、时间正三、时间负一、负
二、负三，着力于故事的来龙去脉，原因、结果的铺设，遵循的是
线性的时间概念与结构。但最具有叙事能量和无限可能的是时间零。
"这一绝对时间，就其内涵来说，本身就是一个无比丰富的宇宙。"
（卡尔维诺：《你和零》）

　　我们注意到一个相当有趣的叙述事实，15篇有关《好一朵茉莉
花》的作品叙述的都是同一个时间，即从河岸中佐的部队到达蛾眉
镇，到完成（或未完成）"樱花计划"这一时间。虽然少数作品追述
了某些形象（如姚独眼、"茉莉花"、河岸等）的过去，也就是故事
的"来龙"，但主叙事层基本都是在停止的时间上反复叙述这段时
间蛾眉镇的不同人等的生存状态。故事的叙述时间甚至都没有超出
"樱花计划"讲述未来，也就是没有涉及到传统小说叙事热衷的"去
脉"，即行动之后的人物的命运。

　　母本小说所提供的时间又是模糊不定的，河岸中佐在蛾眉镇待
了多长时间？三天？五天？十天？一个月？三年？母本小说有意回
避了时间的精确度，这是作者在时间上留下的空白。这个时间似乎
是开放的，却又是极端封闭的，时间的设定一定是在"文明的日本
人"进驻蛾眉镇到完成"樱花计划"这段日子，不会有其他。

　　这便是时间的停顿。或者说是"零时间"的一种，是时间反复
的罗生门。

　　在这个故事的叙事行为中，时间本质上是停顿的、重复的。似
乎，在河岸中佐的部队到达蛾眉之后，时间便停止了，时间没有按
照习惯继续行走，所以讲故事的人都把时间拦住了，让时间停下来，
从不同的角度感受与触摸不同人物与事件的可能。

　　这便是"零时间"的一种实际应用。而对于"零时间"在文学

创作中的巨大作用许多中国作家尚未注意到，但在西方当代文学创作中这已经成为了一种创作主潮之一。

我们换一种角度分析，假如，目前这15篇已经完成的作品是由同一位作者创作的，那么，这部作品给文坛所带来的震动将是巨大而深远的。

还记得福克纳的《喧哗与骚动》吗？一部长篇小说的四个段落讲述的都是同一时间、同一空间、同一事件、同一人物，而这部作品所造成的"交响乐"式的宏大叙事效果至今仍为我们所仰慕。我们一定还能回忆起2006年诺贝尔文学奖获得者帕慕克的《我的名字叫红》，那部小说不也同样用24个段落反复讲述同一时间内的两件事吗：谋杀案和细密画传人的恋爱。

是的，准确地讲，《好一朵茉莉花》创作行为的更高一层意图便是让参与者和那些跃跃欲试的创作者们意识到时间、"零时间"的重要性。希望作家们在未来的创作中把时间的意识融入到叙事中来。

小说是时间的艺术，"零时间"是现代小说创作的重要形态。

空间标的

还有空间。小说不但是时间的，也是空间的。这也正是《好一朵茉莉花》母本小说有意提供给创作者们的种子。

通常我们理解的空间仅是一种装载故事的"容器"，其实，空间不仅是事件在时间中展现故事时的背景或地点，空间还是积极的、能动的、充实的叙事要件，是叙事的轨迹。莫雷蒂在《欧洲小说集》中也提出："地理并非惰性的容器，不是一个文化历史发生于其中的盒子，它是一股积极的力量，弥漫于文学领域之中，并深刻地影响着它。"

一个北方人，与一个南方人在外形上、生活习惯上和语言上显然是不同的，我们能够容易地将他们区别开的原因本质上是空间：

是南方或者北方的空间塑造了人的外形。

更重要的是生活习惯与行为本身。"一方水土养一方人"，那"一方"就是指空间。空间不仅为人类提供了必要的生活所需的场所，而且还塑造了人的外形、人的语言、人的习惯、人的心理、人的道德价值、宗教信仰、人与人之间的关系，人的一切行为。我们还常常讲"到什么山唱什么歌"、"入乡随俗"、"靠山吃山，靠水吃水"这指的也是空间，一个独特的空间会塑造出独特的空间中的人与环境。

换句话说，空间不是一个被动的、只是容纳事件的场所，空间具有塑造人物的作用，而且，在某种程度上，空间对人的塑造是起着绝对重要作用的力量。

空间叙事在文学创作中有着实际的操作意义。我们通常理解的虚构文学是时间的，其实空间也是一个值得发掘与拓展的叙事领域。蛾眉镇为什么会出现那些首鼠两端的头面人物，但同时又会出现如世豪中学那些勇敢者的形象，这与空间有相当大的关系。

也就是说，对空间的气氛、空间物品与空间文化的细致描写、创造与有意的刻画应当成为一部分人"节外生枝"的一个切入点。写蛾眉镇的狗文化、写它的书香文化，写不同家族的生成与国民性的本质与自然生态与文化环境有着极大的关联性。

如果，有人能够从母本的叙事中发展出蛾眉镇上的一种独特的饮食习惯，挖掘出蛾眉镇上的一种独特的产物，或者一口有着神奇传说的水井，或者一种人力车，或者一种植物，那将使叙事在空间上会出现一种多彩的味道。

遗憾的是，本次创作活动没有发现独特的对于空间叙事的关注。

但母本却在空间上预留了叙事的种子。作品的空间被固化在一个具体的有限的区域内：蛾眉镇。把空间预设在有限中，可以获得想象的无限性。

正如法国学者米歇尔·福柯在《不同的空间》中所说："当今时代也许是一个空间的时代。我们都处在一个同时性的时代，一个并列的时代，一个远近的时代，一个共存的时代，一个散播的时代。我认为我们存在于这样的时刻：世界正经历着像是由点线联结编织而成的网络版的生活，而非什么随着时间而发展的伟大生活。也许我们可以说，引发今天争论的某些意识形态冲突，就呈现在时间的忠实传人和空间的强悍居住者之间。"（［法］米歇尔·福柯：《不同的空间》）

我们的意图是，如果在空间书写方面再做出某些探求，这便是更为圆满的一次创作。

复调文本

现代小说的发展应当是一种复调小说而不是"独白小说"。

独白小说指的是叙事只有一种声音的作品。即小说的叙事只有一种权威的声音，也就是叙事者的声音。虽然，人物可能会有不同声音的出现，但最终还是有一种"统一"的声音，将各种不同的声音压制住，最后叙事者出来做出统一的"结论"。

但复调小说则不同，复调叙事是没有绝对权威的。作品中的讲故事的人，也就是叙事者实际上也是作家塑造出来的"人物"，他在本质上是没有特权的，他与作品中的人物是同等的。因此，叙事者的声音也就应当与人物的声音是平等的。我们都知道毛姆的小说《未被征服的女人》，在这部作品中，我们倾听到了叙事者的声音，这个声音是同情德国士兵汉斯的，他寻求的是一种战争中的理解与对人性的某种妥协。但是，作品中的主人公安内特却发出了另一种声音，她是不同意叙事者意图的。在她的观念中侵略者对自己家乡土地的践踏与人民的杀戮是不可饶恕的，虽然汉斯已经做出了极大的努力，但也掩盖不了他和整个德国侵略者的罪恶。而小说到了最终也没有表现出"隐含作者"对两种观点的评价，也就是说，作为一个作家，毛姆也没法站在任何一方，只能让两种观点去共生、对抗。这便是一种复调方式。

回到《好一朵茉莉花》的创作中来。

虽然，作为独立的文学创作这15篇作品都是"独白"小说，但是，我们惊喜地发现，如果把《好一朵茉莉花》的15篇作品看作是一个整体的话，那么它就是一种复调小说。

每个作者都在按照自己的叙事逻辑安排着自己作品人物的命运。有的人物在性格和行为方面并非是统一的，甚至存在着对抗。也就是说《好一朵茉莉花》衍生出来的人物，虽然有着统一的母体，但作为独立的创造却有着不同的观点与行为特征，所有的作品几乎都没有完全被母本小说的人物形象固化为一种模式，他们在与那个母本小说的"叙事者"进行认真的、不妥协的对话，这就形成了复调。

假如，我们再大胆一点，把15篇作者的名字都去掉，把15篇小说的题目改成"第一章""第二章"……那么，我们会更为惊喜地发现，这是一部极为独特的长篇小说，而且是一部从形式到内容都充满了探险意味的长篇作品。

也就是说，这部系列作品中的人物没有完全听从于一个叙事者的安排，而是各自发出了不同的声音。并且这种声音没有被一种最终的"统一声音"掩盖为一个"总的声音"。在这15篇小说中，对于蛾眉镇那些"头面人物"的认识，有的把这些人物写成了懦弱怕事的中国人，有的却把这些人物叙述成了对话式的形象。

另一种对话是有关作者与读者的。

创作行为自然要与读者建立起一种关联，然而仅仅是一种阅读关联还远远不够，必须有创作意图的升华才可能有切实的意义。

创作与阅读之间并非是单一的哺乳喂养与吸吮成长的关系，它还应当而且必须有"反哺"行为。创作与阅读之间如果仅仅是一种独白式的叙事，而没有对话与对抗是形成不了真实的叙事力量的。这就是为什么开放式的叙事如此重要的原因。

就《好一朵茉莉花》的创作来看，即是一种节外生枝的创作接续，也可以被看成是一次与读者的对话行为。正是因为每一位作者

（也可以看作读者）在阅读母本小说时看到了作品中存在的空白，于是他们在这些空白处填写了他们理想中的内容，这便是一种对话。读者（也可以看成是作者）以作品的方式与原小说的叙事者进行了对话，也可以称之为读者以作品的方式与原小说的作者进行了对抗。

文本的阅读有两种可能，一种是读者的、一种是作者的，但从本质上说，两者可以被看作是一体的。当读者从文本中获取的仅仅是一种故事的乐趣，或者仅仅是故事引发的某种感悟时，那么这种阅读也仅仅是单纯的阅读行为。但当阅读上升为一种技术的启发时，阅读就会成为推动创作产生的能量。

我们相信，由《好一朵茉莉花》构建起来的良好的叙事对话，可能正挑起某种创作的布幔，成为创作的某种可资借鉴的一种倾向。

至于《好一朵茉莉花》创作行为的成与败，那可不是创作者说了算的，我们等待着读者的评判。

图书在版编目（CIP）数据

好一朵茉莉花 / 徐贵祥 领创 . —北京：东方出版社，2015.8
ISBN 978-7-5060-8404-8

Ⅰ.①好… Ⅱ.①徐… Ⅲ.①长篇小说—中国—当代
Ⅳ.① I247.5

中国版本图书馆 CIP 数据核字（2015）第 208403 号

好一朵茉莉花
（HAO YIDUO MOLIHUA）

- -

作　　者：徐贵祥 等
责任编辑：简以宁
出　　版：东方出版社
发　　行：人民东方出版传媒有限公司
地　　址：北京市东城区朝阳门内大街 166 号
邮政编码：100706
印　　刷：北京京都六环印刷厂
版　　次：2015 年 10 月第 1 版
印　　次：2015 年 10 月第 1 次印刷
开　　本：660 毫米 ×960 毫米　1/16
印　　张：20
字　　数：260 千字
书　　号：ISBN 978-7-5060-8404-8
定　　价：38.00 元
发行电话：（010）64258117　64258115　64258112

- -